U0093074
一笑

盛期之風貌

與

臥龍生作品　帶動武俠風潮

《飛燕驚龍》開一代武俠新風

《飛燕驚龍》(1958)爲臥龍生成名作，共48回，約120萬言。此書承《風塵俠隱》之餘烈，首倡「武林九大門派」及「江湖大一統」之說，更早於香港武俠巨匠金庸撰《笑傲江湖》(1967)所稱「千秋萬世，一統」達九年以上。流風所及，臺、港武俠作家無不效尤；而所謂「武林盟主」、「江湖霸業」等新提法，竟成爲社會大眾耳熟能詳的流行術語了。

《飛燕》一書可讀性高，格局甚大。主要是寫江湖群雄爲覬覦傳說中的武林奇書《歸元秘笈》而引起一連串的明爭暗鬥；再以一部假秘笈和萬年火龜爲餌，交插敘述武林九大門派（代表正派）彼此之間的爾虞我詐，以及天龍幫（代表反方）網羅天下奇人異士而與九大門派的對立衝突。其中崑崙派弟子楊夢寰偕師妹沈霞琳行道江湖，卻如夢似幻地成爲巾幗奇人朱若蘭、趙小蝶之絕世武功技驚天龍幫，而海天一叟李滄瀾復接連敗於沈霞琳、楊夢寰之手；致令其爭霸江湖之雄心盡泯，始化解了一場武林浩劫云。

在故事佈局上，本書以「懷璧其罪」（與真、假《歸元秘笈》有關）的楊夢寰屢遭險難，卻每獲武林紅妝垂青爲書膽(明)，又以金環二郎陶玉之嫉才害能，專與楊夢寰作對(暗)爲反派人物總代表。由是一明一暗交織成章，一波未平，一波又起，極盡波譎雲詭之能事。最後天龍幫冰消瓦解，陶玉帶著偷搶來的《歸元秘笈》跳下萬丈懸崖，生死不明，卻予人留下無窮想像空間。三年後，作者再續寫《風雨燕歸來》以交代陶玉重出江湖，爲惡世間，則力不從心，當屬狗尾續貂之作。

在人物塑造方面，臥龍生寫男主角楊夢寰中看不中用，固然乏善可陳，徹底失敗；但寫其他三名女主角如「天使的化身」沈霞琳聖潔無瑕，至情至性，處處惹人憐愛；「正義的女神」朱若蘭氣質高華，冷若冰霜，凜然不可犯；「無影女」李瑤紅則刁蠻任性，甘爲情死等等，均各擅勝場。乃至寫次要人物如「賓中之主」海天一叟李滄瀾之雄才大略，豪邁氣派；玉簫仙子之放蕩不羈，爲愛痴狂；以及八臂神翁聞公泰之老奸巨猾，天龍幫軍師王寒湘之冷傲自負等，亦多有可觀。

摘自 葉洪生、林保淳著《台灣武俠小說發展史》

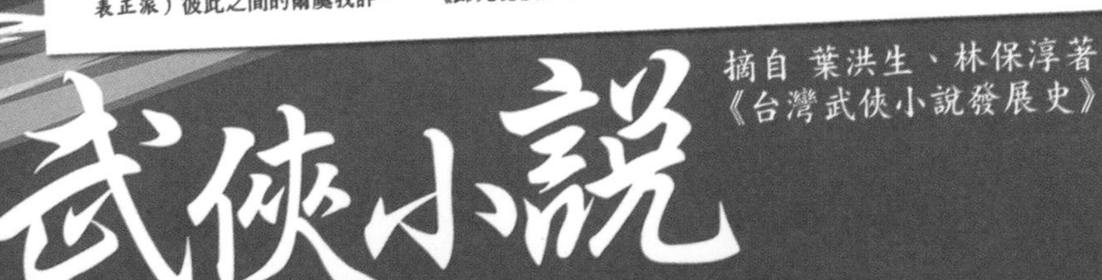

台港武俠文學

流行天王

臥龍生

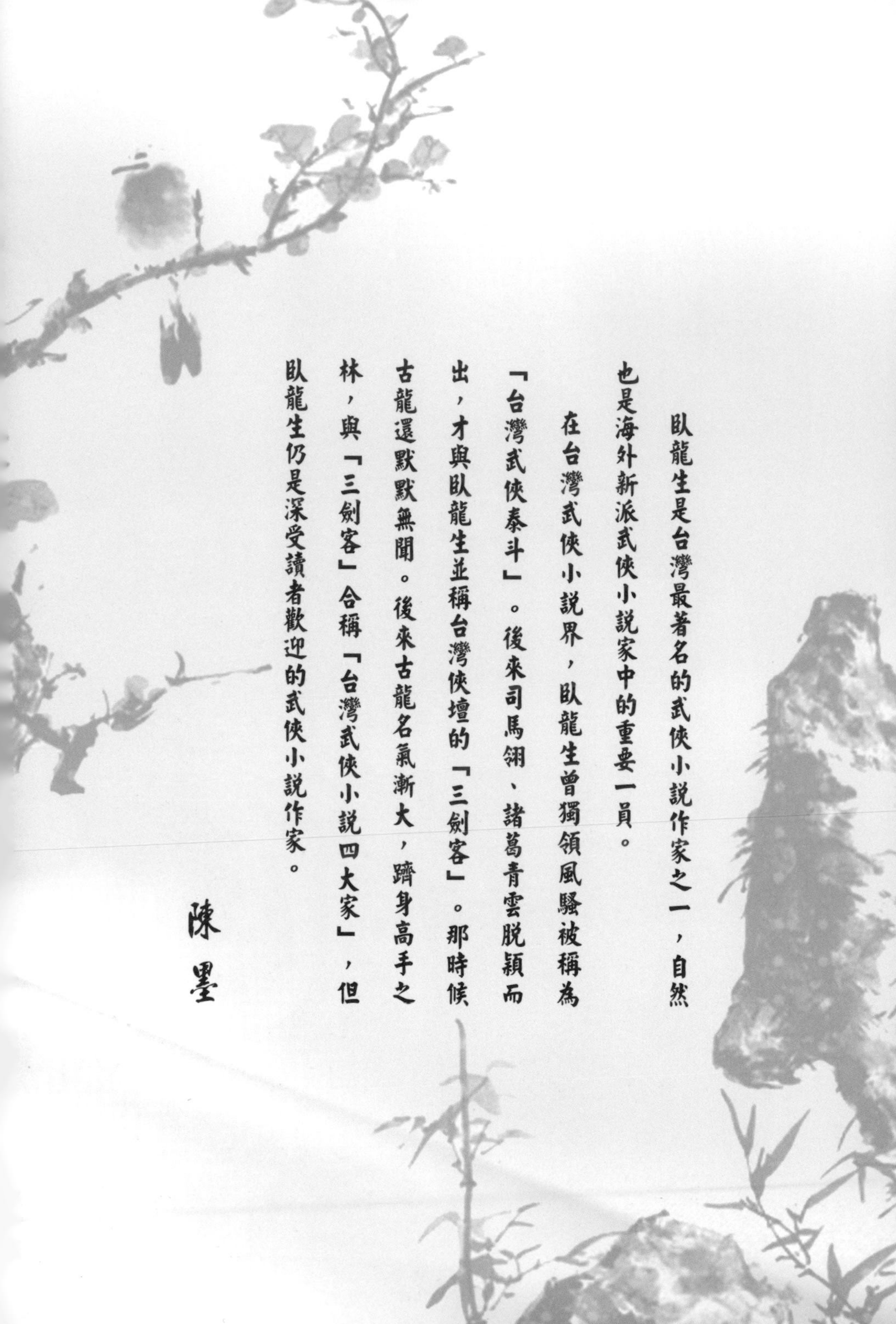

臥龍生是台灣最著名的武俠小說作家之一，自然也是海外新派武俠小說家中的重要一員。

在台灣武俠小說界，臥龍生曾獨領風騷被稱為「台灣武俠泰斗」。後來司馬翎、諸葛青雲脫穎而出，才與臥龍生並稱台灣俠壇的「三劍客」。那時候古龍還默默無聞。後來古龍名氣漸大，躋身高手之林，與「三劍客」合稱「台灣武俠小說四大家」，但臥龍生仍是深受讀者歡迎的武俠小說作家。

陳墨

臥龍生
翠袖玉環
（三）
臥龍生
武俠經典珍藏版
39

臥龍生精品集39

翠袖玉環（三）

目錄

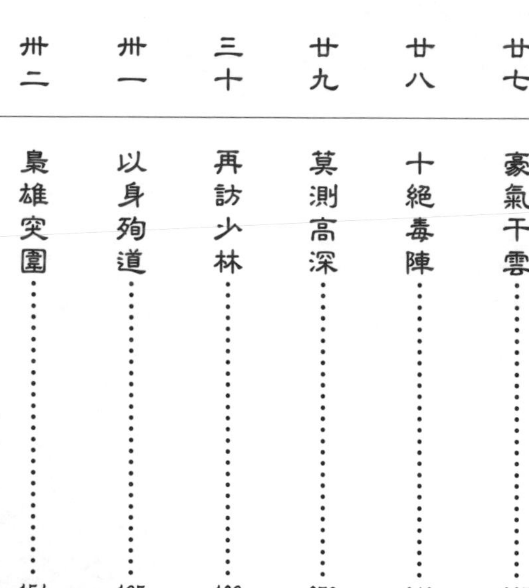

廿七　豪氣干雲

兩個身著灰袍僧侶，當先行了出來，手中高舉著兩支火把，跟隨在兩個灰袍僧人之後的，是四個身穿紅色袈裟的和尚。

四僧手中各拿著兩面銅鈸，背上斜插著一柄戒刀。

最後一個是身著月白袈裟，手中握著一柄禪杖，胸前白髯飄飄的老僧。

兩個手舉火把的僧人，出了寺門之後，迅即閃向兩側。

四個身著紅色袈裟的和尚，也行向兩側，中間讓出一條路來。

身穿月白袈婆的和尚，由最後行了上來，走在最先。

四個手執銅鈸的和尚，緊隨在那白髯老僧身邊。

藍福右手一揮，低聲說道：「你們也退到我身後去。」

乾坤二怪依言退到藍福的身後。

藍福向前行了兩步，仗劍而立，蓄勢以待。

那白髯老僧行近藍福身前八尺左右時，停下了腳步，望了藍福一眼，道：「老施主可否把你的姓名見告？」

藍福道：「老夫藍福，請教老禪師的法號。」

自髯老僧神情肅然地說道：「貧僧戒持院的主持天鏡。」

藍福心頭一動，暗道：「又是天字輩的高僧，不知這少林寺中有好多天字輩的人物。」

心中念轉，口中說道：「原來大師是主持，老夫失敬了。」

天鏡大師道：「老衲不善虛言，藍老施主黌夜之中，帶人進逼我少林寺外，想來定非無因，老衲希望藍施主能夠說明內情。」

藍福四顧了一眼，仍然不見有會合之人趕來，心中大是焦慮，暗道：「難道三路人馬，全都受到阻攔，無一路能夠破除阻擊，依限趕到麼？」

但聞天鏡大師冷冷地接道：「閣下可是希望瞧到援手麼？」

藍福淡然一笑，道：「縱然沒有援手趕到，老夫也自信有來去自如之能。」

天鏡大師自現身之後，神情一直十分嚴肅，但聽到藍福的狂言之後，仍然是那種臉色，既無輕藐之意，也無忿怒之容，冷冷地說道：「藍老施主目下已經到了少林寺外，你準備如何？可以說明了。」

藍福道：「老夫希望面見貴寺方丈一面，和他談幾件事……」

天鏡大師道：「什麼事？先和老衲談談，如若老衲自知無能解決時，自會引薦老施主面見敝寺的方丈。」

藍福緩緩說道：「大師很少在江湖上走動，只怕不知道江湖中事。」

天鏡大師道：「老衲雖然很少在江湖上走動，但對江湖中事，並非完全陌生，本寺甚多行道高僧，經常有江湖中消息，傳入少林寺中。」

藍福冷冷說道：「那麼，大師知曉江湖上發生了什麼事情？」

天鏡大師道：「老衲聽到了一樁傳說，三十年來一直享譽江湖，被人尊稱爲一代名俠的藍天義，成立了一個天道教，準備獨霸江湖、號令武林。」

藍福道：「不錯，而且老夫就是天道教中的總護法。」

天鏡大師道：「老衲有一件事，想不明白，想請教你藍總護法。」

藍福道：「什麼事？」

天鏡大師冷冷說道：「藍天義雖然名重一時，但如此倒行逆施，只怕也難使天下武林同道信服。」

藍福正待接口，突然一陣厲嘯之聲，傳了過來。

天鏡大師冷笑了一聲，道：「藍老施主的援手到了。」

藍福道：「大勢已成，區區一個少林寺，豈能獨支大廈？」

天鏡大師道：「數百年來，少林寺經歷了很多次劫難，但仍然是屹立無恙，老衲不相信藍天義能夠使少林屈服。」

藍福道：「武功一道，講究的是真才實學，大師如若不信，那只有在武功上一分勝負了。」

他聽到厲嘯之聲，已知是援手趕到，不禁膽子一壯。

天鏡大師道：「好！老衲已三十年未和人動過手了，今日少林面臨大劫，老衲豈能坐視，老衲願讓三招。」

藍福道：「大師雖是少林寺戒恃院的主持，但老夫亦是天道教中的總護法，彼此身分並無懸殊，大師讓我三招，未免是太狂妄了吧！」

天鏡大師一皺眉頭，道：「老衲是一片誠意，老施主不願接受，也就算了。」

藍福凝神靜聽，那一聲厲嘯之後，再無聲息傳來，心中暗驚，道：「聽剛才厲嘯，分明人猿趕到，何以再不聞聲息傳來？」

只見天鏡大師緩緩舉起手中禪杖，道：「老施主，這先機可要老衲奉讓？」

藍福緩緩舉起長劍，道：「不用了，咱一齊出手如何？」

天鏡大師道：「好！藍總護法請吧！」

藍福暗提功力，貫注在劍身之上，接道：「大師可知曉丹書、魔令麼？」

天鏡大師道：「聽說兩物全落入藍天義的手中。」

藍福和冷佛天蟬動過手一次，又試過飛鈸大師天音的一段，少林寺天字輩高僧的修為，實有過人之處，這天鏡大師身為戒恃院主持，只怕武功猶在天蟬、天音之上，各路援手都未趕到，藍福孤軍直逼寺前，嘴裏說得強硬，心中確實有些遲疑，藉機拖延時間。

當下說道：「丹書、魔令，得一可平天下，兩物集於一人之手，其功效又何止增強十倍，教主憑此兩物，統率武林，豈算得誇大之言。」

天鏡大師道：「不錯，丹書、魔令，確為武林中兩大奇物，不過，藍施主應該知道，一個人的體能所面臨的成就極限，我少林寺相傳數十代，歷代弟子何止萬人，其中實不乏才慧之士，但我少林存放有七十二種絕技，數十代中竟無一人能練成所有之技，縱有良師益友，也是無法助他。」

藍福道：「少林寺七十二種絕技，如何能比得丹書、魔令，那丹書、魔令所記武功，不是上乘的內功，就是奇奧無比的招術，大師如若認為二書記載之學，是成套的拳招，那就錯得遠了。」

天鏡大師沉吟了片刻，道：「就算你藍總護法說得不錯，但也無法證明，一個人能夠學完丹書、魔令上記載的武功。」

藍福道：「其實，也用不著完全學會，但得之十之四、五，已可縱橫天下，罕有敵手了。」

天鏡大師凝神傾聽了片刻，道：「藍總護法不知學會了多少絕技？老衲願以身相試，先當鋒銳。」

藍福答非所問地說道：「老禪師適才凝神靜聽，不知用意何在，可否見告老夫？」

天鏡大師突然法相莊嚴，看上去十分嚴肅，其實，他乃是一位得道高僧，心地極爲仁慈，略一沉吟，道：「告訴你也不要緊，因爲老衲希望在還未達成無法挽回的大錯之前，你藍老施主能夠懸崖勒馬。」

藍福的經驗是何等的豐富，已聽出天鏡大師弦外之音，話中有話，當下說道：「那老禪師有何見教，老夫願洗耳恭聽。」

天鏡大師道：「貴教也許感覺到，這次夜襲嵩山少林寺一事，十分隱秘，無人知曉，而且又在我少林寺中，埋伏了內奸眼線，準備裏應外合，一舉成功；其實，兩月之前，我們已知曉了這樁消息，本寺不但早有準備，而且分頭設伏，各路都有安排，貴教中雖然每一路人馬都有著強大的力量，但也很難逼近到少林寺前。」

藍福心頭大爲震駭，但卻故作鎮靜地說道：「聽大師的口氣，似乎是敝教之中，有著貴寺的臥底之人，才對敝教中的諸般行動，能夠瞭如指掌。」

天鏡大師一轉話題，道：「藍老施主，如肯放下屠刀，老衲為你擔待，向天下英雄解說……」

藍福接道：「你要說什麼？」

長劍一探，幻起了三朵劍花，分向天鏡大師兩處大穴上刺去。

天靜大師乃天字輩高僧中武功極強的一個，眼看藍福刺來一劍，心中暗暗一動，道：「這藍福劍上造詣，確實精深，這一招莫可預測的劍勢，就非同小可，我如能在十招之內，以大力金剛掌和迴輪杖法，出其不意，把他制服，縱然不能促使藍天義放下屠刀，棄邪歸正，至少也可使他減去不少實力。」

他心中念轉，也就不過是一眨眼間的工夫，手中禪杖突然施出一招「法輪九轉」。

那粗大的純鋼禪杖，在天鏡大師的手中，輕如無物一般，幻起了一片杖花。

但聞噹一聲，藍福手中的長劍，被天鏡大師禪杖封擋開去。

藍福感覺右手一震，長劍幾乎脫手。

天鏡大師一杖擋開了藍福的劍勢之後，大喝一聲，道：「小心了。」禪杖當頭劈落。

這條純鋼禪杖，不下八、九十斤的重量，在天鏡大師強力劈擊之下，竟挾帶著一股勁風。

藍福一閃避開，長劍一轉，斜斜地攻出一招。

這一劍看似平凡，但取位、時機，恰當無比，藍福劍勢刺出，天鏡大師正好是禪杖收招變化之際，右腕向藍福的劍尖之上碰去。

天鏡大師吃了一驚，急急一收右腕，一條純鋼禪杖，完全交給了左手。

饒是他應變迅快，但寬大的僧袍右袖，仍被藍福一劍洞穿。

毫釐之差，就要刺入右腕，天鏡大師疾快地踏上一步，一個大轉身，飄出一丈開外，但一退即止，迅速地攻了上來，手中精鋼禪杖，縱送橫擊，閃起了一片杖影，排山倒海一般，罩了下去。

藍福長劍一振，衝入了一片杖影之中。

一側觀戰的江曉峰，對藍福那斜斜的一劍，大感驚奇，苦苦思索，始終想不通那一劍，何以會刺得那麼巧妙？

忍不住低聲對君不語道：「君兄，總護法那一劍刺得奇奧難測，君兄見多識廣，可否知曉那一劍來歷？」

君不語回顧了江曉峰一眼，道：「金頂丹書和天魔令上，記載的武功，無一不是奇幻絕倫的招術，如若總護法聰慧些，天下應該沒有能接過他幾招的人。」

江曉峰啊了一聲，不再多言。

就在他心念轉動之間，場中形勢，已有了極大的變化。

原來，藍福被天鏡大師精鋼禪杖，圈入了一片杖影之中，藍福似是已經被迫落在下風，但自二十回合後，藍福不知施用的什麼劍招，突然展開反擊，竟然能破圍而出。

天鏡大師原本想以迅雷不及掩耳的手段，先把藍福擒住，所以一出手，就施出了生平絕技的迴輪杖法，把藍福圈入了一片杖影之中。

但藍福武功亦極高強，一身奇技絕學，遇到了天鏡大師這等強敵，才算有機會大展身手，長劍連出三奇招，封住了天鏡大師的精鋼禪杖，破圍而出。

天鏡大師自是震動不已，在他記憶之中，從來無人能夠突破他的迴輪杖法，藍福竟然輕易地破圍而出。

藍福如此，那藍天義武功之高，更是不言可知了。

這一瞬間，天鏡大師陡然變了心意，不求有功，但求無過，粗大的禪杖，舞起了一團光影，有如一片杖山一樣，擋住了藍福。

藍福仗劍凝神，蓄勢戒備，只要被他找出一個空隙，立時以迅快的動作，出手搏擊。但那天鏡大師禪杖，使得不見一點空隙，當真是已達潑水難入之境。

搏鬥之間，突見一道銀虹，疾射而至，落在了藍福和天鏡大師之間。

只見藍天義穿了一襲藍色長衫，臉上一片肅穆，手中的長劍上帶有血跡，顯然，他手中之劍剛傷過人。

藍天義長劍一揚，欺身而進，噹的一聲，竟憑仗一口輕靈的薄劍，封住了天鏡大師那粗重的精鋼禪杖，冷冷說道：「住手！」

天鏡大師感覺到一般陰柔之力，逼住了禪杖，竟然無法再行施展，心頭大震，急退兩步，收住了禪杖，道：「什麼人？」

藍天義右手執劍，左手卻拿著劍鞘，一面還劍入鞘，一面冷冷說道：「在下天道教主藍天義，要你們掌門方丈見我。」

天鏡大師久聞藍天義之名，卻是從未見過，聞言不禁打量了藍天義兩眼，道：「施主就是大名鼎鼎的藍天義大俠。」

藍天義道：「那是過去的稱呼了，現在，在下是天道教主。」

天鏡大師緩緩說道：「老衲戒侍院主持天鏡。」

藍天義道：「天字輩的高僧，少林寺所剩無幾，今晚上大約都出動了……」

語聲一頓，接道：「我知道戒恃院的主持，在少林寺中身分不低，但你還是作不了主，你要寺中方丈出來，本教主有事和他面談。」

天鏡大師道：「藍教主可否把欲說之言，告訴老衲，如是老衲當真作不了主，再替你通報掌門方丈不遲。」

藍天義道：「先告訴你也好，本教主今宵親率教中護法、弟子到此，原想在少室峰頂，和貴寺中幾位高僧一決勝負，並無大開殺戒之意，但想不刻貴寺卻在四路埋伏，而且施用的手段，極盡惡毒之能事！哼！人人稱譽少林為正大門戶，戒規森嚴，但如就今宵所見，實不足表率群倫。」

天鏡大師道：「藍教主既有拜山挑戰之心，不知何以不肯正大光明的約我少林派一決勝負，卻深夜率人偷襲我少林寺，此等行徑，難道算是正大光明麼？」

藍天義道：「在下無意和大師鬥口。」

天鏡大師：「那麼教主之意呢？」

藍天義道：「貴寺這等行徑，只有促使在下大開一次殺戒罷了……」

聲音突轉嚴厲，接道：「我已手刃貴寺中弟子十八人，衝破貴寺兩路阻攔，敝教中有兩路弟子，即可趕上山來。」

天鏡大師道：「少林弟子，為保護少林寺而死，那是死得其所。」

藍天義冷冷說道：「請上轉貴掌門，目下是貴寺中最後一次機會了，如若還不肯放下兵刃，歸依我教，本教主即將先殺入少林寺去，取下貴寺方丈首級。」

天鏡大師臉色一變，道：「藍天義，你不覺口氣太狂麼？」

藍天義道：「在下說得到，就做得到，大師不信，不妨試試，本教主先取你項上人頭。」

天鏡大師道：「老衲確實有些不信……」

藍天義接道：「那你就小心了。」

話落口，陡然飛躍而起，劍光打閃，直向天鏡大師頭上飛去。

天鏡禪杖一揮，在頭頂之上，劃出了一片烏雲的光圈。

火把之下，看得十分清楚，只見劍光和那護頂烏雲一般的光圈，相互一觸，響起了波的一聲輕響，白光掠頂而過，直飛少林寺大門口處，才停了下來，足足有四、五丈遠。

藍天義腳落實地，那天鏡大師才收了盤繞在頭頂的禪杖。

但見天鏡大師的光頭之上，鮮血滾滾而下，染紅了雪白的鬍子。

站在一側的少林僧侶，眼看天鏡大師頭上受了重傷，全都震駭不已，齊齊奔向天鏡大師。

只見天鏡大師身子搖了兩搖，突然一跌向前栽去。

四個身揹飛鈸，穿著紅色袈裟的和尚，幾乎是一齊伸出手去，扶住了天鏡大師的身子。

但聞一聲：「閃開！」

一道白芒挾帶著一片森寒之氣，突然飛來。

四個身著紅色袈裟的和尚，左手扶著天鏡，右手去抽背上銅鈸。

但那劍光飛來得太快，快得人目不暇接，四個僧侶還未及抽下背上的銅鈸，寒光已繞身而過。

只聽一陣鐵器觸地之聲，四面銅鈸，一齊跌落在地上。

緊接著四隻鮮血淋漓的手臂，也落在地上。

原來，藍天義馭劍一擊，搶先斬落了四個身著紅色袈裟和尚的手臂，四僧手中已取下的銅鈸，無法發出，銅鈸較重，先行落地，四條斷臂，隨鈸而落。

四僧各有一臂被斬，其痛難當，扶著天鏡大師身體的手，同時收了回來。

天鏡大師自從受傷之後，一直未發過一言，四僧之手離開，天鏡大師的身體，立時向前栽去。

這只不過一瞬間的工夫，藍天義施展出劍道中最上乘的「馭劍術」，連傷了少林寺五位高僧。

場中觀戰之人，一個個看得目瞪口呆。

兩個手執火把的高僧，更是瞧得茫然不知所措，望著天鏡大師的屍體出神。

但聞藍天義冷笑一聲，道：「本教主劍下留情，留下你們四位一條命，希望立刻入寺，見貴寺掌門方丈，要他大開正門，迎接本教主進入寺內，還有商量餘地，如想憑仗幾個天字輩的高僧，要和本教抗衡，那是自取滅亡。」

四僧看他一劍殺了天鏡大師，又一劍斬下了自己四人手臂，知他並非是誇大之言，四僧相互望了一眼，轉身向寺中行去。

但見四人背影行入寺內，消失不見。

藍天義冷峻的目光，一掠兩個高舉火把的僧侶，道：「兩位請把天鏡大師抬入寺中，要貴寺方丈見識見識。」

兩個僧侶正感著進退不得之苦，聽得藍天義之言，立時抱起天鏡大師，奔回寺中。

二僧臨去之際，順手拉起四個僧侶的斷臂。

藍福目睹二僧行入寺中之後，才行到藍天義的身側，欠身一禮，道：「見過教主。」

藍天義神色嚴肅地望了藍福一眼，緩緩說道：「你們能及時趕到了少林寺外，很是難得。」

藍福道：「如若他們全力攔阻，只怕我們也很難越度，但他們卻中途自己撤去埋伏……」

藍天義道：「自行撤去埋伏？」

藍福道：「不錯，教主在少林寺中安下的暗樁，發生了作用。」

藍天義嗯了一聲，道：「你把詳細經過的情形，說一遍給我聽聽。」

藍福恭應了一聲，把中途遇上冷佛天蟬和飛鈸大師天音，以及那蒙面僧侶的經過，很仔細地說了出來。

但他卻把自己被困於飛鈸的狼狽情形，略了過去。

藍天義對那蒙面僧人出現，似是特別注意，沉思了一陣，道：「他身材高大麼？」

藍天福道：「很高大。」

藍天義道：「如若咱們再見到他，你能否聽出他的口音？」

藍福道：「屬下相信可以聽出來。」

藍天義點點頭，改變話題，道：「你們一路行來，沒有傷亡麼？」

藍福道：「托教主的鴻福，幸無傷亡。」

藍天義輕輕咳了一聲，道：「其他三路會攻少林的人馬，都遇上了少林寺最堅強的抵抗，是以傷亡奇重。」

藍福道：「教主會攻少林的佈置，十分機密，不知少林寺何以會早有準備，就屬下所見，少林寺的佈置、埋伏，似是針對咱們的攻山計畫。」

藍天義道：「你的看法呢？」

藍福道：「屬下之見，可能有人早已洩漏了咱們攻打少林寺的計畫。」

藍天義道：「這次攻擊少林寺的佈置，由我一人設謀，連你亦不知道，還有何人知曉呢？」

藍福微微一怔，道：「教主的看法是……」

藍天義道：「這少林寺中，有著一位了不起的能人，布下了一座四路拒敵、相互接應的奇陣，我已經仔細地看過了，你們四路攻寺人手的遭遇，少林寺的佈置的確天衣無縫，如非胸有玄機的高人，決難下這等奇陣。」

藍福道：「少林寺中，確有很多高人，平日也不在江湖上露面，鮮爲人知。」

藍天義道：「還未能了然，不過，照我的看法，少林寺中不會有這等身懷奇學的高人。」

藍福道：「教主之意，是說另外有人介入了少林寺中了？」

藍天義點點頭，道：「不錯，那人可能就是神算子王修。」

藍福：「教主可是瞧出了什麼？」

藍天義道：「我巡視左近，發覺他們布成了一座八卦陣圖，只不過咱們早來了一步，他們還未布成而已，如若他們布成了八卦陣圖，少林寺的防衛之力，不知要增強好多倍……」

突聞呀然一聲，木門大開，一個手執紗燈的小沙彌，緩步行了過來。

那小沙彌不過十四、五歲的年紀，身著月白僧袍，足著高腰白色布靴，生得眉目清秀。

只見他步履從容地行到藍天義等身前，左手當胸說道：「哪一位是藍教主？」
藍天義道：「在下便是。」
那小沙彌道：「敝方丈已然得報，命小僧邀請藍教主入寺一敘。」
他年紀輕輕，但口齒清晰，態度鎮靜，全無一點畏縮、不安之感。
藍天義皺皺眉頭，道：「你在少林寺中是何身分？」
小沙彌道：「小僧在方丈室聽差。」
藍天義道：「貴寺方丈現在何處？」
小沙彌道：「現在大雄寶殿，恭候藍教主的大駕，但本寺方丈交代小僧，只請教主入寺。」
藍天義冷笑一聲，道：「我既然敢來，自然不怕了，你帶路吧！」
灰衣小沙彌一欠身，道：「小僧恭敬不如從命了。」轉身向寺中行去。
藍天義看他沉著的神情，心中既是驚異，又感氣惱，冷笑一聲，道：「你今年幾歲了？」
灰衣小和尚回頭一笑，道：「小僧今年十四。」
藍天義道：「小小年紀，死了當真是可惜得很。」
灰衣小僧道：「有志不在年高，無志空活百歲，一個人如若能在人間留下英烈之名，心安理得，縱然是像我這樣的年紀死去，那也不算夭壽了。」
藍天義一皺眉頭，道：「你在方丈室中聽差，寺中的高僧想必你都認識了？」
灰衣小沙彌，道：「不錯，小僧大都認識。」說話之間，已然進了大門。

藍天義抬頭看去，只見一條曲折的小道，每到轉彎的地方，都高燃著一支火炬。寺中一片靜寂，靜得聽不到一點聲息。

藍天義輕輕咳了一聲，道：「你認識天鏡大師麼？」

那灰衣小沙彌臉上的笑容突然斂去，神情嚴肅地說道：「他是本寺中一位德望俱重的高僧，一生中從未做過一件錯事，主持少林寺戒恃院，群僧敬服，就是敝寺的方丈，也對他敬讓幾分。」

藍天義道：「那天鏡大師的武功如何？」

灰衣小沙彌突然停下了腳步，道：「一個人的地位、聲譽，不能全以武功作爲衡量的尺度。」

藍天義道：「老夫來此，用心在征服你們少林，並非是聽你說教而來。」

小沙彌道：「如若你不喜歡聽我說話，那最好不要問我。」

藍天義冷冷道：「你敢對本教主如此說話，分明活得不耐煩。」右手一探，抓了過去。他動作快如閃電一般，一把抓住了那灰衣小沙彌左手腕脈，冷冷接道：「你如再頂撞本教主一句，我立時把你斃於掌下。」

灰衣小僧一笑，道：「你能殺了本寺戒恃院的主持，武功自然十分高強，取我之命，自然是易如反掌的了。」

藍天義怔了一怔，放開了那小沙彌的腕脈，道：「我還道你小小年紀，已練成了絕世武功，所以，才敢對本教主言語頂撞。」

灰衣小沙彌道：「我不過十幾歲的年紀，武功如何是你的敵手。」

藍天義道：「但你卻有所恃，竟然敢對本教主如此無禮。」

灰衣小沙彌道：「我確有所恃。」

藍天義道：「好！把你所恃之處，露出來給本教主瞧瞧如何？」

灰衣小沙彌道：「簡單得很，因爲我不怕死，你雖有殺我之能，只不過是舉手之勞，但我卻並不怕你。」

藍天義道：「你小小年紀，有此豪氣，倒是難得的很。」

灰衣小沙彌微微一笑，道：「敝方丈尚在大雄寶殿恭候教主的大駕。」舉步向前行去。

藍天義輕輕咳了一聲，道：「小和尚，本教主此刻有一個很奇怪的感覺。」

灰衣小沙彌這次頭也未回，一直舉步而行，一面說道：「什麼感覺？」

藍天義道：「如若我這次不能消滅少林寺，四十年後，你必是這少林寺的掌門方丈。」

灰衣小沙彌道：「多謝誇獎，我這一代師兄、師弟們，無不強我百倍，小僧未存此想。」

藍天義道：「可是他們沒有膽子出寺接我。」

語聲一頓，接道：「但如本教主確知無法征服少林寺時，第一個先取你之命。」

灰衣小沙彌回頭一笑，卻未再答話，放快腳步向前行去。

藍天義追隨那小沙彌身後，行入了大雄寶殿。

只見一個身披黃色袈裟的和尚，端坐在大殿之上，懷中抱著一柄綠玉佛杖，旁側站著一個小沙彌。

在那黃袍僧人之前，放著一張檀木桌，桌上放著兩杯香茗，和四盤點心。

藍天義打量了大雄寶殿中景物一眼，除了那黃衣和尚和小沙彌之外，再無其他之人，心中

大是感到奇怪。原來，在他想像之中，少林寺掌門方丈，定然是護衛森嚴，群僧環繞，想不到竟是只有一個小沙彌隨侍在側。

心中懷疑，忍不住低聲問道：「那穿著黃衣的和尚……」

帶路小沙彌接道：「正是敝寺方丈。」

閃身退到一側，接道：「教主請！」

藍天義點點頭，舉步向前行去。

那端坐大殿的黃衣僧人，緩緩站起身子，迎了上來，合掌說道：「施主是藍大俠了？」

藍天義凝目望去，只見那和尚大約有五十左右的年紀，天庭飽滿，相貌莊嚴，但卻含有慈和之氣，令人肅然起敬。

當下一揮手，道：「不敢當，區區藍天義。」

黃衣僧人道：「貧僧慕名已久，今日有幸一會。」

藍天義並未立刻答話，兩道冷利的目光上下轉動，打量了黃衣僧人一眼，緩緩說道：「大師就是少林寺的掌門人了？」

黃衣僧人應道：「貧僧宏光，正是少林寺本代掌門。」

藍天義淡然一笑，道：「掌門遣人邀請在下單身一人入寺，不知有何指教？」

宏光大師道：「貧僧和藍大俠仔細地談談。」

藍天義道：「好！在下洗耳恭聽。」

宏光大師回顧身側的小沙彌一眼，道：「替藍施主看座。」

藍天義一揮手道：「不用了，在了希望早些談出一個結果。」

宏光大師點點頭，輕輕一揮綠玉佛杖，對兩小沙彌，道：「你們都退出去，我要和藍大俠單獨的談談。」

兩個小沙彌應了一聲，合掌一禮，退出佛殿。

藍天義暗中留神，四顧了佛殿一眼，發覺佛殿並無埋伏，微一頷首，道：「大師有什麼話。現在可以講了。」

宏光大師緩緩站起身子，道：「我看過本寺戒恃院主持，天鏡師叔的傷勢了。」

藍天義道：「嗯！大師對此，有何高見？」

宏光大師道：「貧僧也問過了四位隨護天鏡師叔的護法弟子，藍大俠已參悟了劍道中上乘的馭劍術，武林中具此身手之人，放眼江湖，絕無僅有，藍大俠確是高明。」

藍天義冷然一笑道：「掌門人過獎了，藍大俠三個字的稱呼，藍某人恐已擔待不起了……」

語聲一頓，接道：「江湖上紛爭時起，縱有執劍衛道人如我藍某者，也無法永遠使江湖上的紛爭平息，因此，在下決心在餘年歲月之中，完成一大心願。」

宏光大師道：「什麼心願？」

藍天義兩道目光盯注在宏光大師的臉上瞧了一陣，道：「藍某人苦苦思索的結果，覺著如若任其紛亂不安，不如把我武林同道，全部納入一個組織管理之下，因此，在下成立天道教，希望能得償心願。」

宏光大師道：「武林中門戶分立，不下數十，各有章法、門規，各有傳統、掌門，藍大俠準備如何處理呢？」

宏光大師道：「貧僧請藍大俠入寺一敘的原因，也就是希望能和藍大俠坦誠共論江湖大局……」

藍天義道：「自要廢除分立的門戶，全部置於天道教管理之下。」

藍天義接道：「大師對藍某這永絕江湖殺戮的心願，定然是十分贊成了。」

宏光大師搖搖頭，道：「貧僧的看法，和藍大俠不盡相同。」

藍天義冷哼一聲，道：「這個，藍某也曾想過，變法之初，難免要遇上很多阻力，但此事，早已經過藍某數年的深思熟慮，覺著非如此不足安定武林，因此，不惜用霹靂手段，排除所有阻礙，大師除非有能力制服我藍某，決難動搖藍某之願。」

宏光大師道：「藍大俠可以不聽，但貧僧卻不能不說，正因爲武林中門派分立，各有傳統，才在江湖上保持了一份微妙的平衡，雖然代有紛爭，但到頭總是邪不勝正，如若把武林大局，置於一、二人控制之下，其可怕之處，更甚於江湖上門派分立的情勢，一旦主事人心懷異圖，牽連所及，必波及蒼生，傷亡之人，恐又非武林恩怨搏鬥，難及萬一，不知藍大俠可曾想過？」

藍天義道：「藍某早已想過了，但我自有應對之法，用不著大師憂心。」

宏先大師道：「百年來，少林派一直受武林同道的尊仰，從無一人在少林寺大門之外，傷過我寺中長老……」

藍天義冷笑一聲，接道：「大師，如若心中不忿，不妨出手試試看，你能否給他報仇。」

宏光大師臉上一片肅穆道：「聽藍大俠的口氣，似乎是沒有商量的餘地了？」

藍天義道：「不錯，大師有何準備，也可以施展了。」

宏光大師長長吁一口氣，道：「這麼說來，貧僧只好出手一戰了。」

藍天義笑道：「如何動手，大師吩咐一聲吧！」

宏光大師緩緩向殿中退了兩步，道：「在下請藍大俠獨自進入寺來，還有一個作用。」

藍天義道：「什麼作用？」

宏光大師道：「貧僧不能說服大俠，只好盡其在我的一拚，希望咱們動手之後，不要再牽涉上其他無辜的人。」

藍天義沉吟了一陣，道：「聽大師口氣，似乎是早有成竹了？」

宏光大師點點頭，道：「藍大俠定然知曉，我少林寺有一個使天下高手盡皆束手的羅漢陣了？」

藍天義道：「在下久聞其名，可惜的是無機會一試。」

宏光大師接道：「羅漢陣也許困不住你藍大俠，但你的屬下護法，只怕很難闖出羅漢陣去。」

藍天義冷冷道：「他們都有著自知之明，如是自知無法闖出羅漢陣時，決不會進入此陣中。」

宏光大師道：「少林寺面臨著生死存亡的一戰。因此，全寺中上至長老，下至寺中最末一代弟子，全都出動，在寺中布下了九座羅漢陣。」

藍天義聽得亦是暗暗驚心，少林寺顯然已準備寧為玉碎、不為瓦全的打算，全寺僧侶出動，布下九座羅漢陣，千年以來，武林中可算是從未有過的事。

但他仍能維持著表面的鎮靜，道：「很大手筆，擺下九座羅漢陣，對付我藍某，那是武林

中從未有過的盛舉了。」

宏光大師道：「貧僧也相信，藍大俠縱然傾天下高手而來，也未必能把我少林寺一舉殲滅。」

藍天義怒道：「但我可以立時之間，把你傷於劍下。」

宏光大師微微一笑，道：「藍大俠談到正題上了。」

他的鎮靜從容，以及那磊落莊嚴的氣度，使得藍天義突然生出一種不安之感。

但這念頭只不過一瞬之間，立刻又在他心中消失，冷然一笑，道：「大師不用藉故拖延時間，有什麼話，可以說了。」

宏光大師道：「本門中雖然早有戒備，但貧僧不願眼看一場激烈的群鬥，那將是武林中一場最慘絕的惡戰……」

語聲一頓，接道：「藍大俠的武功，得自金頂丹書和天魔令上，可算得拳招劍掌，都是奇絕之學。」

藍天義道：「是又怎樣？」

宏光大師道：「貧道願以手中的綠玉佛杖，領教你藍大俠幾招……」

藍天義接道：「那很好，在下願奉讓先機。」

宏光大師道：「急也不在一時，貧僧還有下情。」

藍天義皺皺眉頭，道：「你最好能一口氣說完。」

宏光大師道：「藍大俠自覺幾招之內，能取貧僧之命？」

藍天義先是一怔，繼而淡淡一笑，道：「少林掌門身分，在少林一派中權威極重，也許我

不會殺死你，留下你一條命，用處更大一些。」

宏光大師也不生氣，仍是面泛微笑地說道：「好吧！那麼藍大俠覺著幾招之內，可以傷了貧僧，使我全無再戰之能？」

藍天義道：「高抬你大師身分，二十招內可使你傷敗劍下，無能再戰。」

宏光大師道：「話出自你藍大俠之口，以你在武林中的身分而言，當是不會失信天下了。」

藍天義雙目一瞪，道：「我說過的話，豈有不算之理？」

宏光大師道：「那很好，咱們就以二十招爲限，貧僧如若傷敗你手中，那自是無話可說，但如貧僧支持過二十招還未敗，不知大俠準備如何？」

藍天義心中暗道：「他提出此等條件，必有著道理，不能上他的當。」略一沉吟，接道：「大師先說明，你落敗之後，準備如何？」

宏光大師一皺眉，道：「你想如何？」

藍天義道：「你要歸依我天道教下，聽我之命，撤去羅漢陣。」

宏光大師淡然一笑，道：「藍大俠果然是厲害，竟然先著一鞭……」語聲一頓，接道：「但此事亦非完全不可，藍大俠只要能答允貧僧的條件，也就是，如是二十招內，你不能傷了貧僧，這一戰就算貧僧勝了。」

藍天義道：「好，我二十招不能傷你，就算你勝。」

宏光大師道：「貧僧勝了之後，藍大俠可以解散天道教？」

藍天義沉吟一陣，道：「就是這個條件麼？」

宏光大師歎息一聲，道：「四十年來，藍大俠在武林中的威望成就，可算得無與倫此，雖然因成立天道教，不惜施用奇毒，犯了江湖的大忌，但貧僧和幾位掌門人懇談之後，都覺著藍大俠數十年斬惡除邪，是武林中一大安定力量，人非聖賢，孰能無過，過而能改，仍是完人，藍大俠一人一劍，爲武林築造了數十年的平靜，但武林同道，卻對你藍大俠全無酬報，貧僧和幾位掌門人談起此事時，都覺著心中甚爲不安。」

藍天義仰天打個哈哈，道：「諸位此時才想起了我藍某，不覺著太晚了一些嗎？」

宏光大師道：「雖亡羊補牢，但時猶未晚，藍大俠如若解散天道教，貧僧願和幾位掌門人出面，爲藍大俠安排一個去處。」

藍天義似是已被宏光大師之言，引起興趣，道：「什麼樣的去處呢？」

宏光大師道：「由貧僧和幾位掌門具名，出面邀請天下英雄，爲藍大俠鑄造三支劍令，每一把劍令上，各派掌門人親手簽名，凡是劍令所至，天下武林一體遵從……」

藍天義道：「如是有人不聽呢？」

宏光大師道：「不用你藍大俠管，那不肯聽命之人，屬於哪一門派，都由那一門派遣出高手，把他押送到你藍大俠處，聽候發落。」

藍天義道：「如是那不肯聽命之人，乃是那一派的掌門人呢？」

宏光大師道：「果真如此，天下各大門派，都將各派高手而出，合力對付那一門派，務使他負荊請罪爲止。」

藍天義道：「還有麼？」

宏光大師道：「除天下各派掌門。各方雄主，合送的三支劍令外，另有天下英雄籌資，爲

你藍大俠建築一座武皇宮，天下各門、派、幫、教等，各遣弟子一名，在宮中服役，每隔三年由各門派掌門人，親赴宮中一行，面向藍大俠致敬。」

藍天義似是已爲宏光大師說動，沉吟了一陣，道：「這只是大師一人的構思？還是全天下英雄的公決！」

宏光大師道：「貧僧和幾位掌門人，研商了數日夜，才獲此結論。」

藍天義道：「不知大師是和那幾派的掌門人研商？」

宏光大師道：「峨嵋、崑崙兩大門派。」

藍天義道：「兩派掌門人此刻何在？」

宏光大師沉吟了一陣，道：「貧僧不敢相欺，兩派掌門人都還在敝寺之中。」

藍天義道：「可否請出兩位，和在下一見？」

宏光大師道：「如若藍大俠答允貧僧之請，貧僧立時派人請他們來此一晤。」

藍天義道：「武皇宮、金劍令，確有著很大的誘惑，只可惜大師想到得太晚了一些。」

宏光大師道：「藍大俠雖然已造成了數次劫難，但貧僧願向天下英雄解說，以你藍大俠以往在武林中的聲譽……」

藍天義冷冷接道：「大師的一番心意、設計，使在下受寵至極，不過，只怕此事並非出於諸位的真心。」

宏光大師道：「藍大俠不肯相信？」

藍天義哈哈一笑，道：「這等緩兵之計，大師在本教主面前賣弄，不覺著有些可笑麼？」

宏光大師輕輕歎息一聲，道：「藍大俠如何才能相信呢？」

藍天義道：「如若大師想不出完美的辦法，在下倒願提供一個意見。」

宏光大師道：「願聞高論，只要合於情理，貧僧相信，我等都可答應。」

藍天義道：「事情很簡單，你先行下令，撤了布守在四周的羅漢陣，然後……」

他似是自覺著條件太過苛刻，突然間住口不言。

宏光大師道：「藍大俠只管請說，是否答應，貧僧會作主張。」

藍天義目中寒光一閃，冷冷接道：「在下身上帶有一種藥物，服用之後，暫時喪失功力，約十日之後，功力才可復元。」

宏光大師淡淡一笑，道：「貧僧聽說，藍大俠在六十大壽的宴席之上，在酒中下了一種毒藥，凡是中毒之人，都爲藍大俠所收用，數十位江湖上第一流的高手，只走了一個金蟬步的傳人江曉峰，和笑語追魂方秀梅……」

藍天義接道：「不錯，大師雖然常年坐鎮於少林寺中，但耳目卻是靈敏得很，不過，大師還忘了一件事。」

宏光大師道：「哪一件事？」

藍天義道：「在下網羅的部屬之中，有一位無缺大師，似乎是少林派的人物。」

宏光大師道：「不錯，無缺大師，高過貧僧一輩，不過，他屬於少林兩大主脈的別支，所以未用天字排名。」

藍天義道：「令師伯已隨在下同到了少林寺外，也許，他將會一試你們少林羅漢陣的厲害。」

宏光大師神情肅然地說道：「爲大是大非，難顧小節，藍大俠如想以無缺師伯，威迫貧僧

就範，只恐難免要大爲失望。」

藍天義冷笑一聲，道：「在下自信以武功就可以折服大師，犯不著轉彎抹角的別施手段。」

宏光大師不顧再爭辯下去，話題一轉道：「貧僧聽說那天魔令上，記載了五十年前南北二毒的配毒之法、用毒之能，不知是真是假？」

藍天義道：「在下的用毒之法，正是天魔令中得來，可惜南、北二毒，已然屍骨化灰，除了老夫之外，再無人能解得在下施用之毒了。」

宏光大師沉吟了一陣，道：「就貧僧所知，那日逃離貴府的江曉峰和方秀梅，並未因中毒而死，顯然，世間還存人能夠解去二毒留下的藥方了。」

藍天義怒道：「那潘世壽和薛二娘，已被老夫關了起來，放眼當今世上，除了薛二娘，再無人能解我配製的毒藥了。」

宏光大師道：「如是藍大俠認爲貧僧的生死，能使藍大俠改變主意，只要藍大俠願在天下英雄面前說一句，藍大俠願打消統霸江湖的陰謀，貧僧願立刻自絕一死。」

藍天義道：「大師不覺著太誇張自己的身分麼？你一個人的生死，和武林大局何關？」

宏光大師道：「如是貧僧的生死無關江湖大局，藍大俠何苦迫我服下藥物呢？」

藍天義怔了一怔，道：「在你未死之前，卻是大爲有用。」

宏光大師道：「聽說藍大俠在酒席中下用的一種藥物，服下之後，能對你藍大俠終身服膺，死而後已，藍大俠如想以貧僧這少林掌門的身分，役使少林弟子，未免太過惡毒。」

藍天義心中陰謀被宏光大師揭穿，不禁大怒喝道：「大師對我既然不能信任，咱們也就不

用談下去了。」

宏光大師右手綠玉佛杖平胸，道：「看來，貧僧只有冒險接你藍大俠二十招了。」

藍天義手腕一抬，長劍出鞘，道：「大師用了這一番口舌，仍難免動手一途，不覺好笑麼？」

宏光大師道：「貧僧只是盡其在我，無愧於心罷了。」

藍天義哈哈一笑，道：「你接下我二十招，咱們再談不遲！」

宏光大師一面凝神戒備，一面說道：「苦海無邊，回頭是岸，藍大俠還請三思。」

藍天義長劍一振，勾起一片劍花，攻了過去。

明明是一支長劍，但是藍天義手腕一揮之下，幻起數朵劍花出來，使人無法分辨虛實。

宏光大師高宣一聲佛號，手中的綠玉佛杖，忽然間湧起一片芒翠蓋。

但聞噹的一聲，佛杖、長劍相觸一起。

藍天義這奇幻的一劍，竟是無法攻入那護身杖影之中。

宏光大師退後了一步，道：「藍大俠，蒼生何辜，人生甚短，你縱然得償心願，統制了武林，對你而言，也不過數十年威風而已，但卻要千百位武林同道濺血。」

藍天義冷哼一聲，唰的一劍，又劈了過去。

這一劍快如星火，電閃而至。

宏光大師綠玉佛杖突然一抬，步移蓮花，杖幻彩影，也不知用的什麼招術，竟然又把藍天義一劍封開。

藍天義微微一怔，道：「這和尚用的什麼身法，竟然如此奇幻。」

但聞宏光大師說道：「藍大俠一世英名，受盡了武林同道的尊崇，三十年來，一直被大江南北，視作萬家生佛，一個人能夠如此，夫復何求？藍大俠縱然不念蒼生塗炭之苦，也該顧念到你這等英名，得來不易……」

他字字句句都像暮鼓晨鐘，聽得藍天義心神震動，大喝一聲：「住口！」仗劍撲擊。

宏光大師法相莊嚴，手中的綠玉佛杖，忽湧蓮蓋護頂，忽化天花統身，藍天義手中長劍，雖然招招有追魂奪命之毒，但仍被那玉杖幻起翠玉蓮花，封擋開去。

搏鬥間，突然響起了一聲佛號，道：「阿彌陀佛！藍大俠已攻夠了二十招。」

杖影忽斂，五花消散，宏光大師陡然間向後退了八尺。

藍天義仗劍而立，呆呆地望著宏光大師出神。

顯然，他已被宏光大師神妙無比的杖法所震駭。

良久之後，藍天義才收了長劍，道：「大師一招未還？」

宏光大師道：「佛門絕藝，只是用來防身罷了。」

藍天義心中，雖然對宏光大師的奇幻杖法，有著無比的震駭，但他表面上，仍然保持著適度的鎮靜。

緩緩說道：「大師的杖法很奇幻，在下攻你二十招，用了武林中十三門派的絕技……」

宏光大師道：「因爲這一套杖法，未載於金頂丹書之上，是麼？」

藍天義道：「不錯，如若這一套杖法，載於金頂丹書之上，三、五招內，就可以取你之命。」

宏光大師神情肅然地說道：「所以，貧僧要奉勸你藍大俠一句話，金頂丹書和天魔令，並

非是萬有全書，武林中還有很多武學，未被收入其中。」

藍天義冷冷說道：「大師如是自信有傷害在下之能，只怕也不會浪費這多口舌了。」

宏光大師道：「雖然那金頂丹書和天魔令並非是萬有全書，但你藍大俠武功成就，確已可當得目下武林中第一高人。放眼當今之世，很難能夠找出一個可與你藍大俠匹敵的人物。」

藍天義冷笑一聲，道：「大和尚少灌迷湯，在下不吃這個。」

宏光大師輕輕歎道：「貧僧縱然說破口舌，看來也無法使得你藍大俠相信了。」

藍天義道：「所以，大師口舌之上還是省一點氣力的好。」

宏光大師道：「那藍大俠和貧僧打賭的事呢？」

藍天義微微一笑，道：「打什麼賭？」

宏光大師雙眉一聳，道：「藍大俠說過的話，難道還想賴掉麼？」

藍天義搖搖頭道：「我身爲一教之主，焉能說了不算？」

宏光大師點點頭，道：「那很好，貧僧在未和藍大俠動手之前，曾經有言在先，如若二十招之內，藍大俠傷不了貧僧，算貧僧得勝，言猶在耳，藍大俠不會忘去吧？」

藍天義道：「不錯，你勝了，但咱們約賭之中，並未說明，你勝了，就要我認輸。」

宏光大師呆了一呆，道：「這麼說來，你藍大俠不肯認輸了。」

藍天義緩緩說道：「大師，你勝了也好，要在下認輸也好，可惜確是咱們事先並未談妥條件，這一次的勝敗，似乎並非一件很重要的事情。」

宏光大師歎息一聲，道：「藍大俠竟能這般強詞奪理，貧僧實已覺得山窮水盡，難再想得一句說詞了。」

藍天義淡淡一笑，道：「眼前倒有一個辦法，可使在下望而卻步。」

宏光大師道：「藍大俠請說。」

藍天義道：「用你手中的綠玉佛杖，迫我屈服，或取我之命。」

宏光大師道：「藍大俠可以強詞奪理，不守信約，但貧僧還不屑做出這等事來，我遣人把你藍大俠單人一劍，引入少林寺中，還一樣派人送你出去，讓藍大俠和你的屬下會合，以後的事，再由你藍大俠決定。」

藍天義冷冷說道：「那很好，大師也有好一段時間，再作佈置……」

仰天打個哈哈，接道：「少林寺一向被視作武林聖地，看來果然名不虛傳，想這一戰的激烈，恐將是武林中從未有過的一場惡戰了。」

宏光大師一舉手中綠玉佛杖，兩個小沙彌應聲行了進來，宏光大師望了左首小沙彌一眼，道：「你送藍大俠出寺，不論何人，都不許途中出手攔截。」

那小沙彌合掌應了一聲，道：「藍大俠，小僧為你帶路。」

藍天義冷哼一聲，舉步向前行去。

行到了大殿門口之處，突然又回過頭來，道：「在下不虛此行，知曉了丹書、魔令之外，少林寺中還有一種奇幻莫測的技法。」

宏光大師道：「少林寺有七十二種絕技，一大半載於金頂丹書之上。」

藍天義道：「可惜的是，大師未瞧過金頂丹書，竟敢信口開河，本教征服了你們少林寺後，再請大師開開眼界。」

不再等宏光大師答話，轉身向外行去。

那小沙彌仍是迎接藍天義入寺的小沙彌，這小和尚年紀不大，但卻有一種人所難及的鎮靜從容，明明知曉他身後是身負絕技，舉手可以殺人的大魔王，但他仍然是步履輕鬆，全無畏懼之意。

藍天義緊追在那小沙彌的身後，冷冷問道：「小和尚，你追隨少林掌門方丈有幾年了？」

那小沙彌回頭一笑，道：「我十一歲在方丈室中聽遣。」

藍天義道：「你的武功，可是掌門方丈傳授的麼？」

小沙彌搖搖頭，道：「我的武功麼？並非方丈傳授……」

語聲一頓，接道：「寺中規戒森嚴，恕小僧不再回答你的問話了。」

藍天義冷笑一聲，道：「老夫很賞識你的膽氣，你如願離開少林寺，老夫願把你收留身側，傳你絕技。」

小沙彌淡淡一笑，道：「我既已剃度出家，終身就要做和尚，你如果要想把我收留身側，那只有一個辦法……」

藍天義接道：「什麼辦法？」

小沙彌道：「你藍大俠如肯解散了天道教，皈依我佛，敝寺方丈，定然會破例優容，封為一堂一院的主持，那時，小僧就可請求列你門下，拜你為師了。」

藍天義氣極大笑，道：「小和尚，破了少林寺，老夫非要把你收入天道教下，做為老夫的隨身侍童不可。」

談話之間，已然送到大門口處，果然，在這小沙彌相送之下，一路上無人攔阻。

其實，藍天義一路行來，除了那轉彎的火炬之外，只有松風蒼影，未見過一個少林寺的僧

侶，愈是如此，愈使人覺著少林寺防守森嚴，難測高深。

那小沙彌行前兩步，打開了寺門，合掌說道：「藍大俠，小僧不再相送了。」

藍天義緩步行出寺門，突然回手一把抓住那小沙彌的右腕，哈哈一笑，道：「小和尚，別忘了老夫適才之言。」五指卻暗加力收緊。

那個小沙彌在藍天義強如鐵箍緊收的手掌扣拿之下，頓感半身麻木，骨疼如裂。但他卻咬牙苦忍，不肯哼出一聲。

藍天義雙目中殺機泛動，但他終於又放開了那小沙彌的右腕，緩緩說道：「小和尚，你法名怎麼稱呼？」

小沙彌低頭看一下腫起的腕骨，緩緩說道：「小僧法號三燈。」

藍天義道：「一二三的三，燈光的燈，老夫記下你的名字，回寺之後，想想老夫之言，第一條路，是答允還俗拜在老夫的門下，十年之後，你將成為天下第一流的高手。」

三燈和尚道：「既有第一條路，想來定然還有第二條路了？」

藍天義道：「不錯，老夫就是喜愛你這份豪壯、聰慧，至於第二條路麼？那就是老夫破寺之後，把你凌遲處死。」

三燈和尚道：「小僧不過十餘歲，能得你藍大俠如此看重，當真是感覺到受寵得很。」言罷，砰然一聲，關上了寺門。

藍天義目注寺門，雙目中暴射出冷厲的神光，望了那橫在大門上的「少林寺」金字木匾，突然一揚右掌，迎向金匾拍去，一股強厲的掌風，正撞在木匾之上。

「少林寺」三個金字，突然碎成了片片木屑，由大門廊落下來，藍天義一掌擊碎了少林寺

臥龍生精品集

的金匾之後，才似是消去了胸中的怒火，轉過身子，緩步向前行去。

藍福久年追隨藍天義，見他使出無堅不摧的破山神掌，已知他胸中急怒，這次入寺之後，並非十分順利，立時小心翼翼地迎了上去，欠身說道：「見過教主。」

藍天義一揮手冷冷說道：「不用多禮。」

藍天義一臉冷肅神情，目光轉注到肅立在一側的諸位護法身上。

他在激怒之中，別有一股震人的殺氣，眾護法頓有著一種不安的感覺。

突然間他的目光，停住在君不語的臉上，冷冷說道：「君護法，你過來。」

他雖然叫的君不語的名字，但江曉峰卻有著被人在胸前陡然打了一拳的感覺。

他無法料斷藍天義叫君不語去，是凶是吉，但此時此情，總是凶多吉少的局面，他必需在極短的時間中，有所決定，萬一君不語遇上危險時，自己是否要出手相救？

但見君不語舉步行到藍天義四尺左右處，停了下來，道：「見過教主。」

藍天義道：「你在黃山時，研究過五行奇術？」

君不語道：「不敢欺蒙教主，屬上只能算略知一、二。」

藍天義突然從袖中取出一物，道：「拿過去，仔細看看，懂不懂都告訴我。」

君不語雙手接過一個白卷，在手中惦了一惦，並不很重，想來定是一捲綾布，恭身問道：「立刻要看麼？」

藍天義道：「立時要看……」

目光轉注到藍福的臉上，道：「即刻派出人去，多採些松枝紮成火把。」

藍福應了一聲，道：「祝護法、羅護法，你們去採些松枝，紮成火把。」

兩個人應了一聲，一轉身飛奔而去。

藍天義目睹二人去後，才放低了聲音，對藍福說道：「要他們就原地坐息片刻，天亮之後，或有一場巨戰。」

藍福見藍天義臉色和緩了下來，膽子也壯了許多，回顧了幾位護法一眼，道：「你們退後一丈，原地坐息。」

幾位護法應聲後退，盤坐調息。

藍福低聲說道：「教主見過了少林方丈麼？」

藍天義點點頭，道：「見過了。少林寺中果有非凡的人物，那掌門人不是天字輩的高僧，但他卻有一套奇幻無比的杖法，我攻了他二十招，全都被他避過。」

藍福道：「那是什麼杖法呢？」

藍天義搖搖頭，道：「我想遍了金頂丹書，上面似並未記載過這套杖法。」

語聲一頓，接道：「我攻他二十招，但他卻未還擊過一招，在二十招中，我用了十三種不同派別的武功，但卻無一種武功能夠克制那套杖法。」

藍福道：「屬下奇怪，那少林方丈，何以不肯還手呢？」

藍天義道：「他也許想說明一件事，少林寺中，有很多武功，並未列入金頂丹書以內，除此以外，崑崙、峨嵋兩派的掌門人，現也在少林寺中，少林寺內，布下了九座羅漢陣，用作抗拒咱們的攻擊。」

藍福長長吁了一口氣，道：「咱們養了不畏死亡的人猿、猛獸，羅漢陣雖然號稱武林第一

奇陣，但少林寺的和尙，並非是鋼鐵之軀，只要人猿和猛獸能到，先衝亂他們的陣腳，咱們再俟機攻入。」

藍天義沉吟了一陣，道：「藍福，那少林掌門方丈，曾經許我武皇之位，兵不血刃，一樣可以號令江湖。」

藍福搖搖頭，道：「咱們既然發動，似已無法回頭……」

突然幾聲號角，傳了過來，打斷了藍福未完之言！

江曉峰坐在距離兩人最近之處，表面上閉目調息，暗中卻在凝神傾聽兩人的談話。

藍天義和藍福談話的聲音，雖然不大，但仍有不少被江曉峰聽了去，心中暗道：「藍天義不惜自毀俠譽，藍福作梗之力甚大，此人實是罪魁禍首。」

藍天義突然站起身子，沉聲說道：「藍福，他們大概都已經越過了少林寺的攔截。」

這時，羅清風、祝小鳳採松枝歸來，紮起了兩個高大的火把，燃了起來。

火光熊熊，照亮了少林寺前廣大草坪。

藍天義道：「火把插在地上。」

羅清風、祝小鳳插好火把，應聲而退。

藍天義道：「君不語，你可以看了。」

君不語應了一聲，緩步行到火把之下，盤腿而坐，展開手中的捲幅瞧去。

江曉峰運足目力望去，但因角度不對，相距又遠，只能隱隱地瞧出那絹上，是幅有字之圖，卻無法瞧清楚字爲何字，圖爲何圖。

這時少林寺前，突然出現了十數條人影，分向藍天義停身之處奔了過來。

廿八　十絕毒陣

江曉峰凝目望去，只見正西方奔過來的四條人影，正是武當四子，當先一人，正是武當掌門人朝陽子，身後一排緊隨著巢南子、浮生子、青萍子。

只見朝陽子一揮手，巢南子等三人停了下來，朝陽子卻緩步前行，對藍天義欠身一禮，道：「武當分壇主，西路總領朝陽子拜見教主。」

藍天義道：「不用多禮。」

朝陽子道：「多謝教主……」

語聲一頓接道：「屬下率領一路猛攻。但少林僧侶，捨死攔阻，惡鬥經過，誤了限期，特向教主領罪。」

藍天義道：「可有傷亡?」

朝陽子道：「死去兩人，傷了八個。」

藍天義道：「記罰一次，日後立功時，再行將功折罪。」

朝陽子道：「多謝教主。」

江曉峰看得暗暗歎息，忖道：「想那朝陽子，乃一派掌門之尊，此刻竟甘屈人下，擔任一位分壇壇主。」

轉目望去，只見正東方位上奔來的兩條人影、正是太湖漁叟黃九洲和金陵劍客張伯松，東北方位上奔過來的兩人，卻是奇書生吳半風和修羅扇秦沖。

但使江曉峰感覺不解的是，少林寺中僧侶，已大約知曉了藍天義各路實力，如若此刻能夠派出寺中高手，分向各路施襲，雖不能一舉擊潰了藍天義的屬下，至少可使藍天義集於少林寺前的數百人手，遭受重大傷亡。

這時，東方天際，泛起了一片魚肚白色，天色已亮。

兩支松枝紮成的火勢已然燒盡，火光熄去，只餘下一股強烈的松油氣味。

再看君不語，卻似是看得十分入神，火光熄去，渾然不覺。

江曉峰大感奇怪，暗道：「那白絹上的字畫，不知是何奇物，君不語竟看得如此著迷。」忖思之間，忽聽君不語長長吁一口氣，伸展一下雙臂，緩緩站起身子，捲起白絹，行到藍天義的身前，雙手遞上。

藍天義接過白絹，道：「你看完了麼？」

君不語道：「在下很仔細的看了一遍。」

藍天義道：「你看的懂麼？」

君不語道：「大部分都可瞭然，但其中有一些深奧之處，屬下不太明白，必需要一段很長的時間思索才行。」

藍天義道：「你要多少時間？」

君不語道：「至少三日，多則七日。」

藍天義道：「七天太久了，就以三日爲限如何？」

君不語道：「屬下三日夜不眠不休，或可能夠瞭解。不過，這些時日之中，希望教主能指派兩人為屬下護法。」

藍天義點點頭道：「好！你自己選兩個吧。」

君不語回顧了江曉峰，道：「多謝教主。屬下想請將高文超和祝小鳳兩位為我護法，但不知他們是否願意。」

藍天義點點頭，一指高文超和祝小鳳道：「你們兩個過來。」

江曉峰、祝小鳳應聲行了過來，道：「見過教主。」

藍天義道：「從此刻起，你們要追隨君護法三日，三日之內，不但要聽他之命行事，而且還要為他安排吃喝之物。」

江曉峰、祝小鳳齊聲應道：「屬下遵命。」

藍天義又把手中白絹，交給了君不語，道：「你放心研究，除了高、祝兩位護法，近身保護你安全之外，我另行為你安排保護之人，不論少林寺派遣何等高手，都難傷害你。」

君不語道：「少林寺中僧侶，怎知個中之秘？」

藍天義笑道：「你已經坐在寺外，閱讀絹書甚久，那暗中在監視咱們的少林僧侶，豈有不認識你的道理。」

君不語道：「屬下明白了！」

語聲一頓，道：「教主是否早已安排了屬下的停身之處？」

藍天義臉上掠過一抹冷然的笑意，道：「早已為你安排好了……」語聲一頓，接道：「那地方距此數里左右。是一座很寬敞的山洞，洞中已為你儲好了吃喝之物。」

江曉峰心中暗道：「這藍天義不知做的什麼打算，怎的忽然間要那君不語去研究絹上的字畫，不知是何用心？」

但聞君不語道：「啓稟教主，屬下心中有幾點不明之處，不知是否可以問問？」

藍天義道：「你要問什麼？」

君不語道：「屬下研究這絹上文圖，需約數日工夫，本教和少林寺的決戰，已經迫在眉睫，勝負在一日之內，就可有所分曉，那時屬下縱然幸有小成，只怕也不及應用？」

江曉峰心中暗道：「原來藍天義要他研讀那絹上圖文，用來對付少林寺中僧侶。」

藍天義微微一皺眉頭，道：「君護法，你不覺著問的事情太多麼？」

君不語欠身：「屬下只是想先行了然內情，才可集中心智，早求成就。」

藍天義沉吟了一陣，道：「你安心去研究絹上和圖文，愈早能了然內情愈好，其他的事，不用你費心。」

君不語道：「屬下失言，教主恕罪。」

藍天義嗯了一聲，道：「如果是本教撤離此地，也不會棄你而去，你放心去吧！」

君不語不敢再問，抱手一禮，道：「屬下告退。」

轉身向前行去。

江曉峰、祝小鳳齊齊跟在君不語身後，向前行去。

藍天義淡淡一笑，道：「站住。」

君不語一付誠惶誠恐的樣子，道：「教主還有什麼吩咐？」

藍天義道：「你可知曉那停身之處在哪裏麼？」

君不語道：「屬下不知。」

藍天義道：「你既不知道，卻又回身而去，準備行向何處？」

君不語道：「屬下相信教主定有安排。」

藍天義探手從懷中摸出一個銅錢大小的金牌道：「帶著這個，向西南行約里許路，有人問你，你取出令諭，他們自會帶你前往。」

右手輕輕一彈，金牌直向君不語飛了過去。

君不語伸手接過金牌，道：「多謝教主。」

哈著腰後退了三步，才轉身向前行去。

江曉峰站在一側，只看的大爲讚賞，心中暗道：「這君不語的做法，當真是十分到家，一付敬畏無比之態，藍天義再精明，也無法對他懷疑了。」

心中念轉，人卻跟在君不語的身後，向前行去。

三人奔向西南，行約里許左右，到了一片松林前面。

只見林後轉出了一個身著青衣，面色蒼白的青衣童子，背插長劍，攔住了三人去路。

江曉峰望那童子一眼，認出正是在鎭江藍府中所見的十二劍童之一。

那十二劍童，不但年齡相若，而且個子也高矮相等，面色蒼白，緊身衣服，雖無法分辨出其個人身分，但卻一眼就可以瞧出是十二劍童中人。

那劍童打量了三個人一眼，道：「三位是本教中人，但也不能由此通過。」

君不語探手從懷中摸出金牌，道：「我們帶有教主的金牌。」

青衣童子接過金牌，很仔細的瞧了一陣，道：「不錯，這是教主的金牌令，你跟我來吧！」

君不語道：「教主吩咐，這兩位護法和我同行。」

青衣童子一皺眉頭，道：「你只有一面令牌，怎能三人同行？」

從外面看，這些青衣童子和一般童子並無很大的差別，但卻臉色白得奇怪，目光下有如透明的水晶一般。

江曉峰全神貫注在那劍童身上，希望從他的舉動言談之間，瞧出他們和常人有什麼不同之處。

但聞君不語道：「教主命在下研究一種五行奇術，特派這兩位幫我護法。這金牌乃教主親手交給在下，至於一面金牌能夠允准幾人通行，在下就不知道了。」

那青衣童子把手中金牌反轉過來又仔細瞧了一陣，道：「好！你們三個人一起來吧！」

江曉峰心中暗道：「這金牌可允准幾人通行，想必在背後留有記號，藍天義果然是細心的很。」

君不語等三人，隨在那青衣童子身後，大步向前行去。

青衣童子帶三人穿過松林，直向一處懸崖行去。

那懸崖只不過十餘丈高，但卻壁如刀削，有著一股雄偉的氣勢。

青衣童子行近懸崖之後，突然折向崖邊一座山谷之中行去。

君不語回顧了江曉峰和祝小鳳一眼，搖搖頭示意兩人不要多問。

三人隨著那青衣童子轉入谷中。

只見那高大的巨岩之旁，站著另一個手執長劍的青衣童子。

那帶路青衣童子，輕輕舉起右手，五指一伸一握，那站在巨岩旁的青衣童子突然向後退去。

江曉峰吃了一驚，暗道：「原來他們用手語交談，如想從他們口中聽到一點什麼內情，勢比登天還難了。」

那帶路劍童頷首一笑，轉入了巨岩之後。

君不語隨著轉入巨岩之後，才發覺，那巨岩之後，有著一個高可及人的石洞。

帶路青衣童子，並未立刻進入，卻向後退了一步，欠身說道：「三位請進吧！」

君不語輕輕咳了一聲，望了那帶路劍童一眼，道：「小兄弟不進去麼？」

青衣童子冷冷說道：「我不喜和人稱兄道弟，不用這樣叫我。」

君不語微微一笑道：「那麼在下要如何稱呼諸位呢？」

青衣童子道：「我排行第九，你叫我九郎就是。」

君不語道：「那麼排行第一的，就要叫他一郎了？」

九郎冷笑一聲，道：「叫他大郎。」

君不語啊了一聲，道：「多謝九郎指教，不知九郎之上，是否還要加個姓氏？」

青衣劍童道：「你問的如此清楚作甚？」

君不語道：「彼此同在一教之下服務，此後，難免有很多接觸之處，如是彼此不知如何稱呼，那豈不是大煞風景的事？」

青衣劍童沉吟了一陣，道：「告訴你也不妨，我們十二劍童，以郎字排名，大郎、二郎，至到十二郎，但在上面加個藍字。」

君不語道：「如你而言，那是叫作藍九郎了？」

藍九郎點點頭，道：「不錯。」

君不語一抱拳，道：「九郎兄，多承指教了。」

藍九郎一皺眉，道：「我說過了，我一向不喜和人稱兄道弟。」

江曉峰心中奇道：「君不語大智若愚，此情此景之下，竟然和藍九郎聊個沒完，這其中一定是有所作用了。」

當下暗中凝神而聽。

只聽君不語道：「九郎說的是，在下以後不叫就是。」

舉步向前行去。

江曉峰、祝小鳳緊追在君不語的身後，進入了山洞之中。

江曉峰暗中留心查看，只見這山洞中十分乾燥。而且很深，洞中未點燈火，顯得十分黑暗。

幾人深入了三四丈後，山洞才向右面轉去。

君不語停下腳步，四顧了一眼，只見前面一道橫壁攔住了去路。

但聞一聲輕咳，傳了過來，道：「什麼人？」

君不語道：「在下君不語，任職教中的護法，在藍總護法手下聽差。」

只聽那聲音應道：「原來是君護法！」

語聲一頓，接道「君護法怎會找到了此地？」

君不語道：「在下奉了教主之命而來。」

但見火光一閃，一個身著黑衣的長衫人，緩步行了過來。

君不語抬頭看了那人一眼，只見那人身軀十分高大。雖然在黑暗之中，仍然帶著蒙面黑紗，不禁心中一動，暗道：「這真是一樁十分奇怪的事了，此人躲在山洞之中，而且臉上還要蒙著黑紗……」

只聽那蒙面人輕笑一聲，道：「茅山閒人君不語，想來就是閣下了？」

君不語道：「正是區區，但不知閣下怎麼稱呼？」

蒙面人道：「藍教主沒有告訴你們，石洞中有我這樣一個人麼？」

君不語道：「教主神威震人，我們向來是不敢多問。」

蒙面人道：「既是教主沒有告訴你們，在下倒也不用說了。」

君不語淡淡一笑，道：「其實在下是自討沒趣，根本就不該多此一問？」

蒙面人道：「爲什麼？」

君不語道：「閣下在山洞黑暗之下還要戴著蒙面黑紗，怎會說出姓名呢？」

蒙面人輕笑一陣，移轉話題，道：「你們向前行約三十步，靠左首有一座石室，足可容你們三人坐息。」

君不語道：「在下奉教主之命，來此研究一種奇術，需要一支燈火。」

蒙面人道：「你們進入石室，自會有人招呼你們，需要何物，吩咐他就是。」

君不語道：「勞神了。」舉步向前行去。

前行三十步，果然見了一座石室。

君不語折入石室之中，祝小鳳和江曉峰緊隨身後而入。

室中雖然黑暗，但憑三人過人的目力，隱隱可見室內景物。

石室約一丈見方，足夠三人之用。

君不語重重的咳了一聲，道：「有人麼？」

室外響起了一陣步履之聲，一團黑影，行到了石室前面，道：「諸位要什麼？」

聲音柔細，竟是女子口音。

君不語道：「我要一盞燈火，愈明愈好。」

那女子應了一聲，轉身而去。

室中突然間靜了下來，靜的落針可聞。

良久之後，祝小鳳才低聲說道：「君兄，我作你護法……使小妹有些受寵若驚。」

君不語笑道：「言重了，只要姑娘能瞭然我君某心意，那就成了。」

祝小鳳笑道：「聽君兄口氣，似乎是選我作護法，除了公誼之外，還有一點私情是麼？」

江曉峰心中也在暗自忖思道：「這君不語不是好色之人，陡然間說出此言，不知是何用心？」

但問君不語道：「我如替教主研究出這五行奇技，此後必可得教主的重用。」

祝小鳳道：「是啊！所以日後還望你多多照顧。」

君不語道：「現在，在下已經開始照顧你了。」

祝小鳳回顧了江曉峰一眼，笑道：「高兄。你是教主的姑爺，教主完成武林霸業，就憑你這姑爺的身分，必將是一方雄主。」

江曉峰淡淡一笑，道：「少林一門頑抗不降，以致我們幾遭覆亡，此刻尚在對峙之中，決戰勝負，還難預料，如若天下各大門派，群隨於少林之後，起而抗拒。天道教能否稱霸武林，號令江湖，真很難說了。」

君不語輕輕咳了一聲，接道：「教主武功絕倫，世無其匹，而且行略用謀，無不強人一等，少林寺中僧侶，就算全力阻攔，只不過是自取滅亡，對咱們天道教，只不過是延幾日時間而已。」

江曉峰知他用心，怕自己再說下去，洩漏了隱秘，當下不再多言。

這時，突然火光一閃，一支紅燭燃起，一個身著綠衣的年輕少女，手捧燭火，站在室門口處。

江曉峰抬頭看去，只見那綠衣少女，留著披肩長髮，臉上一片冷漠，緩步入室，把火燭放在一張石桌之上，道：「諸位如需要什麼，儘管招呼一聲。」

語聲一頓，接道：「三位最好不要隨便離開石室，如是必要離開，也要先招呼一聲。」

君不語點點頭，道：「多謝姑娘指教。」

綠衣少女未再答話，逕自轉身而去。

君不語目睹那少女離開了石室，伸手從懷中取出白絹，展於石桌之上。

他似乎並未阻止江曉峰和祝小鳳觀看絹圖之意，兩人都不自覺把目光投注到絹圖之上。

只見那白絹上畫著八卦方位，寫著很多細小字跡。

祝小鳳看了一會，道：「君兄，這張圖上畫的什麼？」

君不語目光一直未離開絹圖，口中卻應道：「五行奇陣。」

祝小鳳道：「聽說五行八卦，含蘊著很難的生剋之理，不知是真是假。」

君不語合上絹圖，道：「自然是真的了。」

祝小鳳道：「小妹從未見識過五行奇術，八卦變化之妙，而且我心中不相信，五行變化真的能把人困住。」

君不語道：「但姑娘非得相信不可，這是一種很深奧的計算學問，自非人人可懂，但如遇上了良師指教，深入淺出的詳作解說，學起來，也不是太難。」

祝小鳳道：「你是不是算得良師呢？」

君不語道：「大概是不太錯吧！這世間縱然有強過我的人，想來也不多。」

祝小鳳道：「君兄的口氣很大，就你所知，什麼人強得過你？」

君不語道：「神算子王修。」

祝小鳳突然放低了聲音，道：「咱們教主是否也通此術？」

君不語道：「詳情我不知道，但看樣子雖知曉一二，但卻不夠精深。」

祝小鳳道：「看來，我留在此處，也是對君兄無所幫助。」

君不語一皺眉頭，道：「姑娘之意呢？」

祝小鳳道：「小妹覺著這石室已然保護的十分嚴密！實也用不著我和高姑爺兩個人替你護法，因此小妹想，想……」

君不語接道：「想要如何，請儘管直說。」

祝小鳳道：「我想離開此地，不知君兄意下如何？」

君不語沉吟了一陣，道：「姑娘可是要去見教主麼？」

祝小鳳道：「小妹覺著這石室之中，別有一番景象，而且，一切都用不上我們。」

君不語道：「這些事，教主豈有不知之理？」

語聲一頓，低聲接道：「在下希望姑娘留此，學會那五行奇術。」

祝小鳳略一沉吟，道：「我這份才智成麼？」

君不語道：「在下相信姑娘有著足夠瞭解的才智。但那五行奇術之能，必需先由我仔細的說給你聽方可。」

祝小鳳道：「聽你口氣，縱然是別人亦肯傳授於我，亦是不如從你學習了？」

君不語不再答話，攤開了絹圖，解說那上面的變化。

果然，兩次之後，祝小鳳和江曉峰對五行奇術變化稍有瞭解，不覺之間，產生了強烈的求學願望。

山腹石室，對晝夜的分辨，原本就不太明顯，君不語叫過了兩次食用之物後。又覺腹中饑餓起來。江曉峰約略一算三人在石室之中，應已有兩日兩夜的時間。

祝小鳳坐息醒來之後，道：「君兄，好像又該叫些東西吃了。」

君不語道：「不錯啊！在下也有著饑餓之感。」

輕輕咳了一聲，道：「有人麼？」

但見人影一閃，一個身著綠衣的少女行了過來，道：「你們要什麼？」

君不語道：「姑娘似乎就站在石室外面？」

綠衣少女道：「不錯，我們奉到令諭，要嚴密保護你們，尤其是你君護法。」

君不語笑道：「在下一個小小護法，想不以竟然會突然這麼重要起來。」

但聞那綠衣少女道：「你的時間寶貴，不能浪費，快些說明白需要什麼。」

君不語道：「我覺著腹中有些饑餓。」

綠衣少女道：「那是要食用之物？」一面答話，人已轉身而去。

君不語道：「最好再給我們來上一壺好酒。」

那綠衣少女本來人已行出洞外，聽到君不語要一壺酒，又停了下來，道：「你要喝酒？你的時限還有一十二個時辰，可算是寸陰如金，如若是喝醉了，豈不是誤了大事？」

君不語道：「這不要緊，昔年詩仙李白，斗酒詩百篇。在下雖然難比詩仙，但少喝一點亦可增長一點才氣。」

綠衣少女皺皺眉頭，未再理會君不語，放步而去。

君不語目睹那綠衣少女去遠之後，才低聲說道：「祝護法，勞請你辦一件事。」

祝小鳳道：「教主說過，三日之內，一切聽你君兄吩咐。」

君不語眼珠一轉，道：「祝護法，你可懂教主這句話的用意麼？」

祝小鳳微微一笑，道：「小妹不太明白，君兄能否說得清楚一些？」

君不語道：「教主要你們跟著我，聽我之命，而且也要陪著我死。」

祝小鳳道：「陪著你死？」

君不語道：「正是如此，如若我研究不出這絹圖上的五行變化，不但我難逃一死，就是兩位也要陪我一死……」目光轉到江曉峰的臉上，接道：「但這位高兄平日極得總護法的寵愛，又是教主的姑爺，還可能有一分生機，你祝姑娘是死定了。」

祝小鳳顰了顰柳眉兒，道：「如是你研究出這圖上的變化呢？」

君不語道：「那時在下必受教主重用，主持這五行奇術的運用。」

祝小鳳道：「我們有什麼好處？」

君不語道：「你們兩位也將成爲在下的助手，身分陡然間提高甚多。」

祝小鳳道：「那麼你就用心研究啊！」

君不語道：「在下是在用心，不過，能否在十二個時辰之內研究出來，那就很難說了。」

祝小鳳道：「唉！那要怎麼辦呢？」

君不語道：「目下咱們的舉動，都在監視之下……」附在祝小鳳的耳邊，道：「咱們如有一分生機，也在這位高護法，你到室外把風，我和這位高護法談談。」

祝小鳳點點頭，起身行向室外。

君不語神色突然間變得十分嚴肅，低聲對江曉峰道：「我想了兩日夜，才明白了個中的道理。」

江曉峰茫然說道：「什麼道理？」

君不語道：「這白絹上的圖案不是五行奇術。」

江曉峰道：「那是什麼呢？」

君不語道：「這大約是天魔令上之物，藍天義照著上面圖樣把它畫了下來，我想他已經看了很多日子，但沒有瞭然內情。」

江曉峰道：「這張圖究竟是什麼呢？」

君不語苦笑一下，道：「這是五十年前一位魔頭留下來的奇術，應該稱它爲十絕毒陣。」

江曉峰道：「君兄之才，使小弟敬佩……」

君不語道：「咱們時間不多，不用誇獎我了，我故意支使開祝小鳳，就是希望能夠和你想個法子出來……」

語聲一頓，接道：「這十絕毒陣，如若被藍天義再用上對敵，又不知有多少武林同道，命喪此陣之中，因此，我們不得不作最壞的打算。」

江曉峰道：「在下洗耳恭聽。」

君不語道：「我說不出此圖秘奧，藍天義必然殺我，而且他研究多年，胸中已有了一些底子，只要我點穿個中絕竅，他就可全盤瞭然，此物用之爲惡，也可用之爲善，在下希望你能盡全力，在十二個時辰之內，把此圖默記心中，萬一我不幸被殺之後，你好把此圖秘密帶交給神算子王修先生，他的才智，勝我百倍，必可在極短時間之中，瞭然其中之秘，目下情形，對藍天義已不能再用君子手段，必須要以惡攻惡才成。」

江曉峰道：「絹圖上字畫複雜，恐怕在下不能記得明白。」

君不語沉吟了一陣，道：「說的也是，不論何等聰明的人物，但如對五行、八卦沒有極深刻的瞭解，恐怕也無法記熟這些圖案，那只有一個法子了。」

江曉峰道：「什麼法子？」

君不語道：「我用針把此圖刺在右腿上，萬一我死去之後，你要設法取下我右腿上的皮膚，把它交給王修。」

江曉峰道：「你不能死……」

君不語道：「我也不想死，但我們不得不作最壞的打算。」

江曉峰道：「在下的看法，君兄生存於天道教中，其重要超過十絕毒陣百倍，如若情勢逼人，就把十絕毒陣變化教給那藍天義，你也不能死。」

君不語道：「你把那藍天義看得太簡單了，如若我告訴了他十絕毒陣變化，只有兩個結果。」

江曉峰道：「哪兩個結果？」

君不語道：「一個是，他全部瞭然之後，把我殺去，一個是施用一種手段，使我受他控制，永遠忠實於他……」

長長吁一口氣，接道：「這些話，我並非信口開河，這兩日來，我旁敲側擊，已從那祝小鳳身上求得證實，那祝小鳳表面上看來，仍是當年模樣，事實上她已經變了一個人，對那藍天義忠實不二……」

突然祝小鳳的笑聲，傳入耳際，道：「啊喲！小姑娘你拿了這麼多東西不覺著累麼？我來幫幫你拿吧。」

綠衣少女道：「不用了，我自已拿得動。」

祝小鳳道：「既然姑娘不願要我幫忙，那我只好替姑娘你帶路了。」

當先舉步行入石室。

綠衣少女隨後而入，手中托著一個木盤，上面放著四樣菜和一壺酒。

綠衣少女似是儘量避免和君不語有講話的機會，放下木盤，立時轉身退了出去。

君不語細看木盤之內。雖是放了三付碗筷，但只有一個酒杯。

祝小鳳搖搖頭，道：「這壺酒，看來是只給那君護法一個人喝了？」

江曉峰道：「這要問問她。」

君不語面帶微笑，也不阻攔。

江曉峰雙手一合，拍了一掌，道：「有人麼？」

那綠衣少女應聲行了進來，道：「又要做什麼？」

江曉峰道：「姑娘，我們這室中有幾個人？」

綠衣少女道：「三個人。」

江曉峰道：「三付碗筷沒有送錯，爲什麼只有一個酒杯？」

綠衣少女道：「你們也要喝酒麼？」

江曉峰道：「正是，我們難道就不是人麼？」

綠衣少女冷笑一聲，道：「你們離開了這裏之後，再喝不遲。」

祝小鳳道：「姑娘知道我們是何身分麼？」

綠衣少女道：「天道教中的護法。」

江曉峰道：「姑娘呢？是否是天道教中人？」

綠衣少女道：「你問的都是廢話。」

江曉峰怒道：「姑娘不要把我們瞧成囚犯，我們是奉命而來，替教主研究五行奇術。」

綠衣少女道：「如若你們不是奉了教主之命，你們也不能行入這山洞中來，也不配呼喝我們，支使來去。」

江曉峰心中暗道：「她自稱我們，可證明身著綠衣的少女，並非是一二人了……」

只聽祝小鳳道：「你們得罪我和君護法不大要緊。但這位高護法卻是開罪不得。」

綠衣少女望了江曉峰一眼，道：「爲什麼？」

祝小鳳道：「他是教主的姑爺，藍姑娘的未婚夫婿。」

綠衣少女道：「教主沒有交代要對他特別優待，只交代過好好招呼君護法。」

君不語微微一笑，道：「看姑娘不像是我們初見的那位姑娘。」

綠衣少女道：「當然不是了，我們姊妹七人，輪流守候你們。」

君不語道：「不知姑娘在七姊妹中排行老幾？」

綠衣少女冷笑一聲，道：「你問這麼多做什麼？」

君不語笑道：「姑娘別忘了教主交代你們要好好的照顧我，如是我火一起來，大鬧一場，姑娘雖有一身武功，卻也不敢對我施下毒手，對麼？」

綠衣少女似是無可奈何的吁一口氣，道：「我排行第三。」

君不語道：「三姑娘，不知可否把芳名見告？」

綠衣少女冷笑一聲道：「叫我三姑娘也就是了，名字也不是你叫的。」

君不語哈哈一笑，道：「在下有一句話，說出來不知你是否相信？」

綠衣少女道：「說出來聽聽看。」

君不語道：「在下這次爲教主研究這五行奇術。如能依限完成，必得教主歡心。」

綠衣少女道：「那關我什麼事？」

君不語道：「那時，在下如向教主要求一件事，必蒙賜允，這事就和姑娘有關了。」

綠衣少女道：「你要求什麼？」

君不語道：「在下行年三十有二，還是孤寡一人。我如向教主求賜你三姑娘為妻，想來，教主也不會拒絕於我了。」

綠衣少女臉色一變，道：「你胡說八道。」

君不語正色說道：「在下說的是內心之言，姑娘如是不信，那就等著看了。」

綠衣少女道：「我們七姐妹，上有大姊、二姊，下有四位妹妹，他們個個都比我可人，你為什麼單單要我？」

君不語笑道：「因為你三姑娘脾氣很大。」

綠衣少女道：「哼！你想報復我，是麼？」

君不語笑道：「主要的還是在下看上了姑娘。」

綠衣少女冷笑一聲，道：「但是，我並沒有看上你。」

君不語笑道：「在下這一副尊容，如若想要人家姑娘看上，在下這一輩子也未作過這個打算。」

綠衣少女道：「你如是說的玩笑之言，那就到此為止，如若你說的很認真，我也希望你打消這個念頭……」

君不語道：「為什麼？」

綠衣少女道：「因為不論你為天道教立下多大的功勞，教主也不會答應把我配你為妻。」

君不語道：「這話我有些不大相信。」

綠衣少女道：「你非得相信不可，因為我們習的武功，不能夠嫁夫生子。」

君不語道：「如若嫁了人呢？」

綠衣少女道：「嫁了人，可能會失去武功。」

君不語道：「一個女孩子家，總有要嫁人的一天，此事早晚必行，嫁了人失去武功，打什麼緊？」

綠衣少女道：「但教主傳我們武功之初，就有要我們不嫁人的打算，他要我們七姐妹仗劍江湖，決勝沙場。」

君不語道：「教主爲本教至尊，要下只要求他答允了，到那時不論你是否會失去武功，量你也不敢反抗。」

綠衣少女呆了一呆，道：「你爲何一定要這樣對付我呢？」

君不語道：「好吧！我們先商量一下，你是否願意做我之妻呢？」

綠衣少女似是已被君不語唬住，不敢再惡言相對，只好搖搖頭，道：「那不成啊！我不能失去武功。」

君不語道：「唉！既是如此，在下倒也不便再向教主提出此事了……」

綠衣少女喜道：「這麼，小妹很感激。」

君不語道：「不用感激我，我的話還沒有說完呢。」

綠衣少女道：「還有什麼話？」

君不語道：「三個條件，姑娘如答應了，在一就不再要求教主把你賜配於我。」

綠衣少女道：「唉！原來還有條件，什麼條件，你說吧。」

君不語道：「第一，你不許再惡言惡聲的對我們。」

綠衣少女道：「這很容易，我以後對你們溫柔一些就是。」

君不語道：「第二件，你要回答在下幾句話。」

綠衣少女道：「我知道的一定回答。」

君不語道：「這三件比較困難，只怕你姑娘不會答應了。」

綠衣少女道：「你說說看，只要我力能所及，一定盡力去辦。」

君不語道：「在下希望出去瞧瞧，希望姑娘能爲我帶路。」

綠衣少女沉吟一陣，搖搖頭道：「這件事只怕是很難了。」

君不語道：「在下早已料到，你姑娘不肯答允。」

綠衣少女道：「由此地到洞口處，共要經過五道守衛，我縱有帶你出去的膽量，也無辦法把你帶出去啊……」

似是突然之間，感覺到事情有些不對，怔了一怔，道：「你爲什麼要出去？」

君不語道：「不瞞你姑娘說，在下在這石室中悶了很久，已有些頭暈腦脹，如若不出去散散心，只怕難辦好教主交代的事情。」

綠衣少女道：「還有一日夜，時限即到了，那時，教主將要親自接你離去。」

君不語道：「那時只有兩個結果。」

綠衣少女道：「什麼結果？」

君不語道：「一個是我未能把事情辦得合教主的心願，被教規處置。」

綠衣少女微微一笑，歡笑之情，溢於神色，似乎是君不語如若死去，對她而言，是一件很高興的事情一般。

但她口中卻仍然問道：「還有一個什麼結果？」

君不語道：「在下研究出了教主交辦的大事，深獲嘉許。」

綠衣少女道：「這結果很好啊！」

君不語道：「那時，在下只好求教主把姑娘賜配於我了……」臉色一整，接道：「這兩個結果，一半對一半的機會，姑娘不妨碰碰運氣。」

綠衣少女搖搖頭，道：「看起來，你好像很有把握的樣子，這運氣我不敢碰。」

君不語笑道：「如若是在下心中想著教主可以把你配與我為妻，在下相信可以完成教主之事。」

綠衣少女道：「這個，這個……」

只聽一個威重的聲音接道：「如若你真在限期之中參悟其中的奧妙，飛燕七姐妹中任你選擇一人為妻。」

君不語抬頭看去，只見那藍天義當門而立，不禁心頭大震。

他來得無聲無息，江曉峰等幾人竟是全無感覺，個個心頭震動，但卻都盡力保持了平靜。

綠衣少女急急行上半步，欠身，道：「見過教主。」

藍天義微微一笑，道：「不用多禮……」

目光轉到君不語的臉上，接道：「時限三日，已過了兩日，不知你有了幾分成就？」

君不語道：「屬下自覺已瞭然十之七八。」

藍天義道：「那很好，還餘十之一二，一日夜的工夫，足夠了。」

君不語道：「雖然只餘十之一二，但其中內情的複雜變化，極不容易悟出來。」

藍天義道：「非得推演出來不可，因爲我不會延長時限，如能完成，我有重賞，飛燕七姐妹，任你選一人永遠在你手下聽差，你要娶她爲妻也好，要她作你的侍婢也好，但如你超過時限，教主只好按教規懲治於你了。」

君不語道：「請示教主，屬下如若超過了時限，不知要犯什麼條例？」

藍天義道：「治亂世用重典，本教的條例很重，你犯的是火烙之刑。」

語聲一頓，接道：「這兩天，你既已研究出十之七八，不知可否說出一點內情給我聽聽？」

君不語道：「屬下到此之後，苦思冥想，一日夜之後，才發覺自已錯了。」

藍天義道：「哪裏錯了？」

君不語道：「這不是五行奇術，但其複雜變化，卻不在五行奇術之下。」

藍天義頷首微笑，道：「不是五行奇術，又是什麼？」

君不語道：「是一種變化精奧的陣圖。」

藍天義道：「你能說出這陣圖的名字麼？」

君不語道：「屬下說不出來，但屬下卻已悟出部分內情。」

藍天義道：「那你就說說看。」

君不語道：「屬下覺得這陣圖，不是固定一處的陣式，而是可以移動的奇陣。」

藍天義點點頭，道：「說下去。」

君不語道：「因此，屬下敢以斷言，這陣圖是用人排成。」

藍天義道：「你果然有著非凡的才智，這幾年來，本教主忽略你了。」

君不語道：「這陣中除了人的變化之外，似是還有著很複雜變化。」

藍天義微泛出驚異之色，但只不過一瞬間，重又平靜了下來，道：「你能否說出是怎麼一個變化來？」

君不語道：「這個麼，屬下還未瞧出來。」

藍天義沉吟了一陣，道：「兩天時間，你已有成此就，實很難得……」

君不語接道：「百里行和半九十，屬下覺著這最後一點變化，才是陣中的主旨，想非一日夜時間能夠悟出玄機。」

藍天義臉上一片冷漠，默然不語。

君不語接道：「這兩日來，屬下苦思未歇，已覺出腦間微疼，必需要一些時間休息才成。」

藍天義嗯了一聲，道：「這個……這個……」

君不語道：「屬下的才智有限，這圖中含蘊的玄妙又極深遠，非盡全力，無能解得，這兩日夜來，屬下實已盡到了最大的努力，但如不能寬限時間，只怕屬下很難完成教主的重托了。」

藍天義道：「你如能想到一日夜後，不能悟出圖中的內容，難免要受刀殺之苦，也許能使你精神大振。」

君不語道：「這個麼，屬下早就想過了，如是教主對屬下沒有三日的限制，我也無法在這兩日夜中集中了心力研究出圖中的隱秘，但此刻，屬下已感到了心力交瘁，一日夜的時間，實在無能解出圖中之秘，教主縱然要把我亂刀分屍，挫骨揚灰，屬下也難辦到。只好事先向教主稟報，請予寬展期限。」

藍天義雙目中神光閃動，望了君不語一眼，道：「你的意思如何呢？」

君不語道：「屬下希望教主能把限期稍予延長一下，讓屬下休息兩天……」

藍天義接道：「你的意思是，要再延長幾日？」

君不語道：「屬下之意，最好能延長五日，給我兩天休息時間。」

藍天義道：「延長五日？」

君不語道：「是的，屬下相信，經過兩日休息之後，智力當可以完全恢復，也相信再有三天的時間，一定能夠找到最後的玄妙關鍵，只望教主開恩，再給屬下一個機會。」

藍天義輕輕歎息一聲，道：「只怕，這機會不太大。」

君不語黯然說道：「如若教主不肯給屬下一個機會，屬下只有敬候發落一途了。」

這是很僵的局面了，以那藍天義的武功，只要一出手就可以把君不語斃於掌下，縱然是君不語早有戒備，也難是那藍天義的對手。

江曉峰忖量過處境形勢之後，不得不暗作戒備，全神貫注在藍天義的身上，只要他真有所舉動，只好先行出手解救，再作他議。

只見藍天義雙目中殺機閃動，凝注在君不語的身上，大有立時出手之意。

江曉峰隨那藍天義的神情，緊張得冷汗淋漓。

他自己心中明白，只要自己一出手援救君不語，立時將暴露身分，那時，自己和君不語逃走的機會很少。

但見藍天義雙目中浮現的殺機，逐漸的消失了下去，緩緩說道：「君護法，休息一天如

何？」

江曉峰暗暗鬆一口氣，散去功力。

君不語輕輕咳了一聲，道：「啓稟教主，屬下自己明白，一日工夫，決難使體能盡復。」

江曉峰心中暗暗著急，忖道：「怎的還不見好就收，難道非得鬧個血濺當場才行麼？」

藍天義沉吟了一陣，道：「好吧！就讓你休息兩天……」

君不語接道：「多謝教主。」

藍天義冷冷的說道：「休息了兩日之後，你要在一日時限之內，研究出最後的變化，本教主對你已法外施仁，決不能再拖延時間。」

君不語道：「屬下盡力而為。」

藍天義道：「我想先替你訂出罰則，從此刻算起，三十六個時辰之後，你必須索出圖中的變化最後奧秘，超過一個時辰，你就自斷一指，超過三個時辰，你就自斷一臂，如是超過六個時辰，就不用再費心了，自絕於此室之中。」

君不語道：「教主之命，屬下豈敢不遵，屬下為了自保性命，也會盡力而為，如果無法在教主限期之內，研究出這陣圖中最後的變化奧秘，屬下只好遵照所囑，斷指、斷臂，自絕而死，以謝教主。」

藍天義微微一笑，道：「那很好！你只要有此決心，本教主相信你定然能夠研究出圖中的奧妙，不致受到嚴厲處罰。」

語聲一頓，接道：「你在這兩日休息之中，準備如何度過？」

君不語道：「屬下不知咱們和少林寺近日的搏鬥情形如何，如若教主已然控制大局，屬下

想離開此室，到山谷密林之中靜坐兩日。」

藍天義搖搖頭，道：「不能離開此地。」

君不語道：「既然一定要在此室，屬下……」

望著站在洞口的三姑娘，接道：「這位綠衣姑娘……」

藍天義哈哈一笑，道：「你君不語結廬茅山，讀書自誤，在江湖上的聲譽一向很好，想不到竟也是一位喜愛女色的人。」

君不語道：「食色性也，屬下也是血肉之軀，並非超人。」

藍天義道：「好！那就要三燕陪你兩天。」

君不語心中暗道：「十二飛龍，十二劍童，加上七燕姊妹，共有三十一人，應該是藍天義天道教中的主力，不知何故，在他和少林群僧決戰嵩山之時，竟然一個也不肯遣出應戰。將之留在此山洞之中，不知用心何在？」

心中念轉，口中卻應道：「多謝教主。」

綠衣少女聽得心中大急，道：「教主，小婢蒙教主恩養長大，教主之命，怎敢不從，但小婢習練的武功，不能和男人沾身，一旦破身，武功失去，還望教主明察。」

藍天義道：「君護法研究之物，和本教關係至大，你陪君護法兩日，縱然武功盡失，也算是爲本教盡了心力。」

綠衣少女目中滿是怨毒，恨恨地望了君不語一眼，但又不敢不遵教主之命，只好欠身說道：「婢子遵命。」

兩行清淚，順腮而下。

藍天義卻是恍如未見，冷冷的說道：「吩咐廚下備美酒佳餚，特爲招待君護法。」轉過身子，大步而去。

綠衣少女目睹藍天義去遠之後，轉過臉來，雙目中暴射出兩道奇光，盯注在君不語的臉上，緩緩說道：「你終於如了心願……」

君不語搖搖頭，道：「在下並未如願。」

綠衣少女怔了一怔，道：「那是說你並非真的很喜歡我了？」

君不語道：「我如是完全不喜歡你，也不會求告教主把你賜配於我了。」

綠衣少女目光轉動，掃掠了江曉峰和祝小鳳一眼，臉上泛起來一圈紅暈，道：「這兩日內，你要我如何陪你？」

君不語笑道：「你不敢違背教主之命，只有聽我擺佈了，至於要如何陪我，在下還未想出來，兩日夜，有廿四個時辰，不用急在這一時。」

語聲一頓，接道：「你先吩咐廚下，要他準備一桌豐盛的酒席給我。」

綠衣少女應了一聲，轉身而去。

祝小鳳微微一笑，道：「想不到，你竟然也是位喜愛女色的人。」

君不語道：「如是兄弟不喜女色，那麼多護法，也不會選你祝姑娘了。」

祝小鳳嗯了一聲，道：「小妹久歷風塵，閱人多矣！我不像小姑娘那樣臉嫩，君兄如想叫我面紅耳赤，只怕是不大容易……」

語聲一頓，接道：「現在，咱們談談正經事。」

君不語道：「好，在下洗耳恭聽。」

祝小鳳淡淡一笑，道：「你當真要糟蹋人家小姑娘麼？」

君不語淡淡一笑道：「現在還說不定，不過，兄弟能否在三十六個時辰之內，研究出圖中的奧秘變化，還很難說，如是想不出來圖中的奧秘，兄弟是死定了……」

祝小鳳接道：「我明白了，你心中沒有把握，所以想在死亡之前，先好好的享受一番，是麼？」

君不語道：「不錯，祝姑娘果然高明。」

祝小鳳淡淡一笑道：「聽君兄的口氣，似乎是全無一點信心。」

君不語道：「很難說，如是這幾日在下過得很快活，才華湧動，也許很快就能解出圖中的奧秘，如是過得不快活。就算再多兩天，也無法悟出圖的機密。」

只聽室外傳出那綠衣少女的聲音，道：「祝老前輩請到室外來一下，晚輩有幾句話請教。」

祝小鳳微微一笑，站起身子，道：「君兄，這小丫頭不傻啊，向我請教，算她是找對人了。」

站起身子，緩步行出室外。

君不語望著那祝小鳳的背影消失於室外黑暗之中，才用很低的聲音說道：「這十絕毒陣不但變化精異。而且陣中還可放用毒物，無論如何，此陣之秘，不能告訴給那藍天義知道，我已經決心把陣圖刺在左股之上，如若我不幸死去，你要設法取出此圖，交給王修。」

江曉峰道：「君兄，你不能死，縱然王修的才慧超過君兄，但此刻處境，君兄的重要，又非王修可比，天下武林，既無一股勢力，能和藍天義對抗，必須由內部設法才成，君兄殉道一

了，兩害相權取其輕，那就不如我自絕一死的好。」

君不語道：「我也不想死，但如要交出十絕毒陣的變化，那又比在下的生死，貴重的多

死，何人主持大局呢？」

江曉峰道：「君兄錯了。」

君不語一怔，道：「願聞高見。」

江曉峰道：「君兄一死，兄弟的身分之秘，亦可能被他們發覺。」

君不語接道：「除了死亡之外，兄弟實是想不出如何才能不交出十絕陣圖。」

江曉峰道：「套用君兄一句話，兩害相權取其輕，無法推託時，那就交出陣圖。」

君不語呆了一呆，道：「你說什麼？」

江曉峰緩緩說道：「交出陣圖。」

君不語搖搖頭道：「你知不知道，這個十絕陣惡毒無比？」

江曉峰道：「不但惡毒，而且變化奇奧、複雜萬端。」

君不語正色道：「正因如此，才不能交出，藍天義實力已夠強大，再練成十絕陣，天下高手，無能和他對抗了。」

江曉峰道：「本來他已經是天下無敵……」

君不語接道：「加上十絕陣豈不是如虎添翼？」

江曉峰道：「但那十絕陣變化萬端，所有藍天義的屬下，除了君兄以外，又有何人能夠管理，操縱此陣？」

君不語長長吁一口氣，道：「不錯，我自了然這十絕陣的惡毒之後，一心一意在想著如何

能守得此秘，江兄一言驚醒夢中人，兄弟倒要重新的想想了。」

江曉峰道：「留得青山在，何怕沒柴燒。」

但聞祝小鳳格格嬌笑之聲，隨著她的人，傳入了室中。

江曉峰頓口不言，卻回顧了祝小鳳一眼，道：「姑娘笑什麼？」

祝小鳳道：「高護法，那三燕苦苦求我一件事，叫小妹好生作難……」

君不語道：「什麼事？」

祝小鳳道：「她要嫁給……」

只聽一個冷冷的聲音，打斷了祝小鳳的話，道：「祝護法，高護法，教主有請。」

祝小鳳呆了一呆，嚥下了未完之言。

江曉峰卻心頭鹿撞，君不語也不禁臉色倏變。

轉目望去，只見身穿道袍佩劍的玄真道長，當門而立。

祝小鳳鎮靜一下心神，道：「教主找我麼？」

玄真道長道：「你，還有高護法。」

君不語道：「是否還有在下？」

玄真道長道：「教主交代，要你好好的養息。」

君不語啊了一聲，道：「那是說沒有在下了？」

玄真道長點頭一笑，望了江曉峰和祝小鳳一眼，道：「咱們走吧！」大步向外行去。

江曉峰、祝小鳳魚貫相隨，一直出了山洞。

廿九　莫測高深

抬頭看去，明月在天，大約是二更過後的時分。

玄真道長帶兩人穿出峽谷，繞過松林，到了一座懸崖下面。

月光下，只見藍天義坐在一張虎皮椅之上，旁側分站著無缺大師和乾坤二怪。

江曉峰、祝小鳳前行兩步，欠身說道：「見過教主。」

藍天義一揮手道：「你們站在一側，我問哪一個，只許他一人說話，另外一人，不許多言……」

目光盯注在祝小鳳的臉上，接道：「祝護法，君護法這幾日中，和你說過什麼？」

祝小鳳欠身應道：「初入山洞，和屬下談過五行八卦，並且以那絹圖爲準，替我們解說五行、八卦的變化，但以後，不知何故，突然停下不說了。」

藍天義「嗯」了一聲道：「以後呢？」

祝小鳳道：「以後，就未再談什麼。」

藍天義目光轉到江曉峰的臉上，道：「文超，那君不語和你談些什麼？」

江曉峰道：「君不語似是對我存有戒心，盡談些不相干的事情。」

藍天義冷哼了一聲，道：「可是實言麼？」

江曉峰心頭大震，但卻暗自警惕自己，此刻此情，不能說錯一句，錯一句，就立時有性命之憂，必得鎮靜應付才成。

心中念轉，口中卻說道：「小婿說的句句實言，那君不語確未和小婿說什麼，倒是小婿向他求教了幾件事。」

藍天義道：「此時此情，咱們談的公事，我是教主，你是護法，不許用岳婿之稱。」

江曉峰道：「屬下知錯了。」

藍天義道：「你和那君不語談些什麼？」

江曉峰道：「屬下問他，問他……」

藍天義冷然接道：「問他什麼？」

江曉峰心中一急，倒被他急出了兩句話來，道：「屬下問他，關於家鳳的事。」

藍天義一皺眉頭，沉吟了良久，仍未答話。

江曉峰心中一動，接道：「屬下近日中一直未見到家鳳。」

藍天義道：「她沒有同來！」

輕輕咳了一聲，道：「她對你並不好，如是你能把她忘記，那是再好不過了。」

江曉峰道：「屬下忘不了。」

藍天義目光轉到玄真道長的臉上，接道：「你帶他們去見藍總護法。」

玄真道長合掌當胸，道：「兩位請隨同在下來吧！」

江曉峰想不出藍天義突然把自己和祝小鳳調離山洞之意，但又不敢多問，只好隨在玄真道長和祝小鳳的身後行去。

那藍福似是已不在原位，玄真帶著兩人折向一條小徑。

祝小鳳心情似是又輕鬆下來，急行一步，到了玄真的身後，道：「道長，當年小妹想和你道長談兩句話，都非易事，想不到，如今咱們竟同在天道教中共事。」

玄真道長冷冷說道：「祝姑娘，你言重了，但貧道素來不喜和女人談笑，祝姑娘最好穩重……」

江曉峰心中暗道：「這玄真道長看來很清醒，但看他殘殺武當門下弟子之時，心狠手辣，似是和武當門人全無關係一般。」

一念及此，心中火起，冷笑一聲，道：「道長是教主的侍衛身分，比起咱們做護法的，也許是高了一些。」

玄真道長回顧了江曉峰一眼，道：「貧道和你高護法，似是沒有過不去的事吧？」

江曉峰道：「話是不錯，但在下看你那份倨傲的神色，似乎沒有把我們做護法的放在眼中。」

玄真道長霍然停下腳步，回目望著江曉峰，道：「貧道能在天道教中立足，全憑我一身武功，不像閣下獲得護法之職，是靠裙帶關係而來。」

江曉峰心中暗道：「這牛鼻子老道，神智清明，不像受到藥物影響，其屠戮門下弟子的殘忍手段，實是不可原諒了。」

想著想著頓覺心頭火起，怒聲喝道：「道長可是覺著，你們武當派那點微末之技，當真的能夠震駭武林麼？」

他故意提出武當二字，暗中察看那玄真道長的反應。

但見玄真道長臉上一片平靜，全無一點慚愧和不安的反應。

只聽玄真道長冷冷說道：「高護法的血手掌，江湖上人人敬畏，但貧道卻是有些不信……」

江曉峰道：「道長想要怎樣？」

玄真道長道：「貧道想試試高護法的血手掌，看看是否能傷得貧道。」

江曉峰微微一怔，暗道：「那血手掌乃是一門獨特的武功，我是完全不懂，但這天道教中，人人都知我是血手門的傳人，都知道我有著血手毒功，如若和人動手之時，我一直不用血手毒掌，只怕要引起他們的懷疑了。」

心中念轉，口中卻說道：「在下覺著，對付道長，似是還用不著血手掌的武功。」

玄真道長突然向前行了兩步，道：「高護法不覺口氣太大麼？」呼的一掌，劈了過來。

江曉峰身軀一閃，避開掌勢，右手一抬，一招「天王托塔」，反向那玄真道長的右腕之上托去。

玄真道長右臂一縮，避開了江曉峰的托拿，左手又迅快地劈出一掌。

江曉峰不再讓避，左手一揚，啪的一聲，硬接下玄真道長一掌。

玄真道長似是未料到江曉峰的內力，竟然如此雄渾，接了自己一掌，竟是毫無反應。

當下喝道：「好掌力，再接貧道一掌試試？」雙掌連揮，一掌強過一掌。

江曉峰奮起神力，招招硬接玄真道長的掌勢。

祝小鳳看兩人真的打了起來，四掌力拚，掌風激蕩，砰砅之聲，不絕於耳。

心中大驚，急急叫道：「道長，高護法是教主的姑爺，你如是打傷了他，那可是一樁很大的麻煩事啊！」

江曉峰連接玄真道長的二十餘掌，心中暗道：「這玄真道長的武功，實也不過如此。」正待展開反擊，玄真道長忽然一收掌勢，倒躍而退。

江曉峰淡淡一笑，道：「道長怎麼不打了？」

玄真道長道：「如若再打下去，咱們兩人之間，只怕要有一個受傷了。」

江曉峰原想要那玄真道長吃些苦頭，但卻未料到玄真道長突然收掌而退，當下冷笑一聲，道：「道長覺著咱們兩人傷的是哪一個？」

玄真道長道：「如是傷了貧道，那是沒有話說，如是貧道傷了你，只怕教主要怪罪下來。」

江曉峰道：「在下自願和道長動手，自是和教主無關了。」

玄真道長道：「高護法如若是一定想和貧道分個高下，那也容易得很。」

江曉峰道：「請教高見？」

玄真道長道：「你稟明教主，由教主下令，咱們各憑武功一決高下，如有失手，教主不能怪罪，貧道極願和高護法一決勝負。」

江曉峰道：「咱們私人相鬥，和教主何關？」

但聞一清冷的聲音，道：「天道教中，不允許有私鬥事件。」

江曉峰回頭看去，只見藍天義背負雙手，站在七尺以外，臉上是一片冷漠。

玄真道長一合掌，道：「見過教主。」

藍天義冷笑一聲，道：「我要你把他送交藍護法，你們竟敢在途中打了起來。」

玄真道長道：「高護法語含諷譏，貧道忍不下一時之氣……」

藍天義一揮手，接道：「姑念初犯，各自記罰一次，下次若再犯，決嚴懲不貸。」

玄真道長一欠身道：「多謝教主恩德。」轉身向前行去。

江曉峰、祝小鳳，追隨在玄真道長的身後，大步向前走去。

只聽藍天義沉聲叫道：「祝護法！」

祝小鳳心頭一跳，停下腳步，道：「屬下在。」

藍天義道：「你回來，本教主有話問你。」

祝小鳳心頭鹿撞，緩步走了過去。

江曉峰心中已然感覺到情形有些不對，藍天義先把自己和祝小鳳調離君不語，此刻又單獨地喚去了祝小鳳，顯然是心中已對自己動了懷疑，果真如此，今後自己的處境，那是險惡萬分了。

心中念轉，人卻跟在玄真道長身後向前行去。

轉過了一個山角，到了一株古松之下。

只見藍福一人，坐在松下一個大石岩上出神。

玄真道長行近藍福，一合掌，道：「見過總護法，貧道奉了教主之命，把高護法送交總護法。」

藍福點點頭道：「好！我知道了，你去吧！」

玄真道長欠身一禮，轉身而去。

江曉峰心中暗道：「看起來，似乎是藍福早已知曉，我要被教主送來，所以，才一個人躲在這地方等我，難道君不語和我暗中的談話，被他們聽去了不成……」

他雖然覺出了事情不對，但一時之間，卻又想不出哪裏出了毛病。

疑慮之間，耳際間響起藍福的聲音，道：「文超，教主待你不薄啊！」

這句話沒頭沒腦，只聽得江曉峰如跌入五里霧中，呆了一呆，應道：「是的，教主待在下不薄。」

藍福冷笑一聲，道：「你既然知曉待你不薄，竟敢妄生異心。」

江曉峰心中暗道：「對了，如果高文超和藍福之間，早有什麼默契，我一點不知，今日非要露出馬腳不可了。」

心中念轉，口裏卻道：「屬下並未妄動異念。」

藍福緩緩回過臉來，兩道銳利的目光，盯注在江曉峰的臉上，瞧了良久，突然長長歎息一聲，道：「孩子，你當真一點都覺不出來麼？」

江曉峰吃了一驚，忖道：「此刻，我的處境雖然是險惡無比，但如若應付得宜，說不定還可探出一些秘密。」

當下應道：「老前輩指何而言？」

藍福道：「老夫待人，一向森嚴，難道你就覺不出我對你有些不同麼？」

江曉峰道：「晚輩感覺到老前輩對我特別照顧一些。」

藍福道：「嘿！你可知道個中的原因嗎？」

江曉峰道：「晚輩不知。」

藍福道：「唉！這件事，老夫原想在武林安定之後，再告訴你，但看來只怕是無法等下去了。」

江曉峰道：「什麼事啊？」

藍福並未立時回答，卻反口問道：「你覺著教主對你如何？」

江曉峰道：「晚輩只覺著總護法對屬下有些偏愛，教主對屬下如何？屬下並未感覺。」

藍福冷冷說道：「如若是教主對你沒有偏愛，豈肯答允他的女兒許配於你？」

江曉峰心中暗道：「幸好此事我知曉不少，倒是可和他爭論幾句。」

當下說道：「晚輩和藍姑娘的事情，似是並未得教主的賜助……」

藍福怒聲罵道：「蠢才，如非教主暗中相助，就憑你這副德行，豈能接近玉燕子藍家鳳！」

江曉峰心中忖道：「原來，玉燕子藍家鳳和血手門高文超的事，是藍天義有意安排的，這中間定然是大有文章了。」

但聞藍福冷肅地說道：「本教之中律令森嚴，任何人稍有違紀，都難逃嚴刑制裁，對你已多方包容，此後，如若再犯教主，定當依律治罪，本座決不再從中包庇於你了。」

江曉峰暗道：「也許那高文超過去有違犯教規的地方，自我冒他身分，隱跡於此之後，除了和君不語略有勾結的隱秘，但未事發之外，其他地方，都已經極盡小心，不知如何觸犯了教主，如是和君不語的勾結事發，那勢必已難再在此地存身，應該問他個明白才好。」

當下重重咳了一聲，道：「老前輩，晚輩心中有兩點不明之處，不知可否請教？」

藍福一皺眉頭，道：「什麼事？」

江曉峰道：「晚輩過去確有犯觸教規之處，但近日中，一直兢兢業業，未有逾越，不知何處觸犯了教主，再者，老前輩對晚輩諸事優容，定有原因，老前輩既已點明，還望能坦然相告。」

藍福道：「你在那石洞之中……」

江曉峰頓覺背脊一涼，出了一身冷汗，暗中運氣戒備。

只要藍福說出了自己和君不語勾結內情，準備立時間躍起施襲，如能在出其不意間，一舉制服了藍福，亦好用他交換君不語，免得那十絕陣的變化，落於藍天義的手中。

但聞藍福說道：「你從未勸說過君不語一句，要他把解得之秘呈奉教主，對本教而言，就不能算得忠誠可靠的人。」

江曉峰暗暗吁一口氣，放下心中一塊石頭，道：「那君不語說的，盡都是五行、八卦的變化，屬下不能了解，自是無法插口。」

藍福臉色變得緩和下來，說道：「那君不語還和你說些什麼？」

江曉峰沉思了一陣，道：「君不語說，教主交給他那幅圖案之上，並非是五行奇術，而是一座變化萬端的奇陣，那奇陣之中還可用毒，厲害無比，不論武功何等高強之人，一旦陷入了陣中，不死必降。」

藍福點點頭，嗯了一聲，道：「君不語沒告訴你奇陣的名字麼？」

江曉峰道：「告訴過我，好像叫什麼十絕陣。」

藍福道：「你如是說的句句實言，教主決不會怪罪於你了。」

江曉峰暗道了一聲「好險」！

口中卻問道：「老前輩還未回答晚輩心中的疑問。」

藍福微微一笑道：「孩子，你只要記住一件事，教主和我，都對你特別愛護，就行了……」

江曉峰接道：「這其間定有原因。」

藍福道：「自然是有原因了。」

江曉峰道：「既有原因，老前輩何以不肯相告？」

藍福道：「老夫本來想告訴你的，但想了想此事重大，在未得教主同意之前，不能洩漏了個中之秘……」

突聞一聲長嘯傳來，打斷了藍福未完之言。

藍福一躍而起，道：「孩子，你守在這古松之下，不要離開，老夫上去瞧瞧。」

也不待江曉峰答話，縱身而起，兩個起落，消失於朦朧的月色之中。

江曉峰收斂了一下心神，四面望去，月光下只見松影搖動，停身處是一座懸崖下的幽谷，除了微微的松濤聲，四周一片靜寂。

江曉峰仰天長歎一聲，緩緩在大岩石上坐下，心思卻紛至沓來，起伏不定。

正自想得入神，突聞一個極輕微的聲音，傳入耳際，道：「江兄弟……」

聲音細微得很，但聽在江曉峰的耳中，卻如巨雷轟頂一般，全身爲之一震。

他迅快地轉過臉去，望著那聲音傳來之處，只見那是一片高可及人的草叢，夜風中微微搖動。

江曉峰生恐有人用詐，不敢答應，輕輕咳了一聲，自言自語地說道：「好一個明月之夜。」

但聞那草叢中又傳出輕微的呼喊之聲，道：「江兄弟，在下王修。」

這一次，江曉峰聽得十分清楚，躍離巨岩，撲飛入草叢之中。

只見叢草中一個全身黑衣，頭上亦用黑布包著的怪人，坐在那裏。

那人舉手掀開了垂遮在臉上黑布，果然正是神算子王修。

王修低聲說道：「此地不是談話之處，江兄弟請隨我身後。」

江曉峰道：「那藍福要我守在此地，我不能走得太遠。」

王修道：「藍福要對付變化的局勢，一時間不會回來。」

口中說話，人卻疾向草叢深處行去。

江曉峰跟在王修的身後，深入十餘丈後，王修才停了下來，肅然說道：「少林寺犧牲了兩位高僧的性命，才把我送出了少林寺，我已經在草叢之中，藏身一日夜的工夫，如若是見不到你，豈不是有負兩位高僧之死。」

江曉峰道：「目下的情勢如何？少林寺和天道教是否交手了？」

王修道：「少林寺以羅漢陣擋住了天道教的攻勢，前日血戰足足十個時辰，雙方均都有著很大的傷亡……」

江曉峰道：「藍天義出手了麼？」

王修道：「藍天義親臨戰陣，但卻被少林掌門人，以一種奇妙無窮的杖法，攔阻住他凌厲的攻勢，佐以羅漢陣，和兩個天字輩高僧的夾擊，原想把他逼入羅漢陣中，擒賊擒王，先把他

擒住，卻不料藍天義果有非常的武功，施展馭劍術，衝出了羅漢陣，而且，還傷了一位天字輩的高僧。」

江曉峰長長吁了一口氣，道：「羅漢陣仍無法圍得住他，看來只有一個辦法了。」

王修道：「什麼辦法？」

江曉峰道：「找一個適當的時機，晚輩設法行刺，就晚輩了解，天道教中的情勢，基礎尚未奠定，只要一舉刺殺藍天義，再殺死藍福，天道教立時將成為一盤散沙。」

王修搖搖頭，道：「就藍天義一身武功而論，目下武林中第一流的高手，也難行刺得逞，我這番冒險離開少林寺，也是希望找到你，總算運氣不壞，償了我的心願。」

江曉峰道：「找我什麼事？」

王修道：「我想了解藍天義突然停手不攻，而且也未施用他蓄養的人猿，定然別有安排，不知他安排的什麼？」

江曉峰道：「他拿出一幅圖，要君不語詳作研究，君不語費了兩日夜的時間，瞧出那是一座奇陣，名字叫十絕陣。」

王修道：「絕傳武林的十絕陣，想不到竟然留傳於天魔令上。」

江曉峰道：「君不語準備以身相殉，把奇陣用針刺藏於股間肌膚之上，要晚輩設法取到手中，交付於你。」

王修沉吟了一陣，道：「此事萬萬不可，少林寺天字輩高僧全部出手，甚且無法勝得那藍天義，如非羅漢陣奧妙無比，和少林寺僧侶眾多，天字輩高僧的全力以赴，少林寺恐早已被人擊破……」

「目下武林中所有的正義力量，就是兄弟和君不語兩個首腦，我已在少林寺中布下幾處五行變化，只有以智慧和藍天義武功對抗，設法告訴君不語，千萬不能死……」

江曉峰道：「晚輩已經勸過他，他說那十絕陣變化奇奧，決不能讓藍天義全部了然。」

王修道：「水能載舟，亦可覆舟，十絕陣可以爲藍天義所用，但亦可以應付藍天義。」

江曉峰道：「老前輩說得是。」

王修神情嚴肅地說道：「我已經思慮了很多天，對付藍天義有一個釜底抽薪之策。」

江曉峰道：「是何良策？」

王修道：「設法把金頂丹書和天魔令取到手中。」

江曉峰道：「這個，只怕不太容易，那丹書、魔令，爲藍天義仗以稱霸江湖的寶典，收藏之處，定極機密，他人如何能夠知曉？」

王修道：「這個，在下亦曾想過了，但如有一個人能夠助你，那就成功可期了。」

江曉峰道：「什麼人？」

王修道：「藍家鳳。」

江曉峰搖搖頭，苦笑一下，道：「玉燕子藍家鳳乃是那藍天義的女兒……」

王修接道：「江兄弟，我無法給你詳細解說，但少林寺一旦毀於藍天義的手中，武林再無任何一個門派，可以和藍天義正面抗拒，影響所及，將危害到整個江湖。」

江曉峰道：「好吧！你說吧！要我如何著手，爲武林存正義，在下死不足惜。」

王修抬頭望望天色，說：「藍夫人願把你收留身側，傳授武功，這其間有一個最大的疑點：人生於世，最親密的莫過夫婦，但藍夫人卻寧肯背叛自己的丈夫，雖然大是大非間，不拘

小節，但其間只怕還別有隱秘。」

江曉峰奇道：「什麼隱秘？」

王修道：「藍天義雖然有丹書、魔令，但他的武功，仍然不如藍夫人，如今藍夫人雖已死去，但藍家鳳還活在世上。」

江曉峰怔了一怔，道：「老前輩之意，可是說那藍夫人和女兒早已聯手對付藍天義麼？」

王修道：「如若她們母女早已聯手，藍夫人死去之後，藍家鳳恐怕早已沒有性命了……」

似是突然間想起了一件十分重大之事，改口說道：「這幾日中，你可曾見過那藍家鳳麼？」

江曉峰道：「沒有，但晚輩冒充高文超的身分，曾經問過藍家鳳的下落……」

王修急急問道：「你問的什麼人？」

江曉峰道：「藍天義。」

王修道：「他怎麼說？」

江曉峰道：「藍天義告訴晚輩說，藍家鳳沒有隨來嵩山。」

王修道：「也許她已被藍天義囚禁起來了。」

語聲一頓，道：「那藍夫人雖然死於藍天義的手中，但不論智謀、武功，藍夫人都高過那藍天義，豈能不早做安排？而能夠承繼她衣缽的人，似乎是只有一個藍家鳳了……」

沉吟了一陣，接道：「在下還有一個奇想，那就是藍家鳳可能未必是藍天義的女兒。」

江曉峰心頭一震，道：「這個，這個，這個老前輩據何而言？」

王修道：「我只是這麼想，並無確實的依據……」

伸手從懷中摸出一個錦囊，接道：「這是方姑娘和我代你籌思，對付藍家鳳的策略，自然，不能照著死方法，重要的是還要隨機應變，你好好的收著，有機會不妨和君不語商量一下。」

江曉峰接過錦囊，貼身藏好。

王修道：「時間有限，我不能在此多留，言盡於此，以後的事，全要你多多費心了。」

轉身由深草之中，蛇行而去。

江曉峰目睹王修去遠之後，才小心翼翼地由草叢之中，行入古松之下。流目四顧，不見人蹤，心中才算放下一塊石頭，當下長長吁了一口氣。

只聽嗤的一聲嬌笑，由大岩石下傳了過來。

江曉峰吃了一驚，身子橫裏一轉，暗中提聚了功力，冷冷說道：「什麼人？」

但見岩石之後，站起一人，道：「小妹祝小鳳。」

江曉峰目光盯注在祝小鳳的臉上，心中暗暗忖道：「如若已被她發現了什麼，此刻實非得殺她滅口不可。」

心中念轉，口中卻問道：「你到此很久麼？」

祝小鳳道：「小妹奉護法之命，來此尋你，剛剛到此，聞得草叢之中有聲音傳來，就隱身在大岩之後，想不到竟然是你。」

江曉峰啊了一聲，道：「總護法現在何處？」

祝小鳳道：「小妹這就帶你去見他……」

格格一笑，道：「高護法，你躲在草叢之中作甚？可是發現了什麼異徵麼？」

江曉峰搖搖頭，道：「沒有什麼異徵，小弟在草叢中出恭。」

祝小鳳掩口一笑，道：「走吧！總護法還在等你。」轉過身子舉步向前行去。

江曉峰舉步隨在祝小鳳身後而行，一面問道：「祝姑娘，教主神威難測，剛才叫你留下，實叫在下好生擔心。」

祝小鳳突然停了腳步，回過身來，嫣然一笑，道：「高護法幾時這般關懷起小妹來了？」

江曉峰心中忖道：「和這等女人打交道，應該隨機應變，隨和一些才行。」當下笑道：「在下一直很關心祝護法啊！」

祝小鳳眨動了一下眼睛，道：「不管這話是真是假，聽起來確叫人有著全身舒適之感。」

江曉峰嗯了一聲，心中忖道：「我要設法從她的口中，探知隱秘，卻不能讓她生疑，這話必得繞個圈子說才成。」

心中暗作盤算，口中卻說道：「咱們和君護法，同在石室之中，相處了兩日夜的工夫，如若教主瞧出那君護法，有什麼不妥之處，咱們只怕都難免身受連累。」

祝小鳳道：「就算有什麼不妥之處，受罰的應該是小妹和君護法，你是教主的姑爺，自然不會受到懲罰了。」

江曉峰道：「教主賞罰嚴明，不徇私情，在下也難逃過，再說那藍姑娘，對在下已不若往常了。」

祝小鳳道：「這倒是一樁很奇怪的事情，小妹冷眼旁觀，亦覺著藍姑娘對你不似過去了，有一度，你們似是親密得油裏調蜜，怎麼會陡然間視若陌路。」

江曉峰道：「唉！事情如何，在下想到現在，還是有些想不明白，因此姑娘如有高見，還望能指點在下一、二。」

祝小鳳沉吟了一陣，道：「江曉峰之死，似乎是對你和藍姑娘之間，有著一點影響，是麼？」

江曉峰故意沉吟了一陣，道：「祝姑娘這麼一提，使在下茅塞頓開，不過，還有一點使在下想不明白的是，如若那藍家鳳心中顧念江曉峰救命之恩，對他生出了敬慕之心，那也是應該在他未死之前，對在下冷漠才是，如今人已死去……」

祝小鳳舉手理一理鬢邊的散髮，接道：「小妹一向是心直口快，說錯了什麼話，你可要多多擔待，聽小妹相勸兩句話，你真的得到了藍家鳳，未必是福，豔福雖是可羨，但禍患必隨後而至，如得不到她，你也不用很痛苦，能夠勘破這美色之關，那才是你的福氣。」

江曉峰道：「高論啊！高論！兄弟此刻才知，姑娘原來是一位胸藏錦繡的人物。」

祝小鳳微微一笑，道：「你不用捧我，我說的話，固然是句句實言，不過，我如是男人，那就看法不同了。」

江曉峰道：「怎麼說？」

祝小鳳道：「藍家鳳集美之大成，能和她一夕銷魂，縱然濺血而死，那也是死而無憾了。」

江曉峰長長吁一口氣，道：「祝姑娘說得不錯，見過那藍家鳳的男人，恐怕都難免有著祝姑娘的想法。」

語聲微微一頓，接道：「祝姑娘，在下還想請教一事。」

祝小鳳道：「小妹希望高兄問的是人間風月。」

江曉峰道：「我想問問祝姑娘對那江曉峰的看法如何？」

祝小鳳雙目盯住在江曉峰的臉上瞧了一陣，道：「論外貌，高兄也許能和那江曉峰一爭長短，但你卻沒有江曉峰那一股豪邁的氣質，那氣質正是女孩子心中嚮往的男子氣概。」

江曉峰一抱拳道：「多謝姑娘指教。」

祝小鳳淡淡一笑，道：「你問了我半大，還有一件很重要的事沒問。」

江曉峰道：「什麼事啊？」

祝小鳳道：「你那泰山大人留下我，問了我很多事，大概你心裏很想明白。」

江曉峰道：「嗯！在下只關心是否犯了教規，其他之事，並不關心。」

祝小鳳道：「你如是全無違背教規之處，實也用不著很擔心了。」

江曉峰怔了一怔，道：「祝姑娘……」

祝小鳳突然轉過身去，舉步向前行去，一面接道：「總護法要我立刻帶你會見他，咱們也說了很多話，只怕已誤了不少時間，其他的事，咱們有暇再談吧！」

江曉峰突然加快了腳步，越過祝小鳳，道：「祝姑娘，咱們走快一些如何？」

祝小鳳縱身一躍，又搶在了江曉峰的身前，笑道：「這地方形勢很複雜，你路徑不熟，走錯了，可是一樁很麻領的事。」

江曉峰道：「走錯了再回過來就是，哪有什麼麻煩呢？」

祝小鳳道：「小妹聽總護法說，昨夜裏，少林寺中有十幾個黑衣人衝了出來，半數人已被咱們攔阻殺死，但還有四、五個人，散佈在這附近樹林草叢之中，到目前爲止，咱們還無法探出他們的用心何在。」

江曉峰心中大大震駭，口中卻問道：「少林寺中都是和尚，也就是穿的僧袍，怎會有黑衣人衝了出來呢？」

祝小鳳道：「所以，才覺著事態嚴重，目下的少林寺中，除了和尚之外，還有俗人，甚至連他們一向禁止進入大雄寶殿後面的女人，也在少林寺中。」

江曉峰只聽得心頭鹿撞，覺得祝小鳳話中有話，似是有意說給自己聽的一般。

他盡量按捺下心中的震驚，保持著平靜，笑問道：「少林寺已被咱們圍困了兩天，怎的還會有人進去？」

祝小鳳道：「他們早就在少林寺中了。」

江曉峰啊了一聲道：「那些衝出少林寺的人，好不容易冒生死之險，脫了圍困，只怕早已遠走百里之外了。」

祝小鳳搖搖頭，道：「他們都還守在附近，躲在密林和亂草叢中。」

江曉峰道：「祝姑娘無所不知，當真叫在下敬佩。」

祝小鳳突然停下腳步，回過身來，笑道：「這些都是總護法說的，小妹全是由總護法口中聽得。」

兩人奔行的速度甚快，祝小鳳陡然停步回身，江曉峰幾乎撞入祝小鳳的懷中，匆忙中一閃身，衝前兩步，才停了下來。

江曉峰穩住了身子，長長吁一口氣，道：「總護法告訴你這多事情，那表示對姑娘十分信任了？」

祝小鳳道：「小妹覺著總護法對部屬都是一樣，只有對你特殊一些。」

臥龍生精品集

江曉峰嗯了一聲，道：「有這等事，在下倒不覺得！」

祝小鳳道：「有一件事可以證明。」

江曉峰道：「什麼事？」

祝小鳳道：「總護法遣我來此之時告訴我一件事……」突然住口不言。

江曉峰也未追問，因為此刻他們都聽到了一陣輕微的步履之聲，傳了過來。

祝小鳳轉頭望去，果見月光下一個長長的人影，行了過來。

江曉峰一直靜靜地站著，暗中卻提聚了功力戒備，未曾轉顧過來人一眼。

只聽祝小鳳接道：「原來是黃老前輩，晚輩這裏有禮了。」

江曉峰轉目望去，只見來人頭戴竹笠，身披蓑衣，胸前白髯飄垂，正是太湖漁隱黃九洲，不禁心中一動，暗道：「此人似是一直很少說話，記憶之中，也未見他顯露過武功，此刻陡然在此出現，不知為了何故？對他倒要留心一些。」

只見黃九洲右手一揮，道：「祝護法不用多禮。」

江曉峰一抱拳，道：「晚輩高文超……」

黃九洲淡淡一笑，接道：「文超，你好像和老夫生疏了很多。」

江曉峰吃了一驚，暗道：「糟啦！如若那真的高文超和他很熟，交談之下，勢非要露出馬腳不可。」

口中卻急急應道：「晚輩既已入教，禮不可廢。」

黃九洲呵呵一笑，道：「好一個禮不可廢。」

目光轉到祝小鳳的身上，道：「祝護法，你去回覆藍總護法一聲，就說我留下高護法談談。」

祝小鳳道：「總護法特遣我來找高護法，有事相商。」

黃九洲臉色一寒，道：「我知道，你見著藍總護法時，就說老夫非留下他不可，那就不會爲難你祝姑娘了。」

江曉峰深恐黃九洲和他談論往事，自己一個應對不上，就要暴露身分，急急說道：「總護法特命祝護法尋我回去，想必有要事……」

黃九洲一皺眉，接道：「老夫留你在此，亦是有要事相詢。」目光轉到祝小鳳的臉上，接道：「你回覆藍福，他如不願高護法留此，要他自己找老夫說話。」

祝小鳳臉上雖有爲難之色，但她卻似是不敢再和黃九洲頂撞，應了一聲，轉身而去。

黃九洲目睹祝小鳳去遠之後，才望著江曉峰道：「文超，你好像不願和老夫在一起了。」

江曉峰道：「老前輩不要誤會，晚輩怎會有此用心。」

黃九洲輕輕咳了一聲，道：「只聽你這稱呼，似是已和老夫生份多了。」

江曉峰心中暗道：「高文超出身血手門，怎的會和黃九洲攀上了關係？」

再想到藍福對待自己的情形，似是也含不少的私情成份。

只聽黃九洲接道：「孩子，藍福對你很嚴厲是麼？」

江曉峰簡直有不知如何回答之感，揣摸著道：「對我還好。」

黃九洲道：「如若他對你不夠好，我去見他，要他把你撥在老夫帳下。」

江曉峰道：「他對我很好。」

他雖然想表示得和黃九洲親近一些，但卻不知從何著手，弄巧成拙，反而更露馬腳。

黃九洲道：「好吧！你既然喜歡跟著藍福，我也不便勉強，咱們找個地方談談吧？」舉步向前行去。

江曉峰一面追在黃九洲身後而行，一面暗暗忖道：「看來，藍福、黃九洲、高文超三人之間，大約有一種很微妙的關係，只是局外人無法了解罷了。」

黃九洲行到一片樹木旁側，當先坐了下去，道：「孩子，坐下來吧！老夫要告訴你幾件事情。」

江曉峰應了一聲，席地而坐。

他為了要避免露出馬腳，盡量減少說話。

黃九洲雙目神凝，瞧了江曉峰一陣，道：「孩子！咱們相處數年，老夫對你知之甚深，說起來，這也不能怪你了。」

江曉峰聽得心頭震動，簡直有著不知如何接口之感。

黃九洲輕輕咳了一聲，接道：「家鳳被囚，對你而言，自然難免心裏不安了。」

江曉峰暗道：「你給我出了藍家鳳這個題目，那就有得談了。」

當下故作驚訝地說道：「藍家鳳被囚起來了？」

黃九洲道：「老夫留神到你的神色，似乎是充滿著憂鬱，大約是和藍家鳳有關了。」

此時此情，江曉峰只好打蛇隨棍上，點頭應道：「晚輩很想見她一面。」

黃九洲道：「我知道，所以，老夫特來找你。」

江曉峰道：「但教主告訴晚輩，家鳳未來嵩山。」

黃九洲道：「來了，只不過她被隱密的囚著，很少有人知道罷了。」

仰臉望著天上的明月，接道：「孩子，你要去勸勸她，就老夫所知，教主已存殺她之心……」

江曉峰驚叫了一聲，道：「他要殺自己的女兒？」

黃九洲道：「這些事，亦先不用管了，但此刻，她還能有一半生機，只要她能夠改變心意，順從教主。」

江曉峰道：「只怕她未必肯聽我的話。」

黃九洲道：「就算她不聽吧！但你和她交往一場，卻不能不盡心力勸勸她，目下的情形，是除了她自己之外，只怕沒有人能夠救她了。」

江曉峰道：「她在何處？」

黃九洲道：「離此不遠，老夫帶你去。」站起身子，向前行去。

江曉峰默默地隨在黃九洲的身後，心中卻在暗作盤算，道：「見著藍家鳳後，無論如何要勸她打消求死的念頭，如若她真的死去，神算子王修的一番計畫，豈不全部落空了？」

忖思之間，感覺到黃九洲的腳步，逐漸加快。

翻過兩座山嶺後，又下入一道山谷之中，黃九洲才放緩腳步，道：「孩子，家鳳就困在這座山谷之中。」

語聲甫畢，兩側暗影中，閃出了四個執劍大漢，攔住了兩人的去路。

但四人看清楚黃九洲後，立刻垂下長劍，欠身退到兩側。

黃九洲帶著江曉峰大步而入，一面低聲說道：「這座山谷，距離少林寺十里之外，此地埋伏的人，都是老夫率領的屬下，我會囑咐他們嚴密防守，教主到此之時，我會傳警給你。」

江曉峰道：「教主亦曾示意晚輩，不用再眷戀藍家鳳，如今想來，教主是有意的了。」

談話之間，已到了谷口盡處。

只見一座高大的巨岩之後，隱隱透出燈火。

黃九洲輕輕咳了兩聲，巨岩後閃出兩個五旬左右，身著青袍的老者。

黃九洲對兩人很客氣，微一頷首，道：「兩位很辛苦，藍姑娘怎麼樣了？」

兩位青衫老者齊聲應道：「仍然是拒進茶飯，屬下也未敢驚擾她。」

黃九洲歎口氣道：「好！你們進些酒飯，進去休息一會兒，一個時辰之後再來。」

兩個青衫老者欠身一禮，轉身而去。

江曉峰看兩人奔行的身法，疾逾飛鳥，眨眼不見，心中想問，但又怕問出了毛病，強自忍下。

黃九洲指指巨岩，道：「那巨岩之後，有一座山洞，藍家鳳就囚在那山洞內，你自己進去吧！」

江曉峰點點頭，舉步行去。

繞過石岩，果見一座高約半人的石洞，洞內有燈光透出。

江曉峰低頭進入石洞，只見洞口處擺著菜飯，全都是原封未動。

這山洞不深，不過一丈多些，但洞內卻可容人直身而行。

洞中高低不平，有不少山風吹進來的枯草，顯然未經打掃，觸目一片淒涼。

一側高起的石岩上，放著一支白燭，照得滿洞通明。

只見一個長髮垂面，身著綠衣的女子，緊靠在洞後石壁，盤膝閉目而坐。

她似是已經心如止水，任何事，都引不起她的關心。

江曉峰一直行到她的身前，她一直未睜眼看過一次。

江曉峰已然瞧清楚，那綠衣亂髮的女子，正是色冠一代，豔絕人寰的藍家鳳，想她姿容如花，不知有多少男人拜在她石榴裙下，爲她陶醉、瘋狂，如今竟被囚於這荒涼石洞之中，不禁默然一歎。

兩人相距不過咫尺，藍家鳳自然已聽到他的歎息之聲，但她仍然枯坐未動，眼皮也未眨一下。

江曉峰重重地咳了一聲，蹲下身子道：「藍姑娘。」

藍家鳳緩緩睜開雙目，望了江曉峰一眼道：「是你。」

江曉峰道：「我是文超。」

藍家鳳冷漠地說道：「我眼睛未瞎，神智未昏，我認識你是高文超。」

江曉峰歎道：「如果不是黃老前輩告訴我，我不知道你被囚於此。」

藍家鳳道：「黃九洲多管閒事，他告訴你這件事，不知用心何在。」

江曉峰道：「他要我勸勸你……」

藍家鳳接道：「勸什麼？」

江曉峰低聲說道：「教主已存了殺你之心，而且意志堅決，別人都已經無法救你，姑娘只有自救一途了。」

藍家鳳神色平靜地淡然一笑，道：「教主肯殺我，那是最好不過了，就算他不殺我，我也要自己尋死，他如肯殺我，豈不是省了我一番手腳。」

言罷，重又閉上雙目，不再理會江曉峰。

江曉峰暗中觀察，發覺她求死之意甚決，如若沒有驚人的變化，很難打消她求死之心，但那黃九洲就在石洞之外，自然是不便自暴身分。

心中念轉，口中說道：「姑娘對在下仍然存有恨意。」

藍家鳳冷笑一聲，道：「你錯了，我只是不願看到你，不願和你講話，咱們像陌生的路人……」

江曉峰歎道：「藍姑娘，你恨我，可是和江曉峰之死有關麼？」

藍家鳳恍如未聞，不再理會江曉峰。

江曉峰一連問了數言，藍家鳳一直是閉目靜坐，聽而不聞。

一個人到了視死如歸的境界，江曉峰也被鬧得沒了法了，只好長長吁了一口氣，低聲說道：「藍姑娘，你仔細地瞧瞧我，我不是高文超。」

江曉峰這句話，似是發生了很大的力量，但這力量仍然未能使那藍家鳳有所驚震，只聽她平靜地說道：「你不是高文超，是什麼人？」

她口中說話，人卻連眼睛也未睜動一下。

江曉峰心中暗道：「哀莫大於心死，此時此情，她已經到了完全心死之境，如若不能給她一個意外的震驚，只怕是無法激起她的關心了，但如若說出了自己的身分，固然可以使得藍家鳳大為震動，卻暴露了自己身分的隱秘。」

這是個很大的問題，江曉峰一直是沉吟難決。

抬頭看時，只見藍家鳳閉目而坐，這等震驚大事，她只淡淡地問了一聲，就不再多問。

江曉峰沉吟了良久，才輕輕地咳了一聲，道：「姑娘，我如果說出了我的身分，也許會使姑娘大感震驚。」

藍家鳳理也不理，連眼皮也未睜動一下，靜靜地坐著，似乎是玉雕的觀音。

江曉峰歎息一聲，道：「好吧！在下告訴姑娘，姑娘是否為在下守秘，那也全憑姑娘了。」

藍家鳳緩緩睜開了眼睛，道：「你是我爹爹派來的人麼？」

放低了聲音，道：「在下是江曉峰。」

江曉峰道：「不是。」

藍家鳳道：「我告訴你一件事，江曉峰死了，我親眼看到他躺在棺木中。」

江曉峰道：「那死去的，並非是真正的江曉峰，我才是真的江曉峰。」

藍家鳳眨動了一下美麗的眼睛，道：「你如何能夠證明？」

江曉峰道：「我臉上戴著人皮面具，只要揭下這一層人皮面具，就可以證明在下的身分了。」

藍家鳳道：「好！那你就揭下面具給我瞧瞧吧！」

江曉峰道：「可以，不過，在下在未揭下面具之前，有幾件事，先要和姑娘說明。」

藍家鳳道：「你說吧！」

江曉峰道：「令尊要稱霸武林，不惜大舉殺戮……」

藍家鳳嗯了一聲，道：「這和你是不是江曉峰有什麼關係？」

江曉峰道：「在下潛伏於天道教中，希望能爲武林稍盡棉薄，因此，在下先要問姑娘幾件事，才能決定是否說出心中之秘。」

藍家鳳道：「你是爹爹派來的人，我們不用再談了。」言罷，重又閉上雙目。

江曉峰怔了一怔，道：「姑娘，聽我說……」

他一連呼叫幾聲，藍家鳳再不接口一言。

江曉峰無可奈何，緩緩揭下了臉上的人皮面具，道：「藍姑娘，你睜開眼瞧瞧吧！我已脫下臉上的人皮面具了。」

藍家鳳突然睜開了雙眼，訝異地道：「果然是你？」

江曉峰點點頭，道：「是我。」

藍家鳳道：「高文超呢？」

江曉峰道：「死了。」

藍家鳳道：「那晚上我奠祭棺木中裝的人是他麼？」

江曉峰道：「是他。」

藍家鳳長長吁一口氣，道：「你快戴上面具吧，別要人進來了瞧出你的身分。」

江曉峰依言戴上人皮面具，道：「姑娘，在下想請姑娘……」

藍家鳳搖搖頭，接道：「我知道你沒有死，心裏少了一份愧疚，死也會死得安心一些。」

江曉峰道：「唉！江某人俗子凡夫，得姑娘一份關懷，心中……」

藍家鳳道：「別給我談這些了，你可以走了。」

江曉峰道：「在下還有事請姑娘援手。」
藍家鳳道：「我被囚於此，全身武功被廢，如何幫助你？」
江曉峰怔了一怔，道：「姑娘被何人廢了武功？」
藍家鳳道：「天道教主藍天義！」
江曉峰道：「你爹爹？」
藍家鳳道：「我不是他的女兒，所謂虎毒不食子，我如是他親生的女兒，他怎會下得如此毒手？」
江峰曉道：「原來如此！」
藍家鳳道：「快些去吧！別要因我拖累了你！」
江曉峰道：「在下不走了，我要留在這裏陪你。」
藍家鳳微微一笑，道：「於事何補呢？不過多賠上一條性命而已。」
江曉峰正容說道：「姑娘如若能鼓起求生之心，在下願設法救你出險。」
藍家鳳道：「哪可能的事，不要癡心妄想了。」
只聽黃九洲的聲音，傳了進來，道：「高賢侄，家鳳開口了麼？」
江曉峰道：「小侄正在勸說於她。」
只聽步履聲響，黃九洲緩步走了進來，望著藍家鳳，道：「鳳兒，你開口了？」
藍家鳳淡淡一笑，道：「黃大伯，我爹爹的性格，你又不是不知道，他決定的事情，任何人都無法勸動他。」
黃九洲道：「你們究竟有著父女之情，他不過是說一句氣話罷了。」

藍家鳳冷漠一笑，道：「黃大伯，有一件事，只怕你老人家還不知道。」
黃九洲道：「什麼事？」
藍家鳳道：「我母親死了。」
黃九洲吃了一驚，道：「她怎麼死的？」
藍家鳳道：「我爹爹殺了她。」
黃九洲道：「他們伉儷情深，你爹爹怎會殺她，不要聽人家胡說。」
藍家鳳道：「沒有人胡說，別的人也不會知道，這些話，都是從我爹口中說出的。」
黃九洲搖搖頭，道：「這個老夫不信。」
藍家鳳道：「晚輩說的句句真實，黃大伯不肯相信，那也是沒有法子的事了。」
黃九洲臉色凝重，沉吟了一陣，道：「家鳳，不論你聽說的話是真是假，但有一件事，卻是真實得很。」
藍家鳳道：「哪一件事？」
黃九洲道：「一個人，只能死一次，因此我只是勸你不要死，只要你願意活下去，不論什麼事，都可想法子解決。」
藍家鳳沉吟了一聲，道：「黃伯伯，聽說，你是我爹極少的老朋友之一？」
黃九洲道：「嗯！不錯。」
藍家鳳道：「那麼，你對我的身世，知曉好多？」
黃九洲沉吟了一陣，道：「你的身世？」
藍家鳳接道：「不錯，我的身世，我……」

黃九洲搖搖頭接道：「孩子，你是藍家鳳，藍天義藍大俠的女兒，如今你爹爹身為一教之主，你就是天道教主的千金小姐了。」

語聲微微一頓，道：「你們談談吧！老夫要先走一步了。」

藍家鳳急急叫道：「黃伯伯，你要到哪裏去？」

黃九洲低聲說道：「老夫去守護門口，你們可以好好的談談，有人來此時，老夫自會通知你們。」轉過身子，大步而去。

三十　再訪少林

江曉峰望著黃九洲遠去的背影，低聲說道：「這位黃老前輩對你很好。」

藍家鳳沉吟了一陣，抬眼望著江曉峰道：「你說，我是不是應該活下去？」

江曉峰道：「不但應該，而且必須要活下去，死有重如泰山，輕如鴻毛，你這樣死了，不但於事無補，而且令堂之冤，也將永沉海底了。」

藍家鳳怔了一怔，道：「你怎麼知曉我母親真的死了？」

江曉峰道：「因為在下親眼看到，令堂死於藍天義的手中。」

藍家鳳全身一顫，道：「真的？」

江曉峰道：「在下如有一字虛言，天誅地滅。」

藍家鳳聽他立下重誓，不禁黯然一歎，道：「母親的武功，不在爹爹之下，怎麼會死於他的手中？」

江曉峰道：「我沒有瞧到他們動手的情形，但卻見到了令堂的屍體！」

藍家鳳道：「我想不明白，你怎麼和我娘認識？」

江曉峰道：「個中情形，既屬偶然，且又曲折，我如不說清，姑娘自是很難明白。」

當下把進入藍府，求見藍夫人，並蒙收留藍府，傳授武功的經過，很詳盡地說了一遍。

藍家鳳眨動了一下圓圓的大眼睛，滾落下兩行清淚，道：「唉！無怪他一直要我追隨在他的身側，不許我回鎮江探望母親……」

熱淚滾滾，由腮邊直落腳前，接道：「想不到他真的施下毒手，殺了我母親。」

江曉峰道：「看令堂傷勢，致命的一擊，是在背後，那證明令尊在暗中施襲，令堂準備還擊時，已然身受重傷。」

藍家鳳道：「過去，母親告訴我很多話，可惜都是隱隱約約的，未作具體說明，現在仔細想來，她告訴我的很多話，都是別有作用了。」

江曉峰正容說道：「在下找姑娘，亦是希望姑娘能夠挺身而起，解救武林之厄。」

藍家鳳舉袖拭去臉上的淚水，道：「可惜的是，你說得太晚。」

江曉峰道：「當時在下並未抱存希望，但求盡人事罷了，想不到姑娘已然知曉了很多的內情，可使在下免去了一番口舌，唉！這也許在冥冥中，早有了安排，在武林大危之下，藍天義忍不住洩漏了胸中的隱秘。」

藍家鳳苦笑一下道：「我已經知曉他並非我生身之父，他又親口告訴我，殺死了我的母親，秘密既洩，怎的還會饒我之命？」

江曉峰道：「姑娘必須要想法子活下去，我瞧黃九洲老前輩，對你似乎是有一份偏愛，何不借他之力，以保全性命……」

語聲一頓，道：「藍姑娘，你應該明白，此刻已非你個人的生死，而是關係著武林大局，你要報仇雪恨，必得要忍辱負重，你要想盡辦法，留下有用的生命。」

藍家鳳沉吟了一陣，道：「除非我能獲得藍天義對我的信任。」

江曉峰心中一動，道：「藍姑娘，可是藍天義告訴了你不是他的女兒？」
藍家鳳道：「他倒沒有明白的說出來，但我從他的口氣中聽了出來。」
江曉峰道：「既非明白說出，姑娘可以裝出不知的模樣。」
藍家鳳似是已被江曉峰說服，沉吟片刻，道：「我盡量想法子試試。」
江曉峰正待答話，突然傳來一陣重重的咳嗽，接道：「家鳳，總護法來瞧你了。」
藍家鳳低聲道：「是黃九洲和藍福來了。」
舉起衣袖，拭去臉上淚痕，輕移嬌軀，偎入了江曉峰的懷中，江曉峰也迅速地戴上人皮面具。
但聞步履聲響，黃九洲和藍福並肩行了進來。
江曉峰輕輕推開藍家鳳的身子，站了起來，欠身對藍福一禮，道：「屬下……」
藍福一揮手，接道：「我都知道了，不怪你。」
江曉峰道：「多謝總護法。」
藍福目光轉到藍家鳳的臉上，道：「姑娘……」
藍家鳳用手理一下鬢邊散髮，道：「你現在是爹爹的總護法，不用叫我姑娘了。」
藍福微微一笑，道：「老奴已經叫慣了。」
藍家鳳道：「唉！爹爹能有今日，得你助力很大，你和爹爹同生共死，相處數十年，忍受屈辱，願為奴僕，對爹爹的忠心，實是可佩可敬。」
藍福道：「這個，姑娘太誇獎我了。」
藍家鳳道：「你把我從小帶大，我早應該把你視如長輩才是，只怪我過去年紀幼小，不

太懂事，這幾日，爹爹把我關在這石洞之中，使我有機會想到了很多事，過去，我任性自為，有很多對不起你的地方，可惜爹爹已經決定殺我了，要不然，今後，我應該對你好好的孝順一些，以補昔日之過。」

藍福歎口氣，道：「姑……」

藍家鳳急急接道：「不要叫我姑娘，叫我家鳳，或是鳳兒。」

藍福點點頭，道：「鳳兒，你確然是懂事多了。」

江曉峰站在一側，只聽得暗暗喝采，忖道：「此女不但姿色絕代，而且聰慧過人，唱作俱佳，這一頂高帽子，戴得藍福有些飄飄欲仙了。」

只聽黃九洲道：「藍兄來得正好，兄弟正想去面見教主，替鳳兒求個人情，憑咱們兩個老面子，一同去試試如何？」

藍福沉吟了一陣，道：「黃兄，不能太急，為鳳兒的事，咱們非得去見教主不可，不過，咱們事前得先把事情弄清楚，了然內情，才能說服教主，求得人情，如是咱們根本不知道為了什麼事情，只怕是很難求得下這個人情。」

目光轉到藍家鳳的身上，道：「家鳳，你應該知道教主為什麼廢去了你一身武功，就我所知，教主對你一向十分惜愛，如若沒有使他十分氣苦的原因，想他不致如此。」

藍家鳳道：「晚輩未被關入此地之前，確然是有些少不更事，和爹爹頂上幾句嘴，惹得爹爹動了肝火，把我關在此地。」

藍福道：「現在你可是有些後悔了？」

藍家鳳垂下頭去，道：「只怕是太晚了。晚輩死不足惜，但爹爹和福大叔年老高邁，此

後，卻少一個侍奉之人。」

短短幾句話，只聽得藍福有些受寵若驚，輕輕地咳了一聲，道：「好！你只要向教主悔過，天大的事情，我也願擔待下來。」

回顧了黃九洲一眼，接道：「黃兄，咱們見教主去。」

黃九洲道：「如著藍兄願意承擔，兄弟相信，鳳兒可脫此危。」

江曉峰急急行近兩步，道：「總護法，屬下……」

藍福人已向前行了兩步，聞言回頭接道：「你留在這裏陪著鳳姑娘，我們會見過教主就來。」

江曉峰欠身應道：「屬下遵命。」

目注兩人去遠之後，才回頭對藍家鳳一豎大拇指，道：「姑娘這一番表演，精彩至極，我瞧總護法被你捧得有些暈頭轉向，連他想問你的話，也不願再問了。」

藍家鳳搖搖頭道：「你可不要看得太容易，那藍天義已對我洩漏了很多隱秘，哪裏還會肯留下我的性命……」

她言未盡意，卻似是突然想到了什麼重大的事情一般，住口不言。

江曉峰還未留心到藍家鳳的神情，自顧自地接道：「令堂的武功才智，無不高過藍天義，她既然早已發覺藍天義的陰謀，自然也會想到了姑娘的安危，也許早已爲姑娘設計了避難之策，姑娘仔細地想想看。」

抬頭望去，只見藍家鳳正在凝目沉思，看她全神貫注的樣子，似是想得極爲入神。

江曉峰不敢驚擾，只有耐心地等候。

大約過了一盞熱茶工夫之久，才聽得藍家鳳長長吁了一口氣，道：「年前我和娘分手之時，娘給了我一個錦囊，叫我貼身收好，一旦遇上性命之憂時，再打開瞧看，此刻，已是時候了。」

一面說話，一面伸手探入貼身之處，取出一個錦囊。

望了江曉峰一眼，接道：「勞駕代我把風，囊中機密，千萬不能外洩。」

江曉峰應了一聲，轉身向外行去，守在洞口五尺所在。

良久之後，始聽藍家鳳的聲音傳了過來，道：「喂！你回來吧！」

江曉峰啊了一聲，緩步行到藍家鳳的身側，道：「姑娘面現喜色，似乎是那錦囊真有未卜先知的效果。」

藍家鳳道：「本來我已經心如枯井，不願再生人世。」

江曉峰道：「現在呢？」

藍家鳳道：「得母親錦囊餘蔭，已有五分生機。」

江曉峰望著藍家鳳手中的錦囊，道：「那錦囊中寫些什麼？」

藍家鳳道：「天機不可洩漏……」

收好錦囊，一整臉色，接道：「不是不告訴你，而是無從說起。」

江曉峰道：「在下也並非一定要問。」

藍家鳳沉吟了一陣，道：「那錦囊之上，似是早已知曉我會有今日，而且還肯定要殺我的人是藍天義。」

江曉峰道：「噢！令堂在那錦囊上既已講明白，那麼應該是答應了？」

藍家鳳道：「答應什麼？」

江曉峰道：「答應幫助天下武林同道，設法取到丹書、魔令。」

藍家鳳搖搖頭，道：「我不要幫助天下武林同道……」

江曉峰怔了一怔，道：「爲什麼？」

藍家鳳柔聲說道：「你是我的救命恩人，我要幫助你。」

江曉峰微微一笑，道：「我也是被拯救的天下武林同道之一，你救我也同時是在救他們。」

藍家鳳道：「唉！之前我不太懂事，但這幾日我被囚石洞，自知必死，似是陡然間增長了幾年的見識，所謂靈智空明，悟出了不少道理。」

長長吁一口氣，又道：「目下，我還無法想到藍天義處置我的法子，他是最明白縱虎歸山、後患無窮的人！」

江曉峰道：「令堂這錦囊上，不是已經告訴你求生之法麼？」

藍家鳳道：「我告訴你只有一半希望，還有一半，是藍天義的智慧，如若他的才智超過了娘，那就不會放過我了。」

江曉峰啊了一聲，道：「原來如此。」

藍家鳳低聲說道：「江兄，我要坐息一下，好好的想一想，如何度過這一道生死之關。」

江曉峰道：「聽姑娘的口氣，似乎是你和藍天義的關係很複雜。」

藍家鳳道：「確是如此，但此刻我卻沒有時間和你說明白了。」

言罷，閉上雙目，不再理會江曉峰。

江曉峰默坐一側，心中暗道：「目下，雙方似是正在各施智謀，藍天義困住了少林寺，卻不肯下令猛攻，羅漢陣既可抵拒藍天義，不知何故卻又甘願被困，不肯出寺迎擊強敵，坐以相待，讓敵人有時間去研究破解羅漢陣的法子。」

但覺事端重重，紛至沓來，不知道過去了多少時間。

一陣輕微的步履聲傳了過來，打破了石洞中的沉寂，也驚醒了江曉峰。

抬頭望去，只見洞中燈油早添，更見明亮，藍福和黃九洲並肩緩步行了進來。

看兩人臉色，一片凝重，想來這一行定然並不十分順利。

江曉峰站起身子，迎了上去，欠身一禮，道：「見過總護法。」

藍福輕輕一揮手，道：「你站開去。」

江曉峰應了一聲，退在一側。

藍福緩步行到藍家鳳的身前，低聲說道：「鳳姑娘，你醒了？」

藍家鳳緩緩睜開雙目，道：「大叔，見過我爹爹麼？」

藍福道：「見過了，教主餘怒未息，我和黃兄苦苦相求，他仍然是不肯答應。」

江曉峰心頭一涼，暗道：「如若藍家鳳難逃死亡之厄，天下武林同道，恐再無解救之人了。」

藍家鳳道：「鳳兒知道了，這一次我氣苦了爹爹，定然不會放過我了。」

藍福道：「孩子，我和黃兄一路研商，並未完全絕望。」

黃九洲接道：「你既已知錯了，何不當面向你爹爹告饒？」

藍家鳳道：「這個……」

藍福接道：「我和黃兄，陪同你去見教主，只要你肯下跪認錯，再加上我和黃兄兩張老面子，教主大約不會再拒人於千里之外了。」

藍家鳳道：「父打子不羞，鳳兒跪向爹爹求命，自然不算什麼，只是多次勞動兩位叔伯，晚輩至感不安。」

黃九洲喜道：「你是答應了？」

藍家鳳道：「就算爹爹定要殺我，我也該在死去之前，一拜他老人家養育之恩。」

藍福道：「那很好，咱們去吧！」

藍家鳳站起身子，行了兩步，身子一陣搖動，幾乎栽倒。

原來她武功既被廢去，人又餓了數天，身體早已十分虛弱，此刻，突然站起身子，頓感一陣頭暈目眩。

江曉峰正待向前扶持，藍福卻快一步伸出右手，抓住了藍家鳳的右臂，道：「鳳姑娘，會武之人，一旦失去了武功，實是很難適應。」

藍家鳳道：「唉，鳳兒的感覺是生不如死。」

藍福點點頭，回顧了江曉峰一眼，道：「祝護法現在在洞外等著你，我們去見教主，你就不用同去了。」

江曉峰道：「可是要屬下和祝護法先行歸去？」

藍福點點頭，道：「今夜中可能有變，你和祝小鳳會面之後，立刻趕去和他們會合。」

江曉峰應了一聲，加快腳步，步出石洞。

果見祝小鳳守在洞口等候。

江曉峰腳未停步，沉聲說道：「總護法要姑娘帶在下和他們會合一處。」說話間，人已到了三丈開外。

祝小鳳放腿疾追，一面說道：「你走慢一些，我要走前給你帶路。」

江曉峰放緩腳步，讓過祝小鳳，在她身後落後一臂而行，低聲問道：「祝姑娘，少林寺中是否有了動靜？」

祝小鳳搖搖頭，道：「倒看不出什麼異徵，但場中人，都有著一種山雨欲來的感覺。」

江曉峰道：「怎會如此？」

祝小鳳道：「我如能說出原因來，那就不能稱它爲感覺了！」

江曉峰不再多問，只是逐漸地加快速度。

祝小鳳在江曉峰逼迫之下，不得不全力施爲，疾如流星。

也不過片刻工夫，翻過了兩座山脊。

祝小鳳突然一收腳步，道：「到了。」

江曉峰收住奔衝之勢，流目四顧，只見停身之處是一座山脊，再往前走，越過一條山谷，就是少林本院。

江曉峰道：「怎麼不見瞭哨之人？」

祝小鳳低聲說道：「總護法早已有了分配，用不著你擔心。」

江曉峰心中暗道：「此時處境愈少和人交談愈好。」

當下說道：「多謝姑娘指點。」選了塊山岩坐了下去。

哪知祝小鳳竟然緊傍他身側坐下，低聲問道：「你適才可是見到了藍家鳳？」

江曉峰聽得一怔，暗道：「這女人知道的事情不少，以後得對她多加小心才是。」口中卻微微一笑道：「不錯，見到了藍姑娘。」

祝小鳳點點頭，道：「少林寺中僧侶，似是有所謀圖，今夜之中，他們已遣派許多高手，向外衝了兩次，但都被總護法給擋了回去。」

江曉峰微微一笑，未再答話，靠在石岩上閉目養息。

感覺之中，祝小鳳似已起身而去，行向別處。

不知過去了多少時間，突聞一陣兵刃相觸之聲，傳了過來。

江曉峰睜開雙目望去，只見東方一片金黃，已是天色大亮的時分。

探首向下望去，只見兩個身著月白僧袍的僧人，手中各執一柄禪杖，正和乾坤二怪打得難解難分。

江曉峰心中大是奇怪，暗道：「此地人手甚多，怎的竟無人出手，助那乾坤二怪一臂之力？」

就在他忖思之間，只見兩個僧侶突然收了禪杖，齊齊向後退去。

乾坤二怪也不追趕，站在原位未動。

此時，天已大亮，谷中景物，看得十分清楚，只見那乾坤二怪逼退二僧之後，緩緩行到一塊巨岩之後，消失不見。

江曉峰心中一動，暗道：「聽祝小鳳說，少林僧侶昨夜已試過數次，想衝過此谷，適才一戰又打得激烈絕倫，兩個少林僧侶，能和乾坤二怪打得平分秋色，自是少林寺的高手，何不下谷瞧瞧去，也許能瞧出一點眉目出來。」

心中念轉，站起身子，直向谷中行去。

只聽見祝小鳳的聲音，傳了過來，道：「快些給我站住。」

吆喝聲中，兩個飛躍，人已到了江曉峰的身前，攔住去路，接道：「你要幹什麼？」

江曉峰道：「在下想到谷中瞧瞧。」

祝小鳳搖搖頭，道：「不能去。你如想去，等總護法到來之後，再去不遲。」

江曉峰道：「姑娘對在下的關心，在下十分感激，但你阻我下谷，倒叫在下想不通原因何在，除非姑娘能說出理由，不然在下是非要下去瞧瞧不可。」

祝小鳳無可奈何地說道：「你如一定要去，小妹自是無法阻止。」

江曉峰希望對這天道教的內情，知曉得愈多愈好，當下一側身，閃過了祝小鳳，道：「如是總護法怪罪下來，在下一個人承當就是。」舉步向谷中行去。

他口中雖然說得大而化之，實際上卻不敢絲毫大意，提聚了功力，緩緩向下行去。

剛剛行到谷底，瞥見人影一閃，二怪羊白子，突然出現眼前，冷冷說道：「高護法，可是總護法要你下來的麼？」

江曉峰道：「不是，在下自己想到谷底瞧瞧，順便……」

羊白子接道：「順便怎樣？」

江曉峰笑道：「如是情勢有變，在下亦可助兩位一臂之力。」

羊白子道：「盛情心領，乾坤二怪，不敢勞人相助。」

江曉峰口中在和羊白子說話，兩道眼神，卻是打量著谷中形勢。

但見谷底亂石起伏，雜草橫生，竟是瞧不出一點可疑之處，心中忖道：「谷中既無特異的地方，犯不著和羊白子等鬧翻。」

正待舉步上峰去，突然一陣金風破空之聲，襲向腦後。

江曉峰匆忙間，來不及回身察看，拔劍向後點出。

但聽噹的一聲，長劍正擊中一枚銅鈸之上。

那銅鈸吃江曉峰劍勢一擋，突然打了一個旋身，擊在一塊小岩之上，冒起了一片火星。

銅鈸雖然擊中了山石，但卻未落實地，轉向羊白子飛去。

羊白子微一閃身，避過了銅鈸，道：「閣下快些上去。」

一面說話，右手卻探入懷中，抖出白骨鞭，揮手一鞭，抽回銅鈸。

那銅鈸連經擊撞之後，旋轉之力大減，波的一聲落在實地。

羊白子一鞭擊落銅鈸，冷冷接道：「高護法，這谷中有很多埋伏，你留在谷底無益。」

江曉峰本來已想上峰，聽完羊白子一番話後，又不願再走。

淡淡一笑，道：「埋伏何處？在下怎的一點也瞧不出來。」

羊白子道：「這和高護法無關……」

江曉峰微微一笑，接道：「羊兄，乾坤二怪在武林中威名遠播，如非教主成立天道教，在下是永遠無法和兩位攀交了，如今既在一教之下，彼此應該親近親近才是。」

羊白子道：「乾坤二怪，一向不喜和人交往，高護法這番心意，只怕是白費了。」

江曉峰道：「正因為兩位不大喜歡和武林人物交往，兄弟才覺著有些奇怪，所以，才很想和兩位交往。」

羊白子冷冷說道：「在下沒有時間和高護法多費唇舌，你早些請便吧！」說完話，也不待江曉峰回答，逕自轉身而去。

江曉峰心中暗道：「這乾坤二怪，果然是冷僻得很，我用這等方法攀交，竟遭一口回絕，看來兩人之間，定有什麼隱秘了。」

心中念轉，口中卻故意歎息一聲，道：「似兩位這樣拒人千里之外，在下只好自己一個人在這谷中瞧瞧了。」

羊白子人已走向草叢之中，卻突然停下腳步，回頭說道：「高護法，如若閣下肯聽在下相勸之言，那就趕快離開此谷，你雖然是教主的愛婿，但如觸動機關，一樣會粉身碎骨。」

江曉峰目光轉動道：「谷中叢草亂石，卻瞧不出是何機關。」

羊白子臉色一變，道：「我再最後一次奉勸高護法，如若閣下仍然不肯聽從，那就休怪在下兩人無禮了。」

江曉峰看他橫眉豎目，滿臉殺機，大有立刻出手之意，心中暗道：「此刻如若真和乾坤二怪鬧翻，牽連所及，或將暴露出自己的身分，有害大局。」

他本是別有存心而來，是以，羊白子雖然對他句句冷諷，他仍能忍得下去，但他究竟是少年氣盛的人，在羊白子數番言語迫逼之下，不禁眉頭一皺，冷冷說道：「羊兄不要欺人過甚。」

羊白子道：「照在下平日對人而論，對你高護法，我已盡了最大的忍耐。」

江曉峰仰天打個哈哈，道：「羊白子，有一天我將會領教你們乾坤二怪的武功。」

羊白子道：「咱們兄弟隨時候教。」

江曉峰原想瞧瞧這谷中，有些什麼樣的埋伏，因爲這道山谷劃分開了少林寺和天道教，使兩股武林中最爲強大的實力，彼此對峙。

他想不通天道教何以要堅守這條山谷，不讓少林寺中僧侶進入山谷之中。

江曉峰想發覺出其中的隱秘，但羊白子卻堅持不允他在谷中走動，江曉峰無可奈何，只好廢然登回峰頂。

祝小鳳似是早已料想到江曉峰會被逼退的後果，坐在峰頂處等候，眼看江曉峰面帶怒容地被頂了回來，不禁微微一笑，道：「高兄，乾坤二怪，一點也不通人情，是麼？」

江曉峰尷尬一笑，道：「祝姑娘，你都聽到了。」

祝小鳳道：「我已經盡力勸高兄，但你執意不聽，那也是沒有法子的事。」

江曉峰道：「我想不明白，一片荒草亂石的山谷，會有什麼埋伏，乾坤二怪竟然不准我在谷中停留。」

祝小鳳道：「就小妹所知，乾坤二怪，對你已經算是夠客氣的了，因爲你是教主的女婿，如是換了他人……」

江曉峰道：「換了他人又怎麼樣？」

祝小鳳道：「羊白子不要你的命，也要你頭破血流的回來。」

江曉峰冷哼一聲，道：「早晚我要和他們見個高低。」

祝小鳳笑道：「高兄，彼此一、兩句言語上的誤會，用不著動氣拚命，聽小妹相勸，忍一日氣，保百年之身。」

江曉峰淡淡一笑，道：「祝護法，在下有些糊塗了。」

祝小鳳道：「什麼事啊？」

江曉峰道：「在下覺著祝護法有時對在下十分關心。」

祝小鳳接道：「有時候，卻又對你冷若冰霜，是麼？」

江曉峰搖搖頭道：「不是，有時候對在下冷嘲熱諷。」

祝小鳳格格一笑，道：「咱們雖然同爲護法，但你這護法的身分，卻有些不同。」

江曉峰微微一笑，道：「是這樣麼？在下倒不覺得。」

祝小鳳舉手理了一下鬢邊的散髮，緩緩說道：「你說我關心你，我倒又想起幾件關心你的事了。」

江曉峰道：「什麼事？」

祝小鳳道：「你昨宵和玄真動手，今日和乾坤二怪翻臉，不覺著氣焰太高漲些麼？」

江曉峰道：「這個麼？在下倒未想到。」

祝小鳳道：「我是覺著，你如在教中結仇太多，對你似是並無好處。」

江曉峰道：「多謝指教，在下自此刻起，當小心一些。」

祝小鳳緩緩站起身子，道：「你該找個地方坐息一下，你看看別人，都在調息養神。」

江曉峰道：「他們何以如此？」

祝小鳳道：「詳細情形，小妹也不清楚，不過，這情形有些異常，似乎是大風暴前的一段平靜，我覺著你也應該坐息一下，養養精神。」

這時，天色已然大亮，金黃色的陽光，照徹名山。

江曉峰目光一瞥間，只見無缺大師、玄真道長，護擁著藍天義大步而來。

藍天義的身後，緊隨著總護法藍福。

祝小鳳也瞧到藍天義大步行來，她本有些玩世不恭，對人對事，向以玩笑處之，但對藍天義，卻有著很大的畏懼，登時笑容收斂，肅然而立。

藍福突然加快腳步，越過藍天義，行近了祝小鳳，道：「祝護法，去召集諸位護法到此。」

祝小鳳應了一聲，轉身而去。

江曉峰欠身抱拳，道：「見過教主。」

藍天義一揮手，道：「不用多禮。」

江曉峰道：「多謝教主。」

轉身又對藍福一個長揖，道：「見過總護法。」

藍福神情嚴肅地道：「你站在一側。」

江曉峰應了一聲，垂手站在藍福身側。

他心中極爲關心藍家鳳的安危，但見藍福臉上一片嚴肅神情，竟是不敢多問。

暗中留神望去，只見藍天義雙目神凝，望著對面的少林寺，臉上是一片肅殺之氣。

藍福雖然是久年追隨藍天義，但對藍天義也似是有著很深的畏懼。

只見他欠身說道：「教主決定要過去瞧瞧麼？」

藍天義點點頭，道：「嗯！我不能向他們示弱。」

談話間，七、八位護法已得到了祝小鳳的通知，急急趕來。

七、八位護法，一字排在藍天義的身前五尺左右，齊齊抱拳作禮。

藍天義微一頷首，道：「諸位很辛苦，天道教如統一江湖，諸位都是教中的功臣。」

眾護法齊聲道：「多謝教主栽培。」

藍福輕輕咳了一聲，道：「教主應少林掌門之邀，欲親赴少林寺中一行，想就諸位之中，選出四個人，一同前往少林寺，不知哪位願去？」

江曉峰搶先說道：「屬下願往。」

眾護法齊聲接道：「屬下願去。」

藍福回顧了藍天義一眼，道：「教主請點選四人。」

藍天義道：「你和他們相處久，知曉他們所長，代我選出四人吧！」

江曉峰道：「屬下首先答應，理應入選。」

藍福皺皺眉頭，正待出言喝叱，卻被藍天義伸手攔阻，道：「讓他去見識一番也好。」

藍福應了一聲，目光轉到祝小鳳的身上，道：「祝護法素以暗器見長，被稱做千手仙姬，你也算一個。」

目光轉到踏雪無痕羅清風的身上，道：「你去一個。」

藍福目光又轉到余三省身上，道：「你號稱袖裏乾坤，足智多謀，追隨教主身側，或有大用。」

余三省一欠身，道：「屬下覺著十分榮耀。」

藍福回首對藍天義道：「這三人如何？」

藍天義點點頭，道：「很好，很好，他們三人各有所長，加上高護法的血手掌，也算是武林中一門奇功了。」

藍福道：「教主幾時動身？」

藍天義道：「我立時動身……」

語聲一頓，接道：「我去之後，你就傳我之令，要各方嚴密防守，不准有一個少林僧侶出去，也不許任何人進來。」

藍福一欠身，道：「屬下遵命。」

藍天義目光一掠無缺大師和玄真道長，道：「兩位開道。」

玄真、無缺應了一聲，當先行去。

藍天義又轉向羅清風、祝小鳳、余三省、江曉峰等四人，道：「你們隨我的身後。」舉步追在玄真、無缺兩人身後行去。

玄真、無缺並肩而行，直下谷底。

藍天義帶著江曉峰等隨後而下。

乾坤二怪立時迎了上來，齊齊欠身作禮，道：「恭迎教主大駕。」

藍天義一揮手，道：「你們好好的守護此地。」

大怪馬長倫道：「谷中有埋伏，屬下替教主帶路。」轉身向前行去。

行近山壁停了下來，道：「上此山壁，就是少林寺了，不過峰上有很多少林僧侶防守，教主登峰之時，只怕難免碰上襲擊。」

藍天義冷笑一聲，道：「傳話上去，就說本教主應邀，會晤他們的掌門人。」

玄真道長一欠身，高聲道：「天道教主應邀會晤貴寺掌門，爾等不得無禮。」

藍天義神情冷漠地一揮手，道：「上。」

玄真、無缺應聲而起，一躍七、八尺高，手足並用，直向峰上攀去。

江曉峰心中暗道：「藍天義武功高強，不知他要如何攀登此山。」

忖思之間，突見藍天義一舉步，直向峰上行去。

那山壁十分陡峭，但見藍天義卻如履平地一般，在那陡峭的山壁間舉步而行。

江曉峰看得怔了一怔，暗道：「這是什麼功夫，竟有如此奇奧。」

但見羅清風、祝小鳳、余三省緊隨藍天義的身後，手足並用地向上攀登。

這幾人都是武林中第一流的身手，江曉峰一怔神間，幾人已經爬上了七、八尺高，急急運氣攀登，向上追去。

這座峰壁，不過十幾丈高，幾人極快地攀上峰頂。

一路行來，既不見少林僧侶施襲，也無人出言喝問。

登上峰頂之後，卻見八個身著灰色僧袍的和尚，手執戒刀，一排橫裏攔住了幾人去路。

群僧似是都認識無缺大師，右手單掌立胸，道：「無缺師伯。」

無缺大師冷哼一聲，道：「老衲已然不是少林寺中的人，你們不用對我多禮。」

八個僧侶仍然保持了對無缺大師的敬重，微一躬身，道：「師伯雖不認弟子們，但弟子們卻禮不可廢。」

無缺大師冷冷說道：「我已是天道教中的護法，你們快些讓開去路，如若不聽我良言相勸，休怪老衲下手無情。」

群僧一皺眉頭，相互的望了一眼，由左首一僧說道：「師伯既然是天道教主護法，想也作不得主意……」

語聲一頓，道：「哪一位是藍教主？」

藍天義冷冷說道：「在下便是。」

左首僧侶道：「貧僧已遣人稟報敝寺掌門，還請稍候片刻。」

藍天義道：「等多久？」

左首僧侶應道：「等敝掌門人通知之後，我等再行讓路。」

藍天義道：「小和尚說得雖然有理，但本教主只怕沒有這份耐心。」

左首僧侶道：「除非你藍教主出手把我們殺死，否則只有等候敝掌門的通知了。」

無缺怒道：「膽大孽徒，竟敢對教主如此無禮。」

欺進一步，正待揮掌攻出，卻聽藍天義低聲說道：「不要動手。」

無缺大師對少林弟子十分凶惡，但對藍天義卻有著無比敬畏，應了一聲，垂手退下。

藍天義緩緩說道：「本教主就等候一刻工夫，如若貴掌門還未有信息傳來，那你們八個就是代罪羔羊。」

語聲甫落，瞥見一個中年灰衣僧侶，急步奔了過來，道：「敝掌門在大門恭候教主。」

藍天義嗯了一聲，回顧玄真等護法說道：「如若本教主未傳令諭，不許你們隨便出手。」

玄真、無缺等齊齊欠身應是。

藍天義一揮手，道：「有勞小師父帶路。」

八個攔路僧侶，突然向後退開，讓出了一條大道。

藍天義當先舉步向前行去。

無缺、玄真分隨左右。

江曉峰等四人，卻是兩人一排，緊追在藍天義的身後面。

這是少林寺的側面，遠遠望去，只見一道黃牆。

帶路僧侶順著小徑，繞過一片矮樹，行到少林寺正門前面。

只見少林寺掌門方丈宏光大師，懷抱綠玉佛杖，早已停立寺外等候。

卅一　以身殉道

藍天義來到少林寺正門前，只見方丈宏光大師，懷抱綠玉佛杖，早已停立在寺外等候，出人意料的是，這位少林掌門至尊，並無隨侍護駕的人，只有一個小沙彌站在身側。

藍天義皺皺眉頭，低聲問無缺大師道：「在少林寺中，你和掌門人怎麼稱呼？」

無缺大師道：「如以輩份而論，他應該稱我師叔。」

藍天義點點頭，道：「但你的武功卻不如他？」

無缺大師道：「少林掌門，權位特重，有很多特殊的武功，要到一定的身分才能夠學得，少林寺中的掌門人，乃是少林寺中身分最高的人，自然是可以盡窺其奧了。」

藍天義點點頭，舉步行到寺門前，一揮手道：「有勞大師遠迎。」

宏光大師合掌欠身，道：「教主如約而來，貧僧極感榮幸。」

藍天義淡然一笑，道：「掌門人約請在下，再訪少林，不知有何見教？」

宏光大師道：「數日來幾番搏殺，貧僧目睹雙方死亡累累，心中至感不安，因此，邀請教主來此，希望能找出一個暫停殺戮之策。」

藍天義微微一笑，道：「貴寺中不知有好多僧侶？」

宏光大師明知藍天義的問話心意，但仍然坦誠地應道：「千名左右。」

藍天義道：「如若我們每日殺死貴寺中十位僧侶，百日左右，貴寺即將死得一人不剩，嵩山少林寺，從此將永絕於江湖之上。」

宏光大師輕輕咳了一聲，道：「照這幾日中雙方死亡比率而言，貴教中的傷亡，比我少林寺只多不少。」

藍天義哈哈一笑，道：「我天道教羅致天下英才，無窮無盡，死上千兒八百人，既不致危害大局，也不致使我有人力枯竭之感。」

宏光大師苦笑一下，道：「百日時光，何等悠長，武林中，定然會有很多變化？」

藍天義神情傲然地說道：「除了貴寺之外，本教主真還想不出，武林中還有哪一門派，能夠和本教抗拒。」

宏光大師道：「在藍教主預想之下，至多一日夜的力量，就可把我少林寺征服，似這般對峙數日，互有傷亡的事，只怕是大出你藍教主的意料之外吧！」

藍天義道：「不錯，未到嵩山之前，在下確未想到嵩山少林寺，會有著如此強大的實力……」

宏光大師接道：「教主未想到我少林寺有此實力，恐怕更未想到，天下武林結合在一起的力量，那更龐大無比的氣勢，天道教中，縱有千百高手，教主勇武絕倫，也難和遍天下的武林人物對抗。」

藍天義淡淡一笑，道：「大師請我到此，就是想說幾句威脅之言麼？」

宏光大師道：「貧僧不是威脅，而是奉勸教主。」

藍天義輕輕咳了一聲，道：「好！我已經知道了。不過，本教主也要奉勸大師幾句。」

宏光大師道：「貧僧洗耳恭聽。」

藍天義道：「這幾日中數番鏖戰，雖然是互有傷亡，但我們並未全力攻襲，如若是在下令全力攻打貴寺，那即是另有一番局面了！」

語聲微微一頓，接道：「掌門人如若不信，明日午時，即可讓你見識一下。」

宏光大師道：「貧僧此次請教主到此，希望彼此能夠和解，至少，雙方能暫時免除這等終日不停殺戮的情勢……」

藍天義接道：「大師如若想免去這番殺戮，最爲簡便的法子，就是歸入我天道教下，大師不但可保權位，貴寺亦可保全實力。」

宏光大師搖搖頭，道：「寺中長老，大部主戰，不惜傾盡少林寺的全力，和貴教一拚，但貧僧覺得，那是同歸於盡之法，因此主張，雙方能彼此和解最好，至少暫停這等每日必有的搏鬥，雙方約定一日，盡出高手，一決生死。」

藍天義略一沉吟，道：「那很好，明日中午如何？」

宏光大師一皺眉頭，道：「太急促了，貧僧之意，能夠訂在三月之後？」

藍天義道：「我想不出，三月之後，大師有什麼制勝之道。」

宏光大師道：「貧僧並未妄存制勝之想，但也不願歸降你天道教，貧僧要盡三月時光，約請天下武林高手，齊集嵩山，然後雙方一決生死，如是藍教主覺出致勝有方，對你而言，那也是一樁有利無害的事，你一戰之中，盡服天下高手，也省去了天涯奔波之煩，那一戰也將是和天下武林精銳的搏鬥，貴教能否稱霸天下，一戰即可決定了。」

藍天義沉吟了片刻，道：「聽來倒很動人，但就雙方厲害而言，對本教實是害多利少，我

給你三月時間，使你盡邀天下高手，趕來少林助戰，豈不是增強了貴寺中很多實力？」

宏光大師道：「對貴教而言，亦並非全然無利，三月時間，你藍教主可以從丹書、魔令上，再求出甚多的武功，貴教中也可以多做三個月的準備。」

藍天義淡然一笑，道：「本教主已決定，明日午時，對貴寺做一總攻，如若你們能夠支持明日的一戰，本教主願尊重大師之言，撤走屬下，等你三月，三月後，再在少室峰頂作一決戰，如是貴寺無法撐過明日的總攻，那就難免落得一個寺破人亡，少林一脈，從此消失於江湖之上了。」

宏光大師道：「藍教主似乎對明日的一戰，充滿著必勝信念。」

藍天義笑道：「那將是一場使人驚奇、慘烈的搏鬥，本教主誇一句海口，明日的一戰，將是前無古人、後無來者的一場奇怪的搏鬥。」

宏光大師聽得大惑不解，道：「藍教主可否說得詳細一些？」

藍天義道：「本教主已經說得太多了，大師以一派掌門的才慧，不難想出一點眉目出來。」

宏光大師突然改變話題，道：「貧僧爲教主準備了一桌豐盛的素齋，不知藍教主願否賞光？」

藍天義哈哈一笑，道：「好，大師有此一片用心，就算那席素筵中，有著穿腸的毒藥，本教主也要試它一試。」

宏光大師回顧了身側的小沙彌一眼，道：「要他們大開寺門，迎接貴賓。」

小沙彌應了一聲，回寺而去。

片刻之後，寺門大開，十八個身著大紅袈裟的僧侶，分列兩側，合掌迎客。

宏光大師一欠身，道：「藍教主請！」

藍天義看那十八位和尚，都未佩帶兵刃，回顧了無缺大師一眼，道：「這些人，你都認識麼？」

無缺大師道：「屬下認識大半。」

藍天義道：「他們是何身分？」

無缺大師道：「大部份是少林寺中各院的主持，和上座僧侶。」

藍天義一面舉步而行，一面說道：「這十八位僧侶，個個都是少林寺中的主要人物了？」

無缺大師道：「他們都是宏字輩的人物，也是目下少林寺中最當權的人。」

藍天義哈哈一笑道：「汝也少林寺中人，怎的連招呼也不肯對你打一個？」

宏光大師冷冷接道：「無缺大師已經由本寺中長者會議逐出少林。」

藍天義嗯了一聲，道：「日後，我能征服貴寺，就要他接掌少林門戶。」

宏光大師搶快一步，和藍天義並肩而行，無缺、玄真、江曉峰等，全都追隨在身後。

但聞宏光大師高宣一聲佛號，道：「如若藍教主當真能征服少林，貧僧可斷言一句，少林中人肯活著的絕無僅有。」

藍天義道：「就算全部死去，也不要緊，世間男人很多，我要無缺大師廣徵弟子，再成立一個少林寺就是。」

兩側十餘位身著紅色袈裟的和尚，個個聽得臉色大變，激忿之色，形諸眉宇，大有立刻動手之意。

幾十道目光，全部投注在藍天義的身上。

看樣子，只要宏光大師微一示意，十八位少林高僧，會立時出手。

藍天義神態自若，渾如不覺一般。

宏光大師一揮手，道：「你們都退下去。」

十八僧侶心中雖然怒火高漲，但少林清規素來森嚴，掌門人既然有令，只好忍氣退下。

藍天義回顧宏光大師微微一笑，道：「大師，他們對我藍某人，似乎是很不滿意。」

宏光大師淡然一笑，道：「少林寺在武林屹立千年，從未受過這樣的屈辱，他們對我這掌門人不滿的心情，只怕要超過你藍大俠很多了。」

藍天義輕輕咳了一聲，道：「聽說你們少林寺門規森嚴，對掌門人都有著無比敬畏，怎的對掌門人興起不滿之意呢？」

宏光大師道：「因爲少林寺，也從來沒有受過這等屈辱，被你藍教主帶領屬下，團團把少林寺圍困起來……」

回顧了藍天義一眼，接道：「敝寺中弟子，大部都有了決一死戰之心，只有貧僧覺得，這一場殺戮，若能夠避免，那是最好不過了。」

談話之間，已到了大雄殿外。

藍天義陡然停下了腳步，雙目突射森寒的目光道：「大師可是在大殿中設下了埋伏？」

宏光大師搖搖頭，道：「埋伏倒是沒有，不過，我少林門中，有兩位閉關已久，早不問事的長老，特地破關而出，希望會會藍教主。」

藍天義冷笑一聲，接道：「這才是你邀約我藍某人來此的真正用心了？」

宏光大師道：「教主儘管放心，少林寺中人，從不暗箭傷人，對你藍大俠縱有請教，也是會明來明去。」

藍天義探首向大殿之中瞧去，只見兩個白眉垂目，身著白色僧袍，面目清瘦的老僧，並肩坐在兩個蒲團之上，雙手合十，微閉雙目。

在兩位老僧右側不遠處，放著一張木椅，似乎是留作待客之用。

藍天義犀利的目光，掃掠了大殿一眼，除了兩個老僧之外，再無其他埋伏，才冷然一笑，道：「這兩個和尚，想是貴寺中輩份最高、武功最強的人物了？」

宏光大師淡然一笑，道：「兩位老前輩在敝寺輩份最高，倒是不錯，但他們武功如何，貧僧從未見過他們施展，不敢妄作論斷。」

藍天義說話之時，一直暗中留心著兩個老僧的舉動，但兩人靜坐如故，連眼皮也未眨動過一下。

宏光大師當先進殿，行入殿中，道：「藍教主請啊！」

藍天義道：「就算大師在這大雄寶殿中布下了天羅地網，藍某也不放在心上。」回顧了無缺大師一眼，接道：「你跟我進入大殿，其餘的人守住殿門。」

無缺大師應了一聲，緊隨身後，行入了大殿之中。

宏光大師佛杖微舉，沉聲說道：「見過兩位師叔。」

兩個老僧一齊垂首，但卻只聞左首一僧說道：「掌門不用多禮。」

宏光大師一收綠玉佛杖，退到二位老僧身後。

兩位老僧四目陡然睜開，四道冷電一般的眼神，投注在藍天義的身上。

左首一僧，緩緩說道：「閣下就是天道教主藍天義？」

藍天義道：「不錯，正是在下。」

左首老僧雙目神芒斂去，緩緩說道：「教主請坐。」

藍天義也不謙讓，大剌剌地在木椅上坐了下來。

無缺大師卻在兩位老僧的目光之下，微現驚怯之意，退到藍天義身後而立。

左首老僧神情平靜地說道：「老衲等不問世事已久……」

藍天義接道：「那麼藍某人榮幸萬分，得蒙兩位老禪師特別垂青了。」

左首老僧一皺眉頭，道：「藍教主如非帶人圍困了少林寺，老衲還不致重啓禪關。」

藍天義神情倨傲地冷笑一聲，道：「但兩位老禪師已經重啓禪關，再蹈人間，而且又是爲了我藍某，區區在此，兩位老禪師有何見教，可以明說了。」

言下之意，似乎不願和兩人多談。

左首老僧臉上既不見忿怒之色，也不見笑容，仍然保持平靜，緩緩說道：「聽說藍教主，乃一代武林奇才、大俠，老衲原想和藍教主多談一些江湖中事，藍教主既然有些不耐，老衲也只好節言了。」

藍天義道：「節言最好，老禪師可以直接說出，邀請在下來此的用意？」

左首老僧微微頷首，道：「藍教主氣勢凌人，全未把老衲看在眼中了？」

藍天義道：「天下人都說我藍天義氣勢凌人，大師之言，不足爲怪。」

左首老僧淡然一笑道：「千百年來，武林中代有梟雄，才具、武功，強過你藍教主的並非沒有，他們亦曾存有統領江湖之願，但卻無一人能夠成功，藍教主如肯懸崖勒馬……」

藍天義冷冷接道：「藍某人聽這等勸告之言，滿耳盈胸，老禪師不用再費口舌了。」

左首老僧長歎一聲，道：「暮鼓晨鐘，警不醒冥頑之人，老衲只能算盡了心意……」

藍天義霍然站起，目光轉注到宏光大師的身上，道：「掌門人如若是再無事見告，本教主就告辭了。」

左首老僧輕輕咳了一聲，道：「藍教主不知想憑什麼君臨天下？」

藍天義道：「嗯！大師想見識見識麼？」

這老僧修養雖然很好，但在藍天義連番頂撞之下，也不覺動了怒火，道：「老衲想見識一下你藍教主的武功。」

藍天義道：「那很好，大師開關而出，想必是要爲少林派一盡心力，那早晚在下都免不了和大師一決勝負了。」

左首老僧道：「老衲閉關數十年，未曾和人動過手了……」

藍天義接道：「老禪師今日卻非動手不可，在下既然來了，也希望見識一下，兩位碩果僅存的少林高僧的絕技。」

口中說話，雙目卻盯注在右首老僧的身上，看得十分仔細。

原來，他發覺自己現身之後，一直由左首老僧答話，右首一僧，卻始終未發一言，再看兩人的身分、年齡，極似相若，心中極感奇怪，覺著那老僧忍耐工夫，實是常人難及，心中有疑，對他特別留心起來。

但聞左首老僧冷冷說道：「藍教主一定要和老衲動手，老衲自當樂爲奉陪，不過，在咱們還未動手之前，老衲想請教藍教主幾件事！」

藍天義道：「什麼事？」

左首老僧道：「據說藍教主得到丹書、魔令！此等奇書，得一部即可稱霸天下，但藍教主卻魚與熊掌，兼容並收，如非世間遺有兩部武學秘笈，想你藍教主也不致妄動這番謀霸天下之念了？」

藍天義道：「老禪師如有此想，何不當面試試？」

左首老僧道：「老衲正要領教。」

大袖一拂，站起身子，緩步行到供台前面的一座巨鼎之前，冷冷說道：「這座銅鼎大約總有千斤之重。」

藍天義一面暗中運氣戒備，一面緩緩說道：「大師意欲何為？」

白衣老僧右掌一揮，道：「小心了。」

喝聲中，一掌拍在巨鼎之上，銅鼎陡然飛起，直向藍天義撞了過來。

藍天義雖然武功高強，但目睹那白衣老僧的神力，也不禁為之一呆。

巨鼎挾帶勁風，排山倒海一般，直撞了過去。

無缺大師看那飛來巨鼎的威勢，不禁心頭駭然，不自主地向後退了三步。

藍天義左掌陡然拍出一記劈空掌力，一擋那巨鼎奔來之勢，右手緊隨著遞了過去，接住了飛來的巨鼎。

藍天義雖然把巨鼎接住，但人卻被巨鼎撞擊之力，震得向後退了兩步。

但他究竟身兼魔、道兩家之長，武功非同小可，馬步一穩，立時右手加力，銅鼎又陡然飛了回來，撞向了那白衣老僧。

白衣老僧哈哈一笑，左手一揚，接下銅鼎，身子打了一個旋轉，右手在銅鼎上又拍了一掌，銅鼎疾飛而起，又反向藍天義撞了過來。

這時，藍天義已然活開了手腳，左腳踏前，雙手微微向後一仰，卸去了部份力道，內勁突發，又把銅鼎推了回來。

這等以千斤之鼎，互作搏鬥兵刃之事，武林中可算得罕聞罕見，只瞧得觀看之人，個個目瞪口呆。飛鼎相擊，往來了十餘次，仍然未分勝負。

藍天義接下銅鼎，突然輕輕放於地上，冷冷說道：「老禪師玩夠了。」右手一抬，拔出背上長劍，道：「在下想領教大師的劍上奇技。」

白衣老僧道：「老衲素不用劍。」

藍天義道：「兵刃一道，各有所長，老禪師不用劍，改用其他的兵刃，也是一樣。」

白衣老僧道：「不用了，老衲就以這一雙肉掌，奉陪教主幾招。」

藍天義眉頭一揚，冷冷說道：「大師，這可是生死相搏的事，如若大師不肯施用兵刃，在下手中之劍，也不會留一點情。」

白衣老僧淡淡一笑，道：「藍教主儘管施展，如若你能殺了老衲，那只怪老衲學藝不精。其實，老衲這一把年紀，也早該圓寂了，不過，在未動手之前，老衲想和教主約法三章。」

藍天義道：「約什麼法？」

白衣老僧道：「藍教主覺著幾招能取老衲之命？」

藍天義雙目中神光閃動，緩緩說道：「老禪師準備和在下打幾招？」

白衣老僧道：「如是老衲命長，或者藍教主劍招不夠犀利，無法傷得老衲，咱們總不能永

遠打下去啊！」

藍天義道：「那麼，老禪師定一個數字如何？」

白衣老僧道：「一百招夠麼？」

藍天義和宏光大師動手之後，對少林僧侶，已不敢再存輕視之意，沉吟了一陣，笑道：「一百招應該夠了。」

白衣老僧淡淡一笑，道：「好！那咱們就限定一百招吧！如是一百招內，藍教主能讓老衲劍下流血，那是老衲該死，老衲在百招之後，仍然好好的活著，藍教主準備如何？」

藍天義道：「如是在下無法勝得老禪師，那是老禪師勝過在下了，老禪師也不用手下留情，儘管施下毒手，取我之命。」

白衣老僧歎息一聲，道：「你的武功，得自丹書、魔令，老衲自知無能取你之命，但老衲覺著我以生命作注，如是能逃過百劍之劫，教主也應該答允老衲一個條件。」

藍天義道：「你說吧！」

白衣老僧道：「老衲如是勸教主打消謀霸武林之念，教主全然不肯答允，老衲也不願作此妄想，但如老衲躲過百劍之難，希望教主暫時撤出包圍我們少林寺的人手，約定一個時期，再行決戰。」

藍天義道：「好！咱們先把事情說清楚，如是我百招之內不能傷你，老禪師卻是準備把約戰之期，訂於何時？」

白衣老僧道：「老衲希望愈長愈好……」

藍天義搖搖頭，接道：「不成，最長不能超過三個月。」

白衣老僧接道：「那就以三月爲限，地點由你教主選擇。」

藍天義道：「就在貴寺如何？」

白衣老僧道：「悉聽尊便。」

藍天義緩緩道：「老禪師小心了，倘你真能在我劍下走過一百招，也證明少林武功確實不錯！」

白衣老僧道：「藍教主亦只是仰仗丹書、魔令，若非藍教主有此二物，想教主亦不會有君臨天下之念頭……」

藍天義道：「老禪師說這話是什麼意思？」

白衣老僧道：「不瞞你藍教主說，金頂丹書之上記載的武功，有甚多是我們少林武學，當年寫成此書的幾位前輩，有我們少林寺中兩人參與。」

藍天義雖然得到了丹書、魔令，但他對此書的來歷，似乎所知不多，聽那老僧談起金頂丹書的事，不覺間垂下了手中長劍，緩緩說道：「老禪師對丹書、魔令，知曉多少？」

白衣老僧道：「藍教主對這丹書、魔令出處內情，似乎是很有興趣。」

藍天義道：「武林中人知曉丹書、魔令，但知曉詳細內情的人，實又不多。因此，在下希望能向老禪師討教一些內情。」

白衣老僧道：「藍教主想知道什麼？」

藍天義道：「魔令上記載的武功，在老禪師的眼中，是屬於邪門武功，不用談它，至於金頂丹書的來歷，老禪師想必知道得十分清楚？」

白衣老僧道：「丹書、魔令聽來，似乎是兩件事，其實，丹書、魔令，有著很密切的關係

長長吁一口氣，接道：「如無天魔令，即無丹書。」

藍天義道：「此話怎講？」

白衣老僧道：「千百年來，武林之中，正邪兩道，一直是糾纏不清，道魔之間，互有消長。在一次正邪的大決鬥中，魔道中人，受了很大的損失，因此，魔道幾個負傷而走的魔頭，在事後的一次會晤之中，決定各人把生平的絕技全部貢獻出來，作成天魔令，準備培植一個絕世無雙的魔道高手，和正派人物一爭長短，洗雪昔年之恥。」

藍天義道：「那金頂丹書，又是怎麼樣著成的？」

白衣老僧道：「幾個老魔頭的用心，沒有白費，天魔令著成之後，經過十年，魔道中即出了三個異常傑出的人材，開始向正道中人尋仇，而且出手惡毒無比。三人出道尚不足一年，武林中十個以上的門戶，全都被他們殺得全派覆滅。」

藍天義嗯了一聲，道：「以後呢？」

白衣老僧道：「以後，很多本門和幾個武當弟子，也為他們所殺。激起天下公憤，武林中四十八家門派聯合派出高手，組成了一支堅強無比的陣容，天涯追蹤，費時三年，才算把三個魔道高手，搏殺於圍擊之下，但在搏殺三人的一場惡鬥之中，正派各大高手，也損失了很多人材。」

藍天義道：「所以，正派中人，才在金頂集會，寫成丹書，以抗拒天魔令？」

白衣老僧道：「大致情形如此，各派掌門集會金頂，經過了三日夜的會談，決定各大門派，派出各門中最傑出的人物，聚會金頂，準備以三年的時間，合力著成金頂丹書，用以培植

……」

下代人才，以和天魔令對抗。」

藍天義道：「此乃大張旗鼓的事，魔道中人，難道就沒有人知曉麼？」

白衣老僧道：「正派中人，對此早有防範，選出了甚多高手，在金頂四周，巡防布守。」

藍天義道：「金頂丹書著成後，正大門派中，是否培植了人材出來？」

白衣老僧輕輕歎息，道：「沒有，因爲丹書和魔令，都被一位奇人盜走，藏了起來……」

藍天義接道：「老禪師知道那人是誰麼？」

白衣老僧道：「那人是誰，迄今仍是武林中一樁很大的隱秘……」

突覺腦際靈光一閃，暗道：「他乃得到丹書、魔令之人，或已知曉當年偷書的人了。」

心中念動，口氣一轉，問道：「閣下乃得到丹書、魔令之人，想必知曉此事了。」

藍天又微微一皺眉頭，道：「在下倒是見過那盜書之人，只可惜已經無法認出他是誰了。」

白衣老僧道：「怎會如此？」

藍天義道：「因爲他已成了一具白骨。」

白衣老僧點點頭，道：「丹書、魔令，消失江湖年限甚久，雖然有人收藏了此書，但他仍然無法練成金剛不壞之身，落得個形化神銷。」

藍天義道：「可惜的是，他在死去之前，未把丹書、魔令毀去，卻叫在下無意之中得到。」

白衣老僧道：「那人之死，應該對你藍教主是一個很好的寫照。」

藍天義接道：「和本座何干？」

白衣老僧道：「前車之鑑，他雖有丹書、魔令，仍難逃死亡之厄，藍教主縱然能夠得償統治武林之願，也難免去死亡之關，但卻留給後世的人唾棄。」

藍天義道：「如是你老禪師取得了丹書、魔令，老禪師又將如何處置？」

白衣老僧道：「老衲雖未見過那丹書、魔令，但就觀察所得而言，上面記述的武功，都是前輩習武之人的心血結晶，他們只望把一身絕學傳諸後世，不惜把一生習武經驗，寫在上面，故而丹書、魔令上的武功，除了奇奧的變化之外，還有著速成的神效。」

藍天義淡淡一笑，道：「老禪師雖未見過丹書、魔令，但看來卻似目睹過一般。」

江曉峰心中暗道：「這位老禪師引古證今，說得藍天義頻頻點頭，希望他能說服藍天義，使得他改變心意。」

但聞白衣老僧接道：「就老衲目睹那三位魔道後起高手而論，他們的年紀都很輕，就一般武學常規而論，那點年紀，決不能練成那等身手，但他們竟然有了那等成就，所以，老衲覺著，他們定然是走的捷徑。」

藍天義突然一整臉色，問道：「大師的話，說完了吧？」

白衣老僧道：「老衲這數十年來，從未說過這麼多話，今番破例，希望藍教主能夠懸崖勒馬，打消以武功壓服江湖的用心。」

藍天義冷冷地說道：「貴派的掌門人，也和我談過此事。可惜的是，咱們相遇的太晚了，如若在下能早兩年和你老禪師會晤傾談，也許藍某人會打消此念，此刻，已經是箭在弦上，不得不發了。」

白衣老僧苦笑一下，道：「既是如此，老衲算是白費口舌，藍教主請出手吧！」言罷，雙

手合十，閉目而立。

江曉峰暗暗歎息一聲，忖道：「看來武林中這一番殺劫，已是無可避免了。」

藍天義長劍舉起，緩緩向前跨行兩步，道：「大師小心了。」

長劍慢慢地刺向白衣老僧的前胸。

但見這老僧肅立如故，渾如不覺。

江曉峰目睹其勢，心中大為痛惜，忖道：「這位老禪師如若想以『我不入地獄』的精神，感召藍天義，任他一劍刺死，以使藍天義改變心意，那可真是大憾之事了。」

心中念轉，已瞥見藍天義手中之劍，突然加快刺了過去。

就在藍天義劍勢加快的同時，白衣老僧突然一側身子，長劍掠著僧袍劃過。

藍天義一劍落空，那白衣老僧卻疾如閃電般一個大轉身，欺近藍天義的身側，右手一探，疾向藍天義手腕上扣去。

這一招快如星火，真叫人目不暇接。

但見藍天義右腕一沉，避過白衣老僧的一擊，右手一彎，看似收劍，其實卻是右肘代指，點向白衣老僧的前胸。

白衣老僧右掌擒拿之勢，突然化成劈削的掌勢，切了下來。

雙方近身相搏，相距不過數寸尺許，招招變化，奇奧難測，連鬥了數十招，誰也未傷著誰。

但是卻使四周圍觀之人，也看得心頭震動，眼花撩亂。

突然間，藍天義疾快地向後退了五尺，長劍一舉，快如閃電般，展布起一道寒幕，阻止白

勢。

但他閃退五尺之後，情勢立刻大變，一劍攔阻住那老僧之後，長劍立時展開了凌厲的攻衣老僧的欺攻之勢。

原來，兩人相距太近，藍天義手中雖有長劍，卻是無法施展。

場中之人，都是行家，但卻無一人能認出那藍天義用的是何劍法。

只見他劍勢到處，湧現出朵朵劍花，每劍都叫人無法想出他攻取之位。

那白衣老僧，掌劈指點，憑仗一甲子修爲的功力，掌風指勁，迫開了藍天義的劍勢。

但場中人，都已經瞧出，那白衣老僧已經只有招架之功，無還手之力了。

藍天義的劍招變化，有如靈蛇繞身一般，寒光如電，一直在那白衣老僧身前身後飛旋。

少林掌門人宏光大師，已瞧出了師祖處境之危，一舉綠玉佛杖，道：「住手！」

藍天義不但未收住凌厲的劍勢，反而把劍勢一緊，攻勢更見凌厲。

另一個身穿白衣的老僧，雙目中射出森寒的目光，望著兩人搏鬥的形勢，大有立刻出手之意，但他又似乎受著一種無形的力量束縛，未見行動。

宏光大師厲聲喝道：「藍教主再不停手，莫要怪貧僧出手了。」

喝聲之中，場中已發生了極大的變化。

但見那繞飛的劍光，突然幻化出一片寒星，緊接著響起了一陣低沉的悶哼，劍光忽斂，藍天義倒飛而出。

凝目望去，只見那白衣老僧前胸的白衣上，緩緩流出血來。

藍天義執劍站在七尺以外，神色間一片冷肅。

宏光大師吃了一驚，急步奔向前去，道：「師祖，傷得重麼？」

白衣老僧微微一笑，道：「不要緊，我還能支撐得住。」

另外一個白衣老僧，卻緩緩移動腳步，向藍天義行去。

但聞那受傷的白衣老僧沉聲道：「師弟後退，不可出手。」

另一個白衣僧人雖然滿臉激憤之容，但對那位受傷的老僧之言，卻十分聽從，依言向後退去。

藍天義緩緩舉起手中斜垂的長劍，冷冷說道：「大師還能再戰麼？」

白衣老僧輕輕歎息一聲，歎道：「老衲的劍傷很重，雖未必能要老衲之命，但在一、兩日內，已無再戰之能了。」

藍天義步步進逼地說道：「老禪師不願再和本座動手，只有認輸一途了。」

白衣老僧道：「老衲這把年紀了，哪還有什麼爭雄奪名之心？不過，老衲只希望藍教主見識一下少林的武功。」

藍天義道：「我見識過了，那也不過如此而已。」

白衣老僧緩緩說道：「藍教主可記得咱們動手幾招麼？」

藍天義道：「這個，本教主倒未計數。」

白衣老僧道：「一百三十九招，這中間，你藍教主攻了一百一十一劍，老衲還了二十八招。你刺中了老衲一劍，老衲還了你一掌。雖然，你已練成卸力之法，卸去了我掌上的內力，未受損傷，但已證實了老衲心中幾點懷疑，縱然這一劍，能把我殺死，老衲也死得瞑目了。」

藍天義若有所悟地嗯了一聲，問道：「你證實了什麼？」

白衣老僧答道：「證實了金頂丹書和天魔令上的武功，並非是全無跡象可尋，至少，它亦納在武學常規之內。」

藍天義道：「這又怎樣？」

白衣老僧傷口的鮮血，仍然不停地滲出，染紅了白色僧袍。

但他的臉色，卻仍是一片平靜，瞧不出一點痛苦之狀。

但聽他長長吁一口氣，道：「如若有一個人，能夠把我們少林武學，練到某一種境界，就足可和你藍教主對抗不敗。」

藍天義道：「大師的法號怎麼稱呼？」

白衣老僧道：「老衲法號明定。」

藍天義道：「那一位穿白衣的老禪師呢？」

白衣老僧道：「他是老衲的師弟，法號明善。」

藍天義道：「明善老禪師的修養功夫，實是叫人敬服，如若我沒有記錯，似乎是自這位大師現身之後，他一直沒有說過一句話。」

明定大師答道：「我這明善師弟生具殘缺，有口難言。」

藍天義道：「原來如此，數十年前，名動江湖的啞僧，可就是他麼？」

明定大師道：「不錯！」

藍天義神色一整，道：「明字輩的高僧，不知還有幾位活在世間？」

明定大師微微一笑，道：「少林武學，博淵廣大，每人都可能有其特殊的成就，和輩份的分別，並無絕對的關係，要看他的天份、稟賦如何了……」

緩緩吐一口氣，接道：「但如你藍教主一定要問，老衲只好奉告了，據老衲所知，我們明字一輩，只有老衲和明善師弟了。」

藍天義道：「如若本座今日能把兩位殺死，少林寺明字一輩的僧侶，也將絕跡武林之中。」

明定大師道：「縱然你能如願，但也將付出很大的代價。」

宏光大師冷冷說道：「我們少林派雖然一向恪守武林規戒，但如你藍天義過份的妄爲，貧僧也只有從權應付了。」

言下之意，無異警告藍天義，他如要殺死明字輩兩位高僧，少林寺也可能不再按江湖規戒行事，不惜以眾凌少。

藍天義對宏光大師的杖法，一直是心存憚忌，想他如若真的親領群僧，圍攻自己，這一戰定是很難對付。

心中念轉，口中卻說道：「掌門人請我等來此，還有什麼指教？」

宏光大師道：「唯一的希望，就是藍教主能夠懸崖勒馬，在事情還未鬧得不可收拾之前，立即放下屠刀。」

藍天義道：「還有麼？」

宏光大師道：「我明定師祖，不惜以身相殉，證明一點事情給你瞧瞧！」

藍天義道：「我已經瞧到了。」

宏光大師道：「可惜的是，你瞧到的是視之有體，觸之有物的外形事物，沒有瞧到觀之無形的精神，丹書、魔令上的武功，也並非包羅天下所有。」

藍天義淡淡一笑，道：「也證明了一件事，少林寺明字輩的高僧，傷在了我的劍下。」

宏光大師問道：「這麼看來，是無法勸醒你藍教主了？」

藍天義道：「在下也覺得應該告辭了。」

宏光大師佛杖平胸，道：「教主可以請便，但貧僧要留下你兩個隨行的人。」

藍天義一皺眉頭，道：「什麼人？」

宏光大師手中綠玉佛杖，一指無缺大師和江曉峰，道：「留下這兩位。」

藍天義怔了一怔，道：「留下無缺大師，倒是在本座意料之中，但這位血手門的高公子，和貴寺何干？為何也要把他留下？」

宏光大師道：「藍教主答應了沒有？」

藍天義道：「這兩人對本教而言，並非十分重要的人物，留下他們，本無不可，但本座要知道為什麼？」

宏光大師道：「無缺乃背叛本派的弟子，留下他來，向歷代祖師請罪。」

藍天義道：「留下高公子呢？」

宏光大師道：「他是你的女婿，貧僧想留下來……」

藍天義哈哈一笑，道：「做為人質？」

宏光大師道：「藍教主可以用施毒、暗襲，對付我武林同道，不擇手段，但我們少林派，卻還講究武林規戒，不會為難他們兩位。」

藍天義道：「大師要如何處置他們？」

宏光大師道：「無缺背叛本門，自有門規處置，不過……」

藍天義道：「不過什麼？」

宏光大師道：「我們要先行查明他如何會投入你天道教中，如若非他自願，那就又當別論了。」

藍天義搖搖手，道：「就留他在此，你們也查不出原因。」

宏光大師道：「貧僧可向你藍大俠保證，明日午時，少林寺中放人，決不讓他們有毫髮之傷。」

藍天義道：「可惜的是，少林寺已無法度過明日，今日天亮之前，我就要血洗貴寺。」

宏光大師道：「這麼說來，你藍教主是不肯答允了？」

藍天義冷然一笑，道：「大師還有半日時光，安排貴寺的後事，在下就此別過了。」仗劍直向寺外行去。

宏光大師道：「如若藍教主不肯留下兩人，貧僧也無法代你解說，送諸位平安出寺門了。」

藍天義冷冷說道：「如是有人攔阻，也不用怪在下手中之劍無情。」

江曉峰心中暗道：「宏光大師指名要我留下，其中必有原因……」

心念轉動之間，藍天義已然衝到了大殿口，道：「你們合力斷後，本教主為你們開道。」

無缺大師緊追在藍天義的身後，江曉峰、祝小鳳等，同時亮出了兵刃，魚貫隨行。

宏光大師也不出手攔阻，望著幾人行出大殿。

只見明定大師的身子搖了幾搖，突然向地上摔去。

宏光大師急急伸手去扶，但明善動作比他更快，一伸手，抓住明定雙肩。

原來，他傷得很重，但卻憑恃數十年深厚功力，強自支撐，而且表面上還要不露聲色。

明定大師急急搖首示意，不讓宏光大師講話，卻低聲對宏光大師說道：「勞請掌門人瞧瞧他們走遠了沒有？」

宏光大師應了一聲，行出殿外，瞧了一陣，重回殿內，道：「走遠了。」

明定大師輕輕咳了一聲，道：「我傷到了內腑，只怕是很難康復了。」

明善大師白眉聳動，臉上一片激動之色，可惜他無法用言語表達出心中的焦慮。

宏光低宣一聲佛號，道：「師祖內功雄厚，靜心養息或可復元。」

明定大師搖搖頭，道：「我的傷勢，我心中明白。我一直在運功和傷勢抗拒，一旦功力散去，即將西歸極樂，坐禪數十年，我早已把生死看開，但我在臨死之前，必要將心中之話說完。」

宏光大師欠身應道：「弟子洗耳恭聽。」

明定大師道：「藍天義已然練成卸力之法，不論多重手法，都很難傷到他了。」

宏光大師道：「那是說，天下無人能夠傷到藍天義了？」

明定大師搖搖頭，道：「那卸力之法，乃魔道中一位才氣橫溢的人材，創出的一種很精奧的武功。此一魔功，練到爐火純青之境，不但一般重手法無能傷他，就是鐵杖、鐵錘等兵刃也不易奏功。」

宏光大師怔了一怔，道：「這麼說來，那是一門很奇詭、精深的武功了？」

明定大師道：「是的，所以對付藍天義，一定要施用一種很鋒利的兵刃，最好是尖銳之物，刺入他肌膚之中。」

宏光大師道：「弟子記下了。祖師不用再多說話了，早些休息。」

明定大師道：「我已覺著這一口保命護心的元氣，即將散去，錯開了此刻，我再也無法說話了，此刻一語千鈞，你們讓我把話說完。」

宏光大師雙目中流出淚來，道：「師祖請說吧。」

明定大師道：「單以藍天義的武功而言，想已無人能勝過他了，取他之命，全在於智謀二字。」

長長喘兩口氣，接道：「丹書、魔令，流傳人間，未見其利，武林已先受其害。因此，這兩本書如能取得，必得先把其毀去，免得它再留於世上害人。」

宏光大師道：「弟子謹記心中，如若日後能夠取得二書，非把它毀去不可。」

明定大師道：「這似乎是一場天數早定的劫難，你也不用爲死者悲傷，振起精神，爲生者謀福利，爲死者報仇。」

目光轉到明善大師的身上，道：「我走之後，你不用爲我悲苦。你武功上的成就，早已在我之上，要追隨掌門，爲我少林效命。」

明善大師不停地點頭，一面卻流下淚來，點點珠淚，灑濕了白色的僧袍。

明定大師的臉上，突然泛起了一片紅光，目光中也奕奕有神。

宏光大師心知這是迴光返照，已是無藥可救。

明定大師卻微微一笑：「掌門人，我死去之後，這消息最好是不要外洩出去，暫時把我收藏起來，尤不能讓藍天義知曉我死亡之事。」

宏光大師道：「弟子謹遵法諭。」

明定大師道：「藍天義適才這一劍，心中早已有取我之命的把握，如是我沒有中劍而死，必然會使他對自己的成就，和丹書、魔令上的武功，引起了很大的懷疑，對他的心理上，有著一種很大的影響……」

長長吁一口氣，歎道：「你們不用悲傷，我要去了。」言罷，閉上雙目，盤膝而坐。

只見他臉上紅光，逐漸地消退，片刻後寂然無聲。

宏光大師沉聲說道：「請把明定師叔的遺體送入藏經閣中。」

明善大師點點頭，縱身飛出大殿，消失不見。

宏光大師一舉綠玉佛杖，大佛殿神像之後，突然躍出來四個身著月白袈裟的僧侶。

四個僧侶，年都在五旬以上，每人的懷中，都抱著一把戒刀。

宏光大師一揮手中綠玉佛杖，道：「傳我之命，要他們全力施展，圍住藍天義。」

四個僧侶齊齊應了一聲，舉步向殿外行去。

宏光大師又道：「此人已爲魔功迷亂了神智，不用對他講武林規矩，能夠取他之命，是爲武林除一大害，不論何人，如能傷了藍天義，我願以掌門之位相讓。」

四個僧侶怔了一怔，道：「這個、這個……」

宏光大師道：「你們不用多管，就照我的令話傳出。」

少林的規戒十分森嚴，四僧不敢再行多言，轉身出殿。

宏光大師目睹四僧去後，才輕輕歎息一聲，懷抱綠玉佛杖，步出大殿。

話說藍天義仗劍領先，帶領玄真、無缺、江曉峰、祝小鳳、羅清風、余三省六人，行出大

殿，凝目望去，並未見攔路之人。

藍天義微微一笑，還劍入鞘，道：「少林僧侶應該有自知之明，如是妄想將咱們困於此地，那是自找苦吃了。」

無缺大師、玄真道長，加快了腳步，行在藍天義的身側。

江曉峰、祝小鳳等緊追在藍天義的身後。

穿出一重庭院，形勢卻突然一變，只見一十八個身披黃色袈裟的僧侶，九個手執禪杖，九個手執戒刀，列陣以待，攔住了去路。

江曉峰回顧了羅清風一眼，道：「羅兄，這就是揚名天下的羅漢陣麼？」

羅清風低聲應道：「不錯，這羅漢陣，最少需要九人，多者可到一百零八人布成，據說人數愈多，威力愈大。」

江曉峰道：「羅兄對這羅漢陣知之甚深了？」

羅清風吐吐舌頭，道：「兄弟也是耳中聽來，從未見過羅漢陣的威力。」

江曉峰道：「現在，叫我們碰上了。」

少林群僧也不答話，羅漢陣卻愈轉愈快，把藍天義眾人團團圍住。無缺大師最是忍耐不住，冷嘿一聲，一個虎躍，手中鐵尺電射般向少林僧侶掃出，只聽「錚」的一聲金鐵交鳴，無缺又反彈回來。

這時，藍天義已然縱起，暴喝一聲，手中劍幻出千百道寒芒，向少林和尚刺出了一輪劍，使少林僧侶的攻勢略緩下來。眾護法亦配合藍天義出手反擊。

羅漢陣不愧少林之寶。藍天義饒是厲害，亦無法一舉傷得了少林僧侶分毫。

這時羅漢陣又已然發動攻勢，十八名僧侶好像成了一個整體，圍著藍天義等人越轉越快，包圍圈也越來越小。包圍圈越小，少林僧侶越容易發揮其威力。個中道理，藍天義自然曉得他。剛才已嚐到厲害，這時更形小心。他暗中吩咐眾人緊圍在自己身邊，也好集中力量發出。

江曉峰本可獨支大廈，暫守原位，但他心意一轉，也被迫得向後退去。

藍天義展劍如幕，灑了一片寒星，不但擋開了少林群僧的攻勢，劍招之下，還兼顧到周圍屬下的安全，使祝小鳳等支持這多時刻中，仍無傷亡。

這一十八個僧侶，大約個個是少林寺中選出的高僧，不但配合佳妙，而且，他們本身亦有著深厚的功力，戒刀奇襲，禪杖硬攻，每一招，都含蘊著強大的內力。

雙方纏鬥了一刻工夫之後，仍然是一個不勝不敗之局，藍天義劍路千變，但始終無法破圍而出。

但少林群僧猛烈的攻勢，也無法衝破藍天義那縱橫的劍幕，亦無法傷得一人。

藍天義殺得火起，大聲喝道：「住手。」

少林群僧都是光明正大之人，聽得藍天義喝叫之言，都依言停手不攻。

藍天義仰天長笑一聲，道：「你們這等糾纏不休，不要怪本座下手毒辣了。」

但聞一個沉重的聲音，傳了過來，道：「你們中了他的詭計了。」

這聲音遙遙傳來，但卻人人聽得清晰，顯然，說話人功力不弱。

江曉峰更是聽得心頭震動，隱隱感覺到那是王修的聲音。

可惜，話說得晚了一些，藍天義已欺身而上，長劍起處，閃起萬道銀蛇。

少林僧侶聞聲警覺，急急變動羅漢陣。

但他們的警覺仍是晚了一步，藍天義以奇奧無比的劍招，刺殺了兩個僧侶，他的劍招快速，快得人無法看得清楚。

藍天義刺出兩劍後，重又退回原地。

少林僧侶也同時發動，兩個手持戒刀的僧侶，突然由前胸噴出一股鮮血，倒摔在地上，血噴數尺，濺滿旁側僧侶的僧衣。

兩具屍體，也影響了羅漢陣的變動，剛剛動起的陣勢，又突然間停了下來。

但聞那沉重的聲音，道：「你們陣勢已被破，快退下來。」

藍天義目光轉動，盯住聲音傳來之處，冷冷道：「他們至少有一半人要死在我的劍下。」

喝聲中身子飛起，長劍兜頭劈下，斬向一個手執禪杖的僧侶。

那僧侶舉起禪杖一封，竟未能封住藍天義的劍勢，生生被劈成兩半。

群僧對那聲音，似是極爲信服，大都依言轉身，向前奔去，藍天義冷笑一聲，陡然縱身而起，身劍合一，長劍洞穿了一個僧侶的後背，直透前胸。

江曉峰目睹藍天義的身手，心中大爲震駭，暗道：「這些僧侶，武功個個不凡，但在這藍天義的手下，有如待宰羔羊一般，簡直是無法還手，此等武功，實可稱得天下第一了，看來，那藍天義要殺死一半僧侶之言，並非誇口。」

忖思之間，突聞一聲響亮的佛號宣過，接道：「藍教主好毒辣的手段，請一試貧僧飛鈸。」

喝聲之中，響起金風破空之聲，四面飛鈸，圍襲而至。

卅二　梟雄突圍

江曉峰抬頭看去，只見兩個身著月白僧袍的老僧，並肩站在三丈開外，除了空中的四面飛鈸之外，每人手中，還各自握著一面銅鈸。

那銅鈸大如輪月，破空飛來，金光閃閃，疾轉如輪，別有一種震人的威勢。

藍天義哈哈一笑，道：「少林飛鈸絕技，盤空飛旋，人人怯畏，可是我卻未把它看在眼中。」

說話之間，一面飛鈸當先飛到。

藍天義長劍一伸，大喝一聲：「走。」

無人知曉他用的什麼巧勁，但見長劍在飛鈸上面一撥，那近身飛鈸旋轉的力道，忽然大變，筆直地飛了過去。

藍天義撥開了當先而至的飛鈸，第二面飛鈸已接著飛到，這一面飛鈸，變化不同，將近藍天義時，速度突然加快了好多，直向藍天義前胸撞去。

藍天義冷笑一聲，長劍突然一個快旋，那飛鈸有如貼在了劍上一般，跟著藍天義的劍勢轉了一周，勁道盡消，跌落在實地之上。

第三面飛鈸接續而至，藍天義突然大喝一聲，長劍迎向飛鈸劈去，劍身上蓄有強大無比的

內力，青銅飛鈸，竟然被一劍劈成兩半。飛鈸中分，失去了平衡的旋轉力道，跌落地上，仍然不停地打轉，激起了一片塵土。

藍天義擊落了第三面飛鈸，身子突然飛躍而起，長劍疾向第四面飛鈸上點去。

他劍上含蘊著一種奇怪的力道，點中飛鈸之後，飛鈸突然向下一沉，砰然一聲，撞入地上，半面飛鈸深入土中。

他在片刻之間，用四種不同手法對付了四面飛鈸，不但祝小鳳等教中弟子，個個看得心中敬服，就是兩個施放飛鈸的老僧，也瞧得暗自讚歎不已，道：「藍教主果非凡響，小心了。」

喝聲中，又是四面飛鈸，盤轉飛來。

兩個老僧似是自知手中的飛鈸，無法傷得敵人，飛鈸出手，人也連袂飛起，直向正東奔去。

藍天義長劍疾掄，人隨劍起，劍閃萬道光華，擊落了四面飛鈸。

就這一瞬間的工夫，兩個發鈸老僧，已隱入東西廂房不見。

但東西南北四個方位上，這時卻同時出現了四座羅漢陣。

江曉峰暗中數計，每座羅漢陣一十八人，四座羅漢陣合計七十二人。

正東方位上的僧侶，穿著青色的僧袍，正南方位上，穿紅色的僧袍，正西方白色僧衣，正北方卻穿著一色的黑袍。

藍天義雖有絕世武功，但他已領教過了羅漢陣的厲害，眼看四座羅漢陣同時出現，亦不禁心生寒意。

如若他只有一個人，憑仗絕世武功，在未被羅漢陣纏上之前，破圍而出，並非難事。但他六個隨行的屬下，卻無法和他同時破圍而出。

突然間，他感覺著六個隨行的屬下，不但未能助他一臂之力，反而變成了他的累贅。目光轉動，掃掠了六人一眼，冷肅地說道：「你們哪一個有破圍而出的能耐？」

六人面面相覷，沒有一個接口。

藍天義冷然一笑，道：「少林羅漢陣，確是厲害無比，如果被他們纏上，很難立時脫身。」

江曉峰等不知他的心意，一時間不知如何回答。

藍天義怒道：「你們聽懂本座之言了麼？」

余三省道：「話是聽明白了，但卻不了解教主言中之意。」

藍天義道：「本座的話，很容易明白，如沒有你們六人隨我同來，區區幾座羅漢陣，決無法困得住我。」

祝小鳳聽藍天義所說，不由問道：「教主之意呢？」

藍天義冷冷說道：「我不願和他們纏鬥下去，但又不願你們落在少林寺僧侶手中，應該如何，諸位不難想通了。」

江曉峰偷眼瞧去，只見此刻藍天義完全變了一個人似的，臉上泛升起一片紫氣，雙目中泛動著一片殺機。

這些人，都是久年在江湖上走動，如何聽不懂藍天義言中的弦外之音？但卻個個裝作不懂。

藍天義一皺眉頭，道：「你們當真都聽不懂本教主的話麼？」

祝小鳳目光轉動，看所有之人，都不答話，輕輕咳了一聲，道：「教主何不說得明白一些，使我們人人明瞭？」

藍天義道：「好吧！如若你們都已死去，本座就無此顧慮了。」

祝小鳳道：「教主之意，可是要我們戰死於此，也不許讓他們生擒活捉？」

藍天義道：「時間太久，本教主無法多等。」

祝小鳳道：「那要如何？」

藍天義冷漠地說道：「你們手中都有兵刃，如若肯自絕而死，本座就可以放心走了。」

幾人心中雖然早已聽出來藍天義的弦外之音，但經他這般說出來之後，仍不禁爲之一呆。

江曉峰心中暗道：「這藍天義既練正宗武功，又再練過魔功，此刻大約已變了魔性，大有六親不認之氣概。」

但聞藍天義厲聲喝道：「你們願意不願意？」

江曉峰眼看余三省等都緩緩舉起手中兵刃，似是有著從命自刎之意，不禁心中一動，大聲喝道：「啓稟教主！」

藍天義目中寒光如電，盯注江曉峰的臉上，道：「你要說什麼？」

江曉峰道：「連晚輩也要死麼？」

藍天義道：「不錯，你也該死，除非你有能力突破羅漢陣。」

江曉峰道：「教主對屬下如此無情，不覺叫人太過寒心麼？」

藍天義冷冷道：「你們都死了，這件事別人如何知曉？」

祝小鳳道：「少林僧侶會講出去。」

藍天義冷然一笑，道：「我已決定血洗少林寺，不留一個活口，盡屠了少林僧侶之後，天下武林，再無反抗我天道教的力量了……」

語聲一頓，接道：「你們不過死去六個人，少林寺將以千條性命償還你們，這死亡的價值難道還不夠高麼？」

江曉峰心中暗道：「這藍天義當真是夠惡毒了，大約是我們看到了，他和明定大師動手經過的情形，不願我們把此事洩漏出去。」

心中念轉，口中說道：「也許我們無能衝出少林寺的羅漢陣，但卻望教主給我們一個機會。」

這時，東南西北四方的羅漢陣，已然布成了合圍之勢。

藍天義回顧了群僧一眼，冷冷說道：「文超，你的意見最多。」

江曉峰心中暗道：「他已存下必殺我等之心，就算能隨他破圍而出，也是難得活命，臥底的用心，已難再繼，何不借此機會，挑動玄真道長等，背叛於他。如若能借少林僧侶之功，取他之命，或者是生擒了他，也可消去了武林中一場大劫。」

他盤算決定，膽氣一壯，冷冷說道：「一個人只能死一次，我們能爲教主效命，赴湯蹈火，在所不惜，身逢強敵，戰死亦是無憾，但教主強逼我們自刎而死，未免有些叫人寒心了。」

藍天義似是對江曉峰的反抗，大感意外，怔了一怔道：「你說什麼？」

江曉峰沉聲應道：「晚輩之意，是請求教主，即使不帶我等突破羅漢陣，亦望教主能給我們一個求生的機會……」

藍天義道：「什麼機會？」

江曉峰道：「讓我等自生自滅，教主無法維護我等，帶我們全體離此，亦望能讓我們自生自滅，試試這羅漢陣的威力。也許，我們六人之中，會有一、兩個求得生存的機會。」

藍天義冷冷地說道：「你們全無機會，與其死於少林群僧手裏，何不自刎而死？」

江曉峰暗中一直留心著無缺、玄真、祝小鳳等的神情。

只見他們個個臉色嚴肅，眉宇之間隱隱泛起反抗之意。

但他們一和藍天義的目光接觸，立時就垂下頭去，臉上那一股銳利的反抗之意，也隨著消失。

江曉峰發覺了這個隱秘，似乎是藍天義的眼睛中蘊藏著一種力量，能使他們失去反抗意識，甘願從命自裁。

他數度和藍天義的目光接觸，雖然也感覺到他目光中威稜四射，但未使自己心生畏懼。

就在他發覺這隱秘的同時，藍天義似是也警覺到江曉峰的情形不對，冷冷說道：「高文超，你可識得本座麼？」

江曉峰突然向前行了兩步，擋在群豪身前，高聲說道：「你是天道教的教主，藍天義。」

藍天義臉上泛現出的驚愕，尤過怒意，愣了一下，沉聲說道：「你既識得本座，還不舉劍自刎，難道要我動手麼？」

江曉峰道：「如若在下一定要死，我也要死得轟轟烈烈，教主縱要動手殺我，我也是一樣要出手反擊。」

藍天義奇道：「你心中當真是這樣想麼？」

江曉峰道：「在下心中確作此想，教主如是不信，不妨出手試試。」

少林群僧，已把四個羅漢陣混合爲一，但仍未發動出手，江曉峰和藍天義兩人的對話，使他們有了充分的時間。

但少林僧侶，卻也是有意看完天道教內一場窩裏反的好戲。

藍天義對江曉峰的堅定反抗，實有著大出意外的感覺，但並未揮劍出手，反而壓制胸中的怒火，平和地說道：「你當真是高文超麼？」

江曉峰冷哼一聲，道：「我是你的女婿，但你竟然迫我自絕。」

藍天義雙目盯注在江曉峰的臉上，道：「我在問你的話。」

江曉峰道：「如若我此刻聲明脫離了天道教，似乎是用不著再聽你之命了。」

一面暗中觀察祝小鳳、玄真道長等的反應。

除了玄真道長和無缺大師臉上一片平靜之外，祝小鳳、羅清風、余三省臉上，也都升起了強烈的抗拒之意。

江曉峰無法了然個中的內情，但已確定了一個最重要的原因。

只要祝小鳳、羅清風、余三省等不和藍天義的目光觸接，這三人就能孕育求生自救的反抗力量。

如若藍天義有一種控制這些人的「奇術」，無缺大師、玄真道長，應該是受毒較深的人。

他心中盤算著場中的情勢變化，但戒備之心，並未消失，緩緩舉起了長劍，平橫胸前，他已暗下決心，只要藍天義出手，將以藍夫人所授的武功，和他力拚幾招。

只聽藍天義發出了一聲震撼人心的大笑，道：「高文超，你好大的膽子！」

江曉峰身子隨著藍天義的目光搖動，攔阻他的目光觸及到羅清風等人。他全神運劍待敵，而未再回答藍天義呼喝之言。

藍天義緩緩揚起了手中的長劍，道：「高文超，你抗拒本座之命，我要一劍取你首級。」

江曉峰道：「教主試試吧！你的武功雖然高強，但在下相信還能夠接你幾招。」

他這幾句豪壯之言，似是也激起了祝小鳳等反抗的勇氣。

但見祝小鳳格格一笑，道：「教主迫我們自刎而死，和死於少林僧侶的手中，有何不同？但我們能放手和少林僧侶一戰，也是死而無憾的事。」

余三省道：「教主如若想出手取我等之命，橫豎是不免一個死字，我等如不願束手待斃，那只有反抗一途了。」

藍天義感到教主的尊嚴，受了很大的損傷，心頭怒火高張，冷笑一聲，道：「本座先處置了你們這一群叛徒，再對付少林和尚。」

突見寒光一閃，一點寒星，挾著數縷白線，疾射而來。

耳際間響起了祝小鳳格格的嬌笑之聲，道：「藍教主，對不住啦，我要在死去之前，先用暗青子招呼你兩下，這也是死有榮焉了。」

藍天義怒喝一聲，長劍突然飛起，頓時閃閃幻起一片銀虹。

但聞幾聲叮叮咚咚之聲，一枚透骨子午釘，和十餘枚毒針，盡被藍天義閃起的劍光擊落。

藍天義殺機已動，擊落了祝小鳳打出的暗器，突然飛躍而起，身劍合一，化作一道白虹，直向江曉峰等人飛撲過來。

江曉峰站在最前面，自然是首當銳鋒。

眼看那一圈森寒的劍氣，直罩下來，江曉峰不得不奮起神勇，揮劍一擊。

這一劍正是藍夫人傳授他的劍招之一。

江曉峰連得松溪老人賜贈丹藥，調息苦練，不覺之間，功力已增進甚多。

沒有人看清楚兩人的劍招變化，但見一道白芒飛起，捲入了一圈森寒的劍氣之中。

兩道劍光憑空交旋一陣，卻未聞兵刃觸擊之聲。

少林群僧，雖都是武功高強之人，也未見過這等搏鬥之勢，都看得十分入神。

白光乍斂，兩條人影，霍然分開。

藍天義臉上是一片驚奇、愕然之色，望著江曉峰，緩緩說道：「你不是高文超。」

江曉峰舉手按在鬢角之上，似是想拉下人皮面具，但臨時又改變了主意，道：「你自己去猜吧！」

藍天義冷哼一聲，一招「潛龍升天」，身子突然間升起了一丈多高，半空中長劍揮展，劍光如匹練繞身。

江曉峰心中暗道：「他居高下擊，這一劍的威勢，只怕尤強過上一劍了。」

正待再用出藍夫人傳授的劍招，反擊他一下，情形卻突然有了很大的轉變。

但見藍天義身子在空中，一個大轉身，連人帶劍，向外衝去。

少林僧侶料不到藍天義會突然轉向外面衝去，再想組成合圍之勢，已自不及，匆急之間，紛紛舉動兵刃，想阻止那藍天義突圍之勢。

藍天義的劍勢，強猛絕倫，有如一道強烈閃光，劃空而過。

少林群僧十餘件兵刃，在全無組合之下，如何能擋得藍天義那凌厲絕倫的劍勢。

劍光過處，兵刃和血肉齊飛。

四柄戒刀、兩柄禪杖，挾帶兩條人臂，先後落地，藍天義已衝破了少林寺僧侶佈成的人牆而去。

他去勢奇速，少林僧侶想發動羅漢陣合圍時，已自無及。

但見藍天義兩個起落，人已飛上屋面，再度飛身而去，消失不見。

江曉峰望著藍天義去如流星飛矢的背影，輕輕歎息一聲，道：「一個人的武功，能練到這等境界，實非易事，可惜他不能善用這一身成就，在武林之中，立下千秋萬世的英名。」

但聞祝小鳳格格一笑，道：「高護法，你是真人不露相，小妹這一次算走了眼啦。」

江曉峰微微一笑，道：「祝姑娘誇獎了。」

這時，少林僧侶已把傷者扶開，羅漢陣重又復合。

江曉峰目光轉動，只見玄真道長、無缺大師，臉上是一片茫然之色，似是有著一種無措的徬徨。

再看羅清風、余三省，也是有著失去主宰的意味。

祝小鳳最爲正常，只是眼光中有些閃爍不定，不停地眨動眼皮。

江曉峰沉聲說道：「祝姑娘，這是怎麼回事？」

祝小鳳答非所問地道：「咱們想法子衝出羅漢陣，就可以活命了。」

江曉峰道：「在下再請教姑娘一件事。」

祝小鳳道：「你要問什麼事？」

江曉峰道：「藍天義在此之時，這些人似是都很正常，教主去後，他們怎麼反而都像是

失魂落魄一般？玄真和無缺大師更嚴重一些，而包括姑娘在內，你們所有的人，都有些神智不明。」

祝小鳳沉吟了一陣，道：「我也有些不對麼？」

江曉峰目光轉動，只見四周布守的少林寺僧侶，個個舉著兵刃，而且已開始緩緩轉動，只是沒有出手向幾人攻襲罷了。

心中暗道：「這些人的毛病，只怕也不是一時之間，能夠找出病源，必需要一段時間才成，目下要緊之事，倒是只有先行設法使他們放下兵刃，放棄抗拒之圖。」

心中念轉，口中說道：「不錯，不過姑娘的病症輕一些而已。」

輕輕咳了一聲，接道：「目下最重要的一件事，是咱們無能和少林寺僧侶對抗，如是要打下去，咱們決非少林僧侶的敵手。爲今之計，只有棄去兵刃，向人求和了。」

祝小鳳望望四周轉動的羅漢陣，低聲說道：「好吧！咱們和他們講和。」

江曉峰道：「如今人強我弱，咱們得先棄去手中兵刃，以示決心，才能和人家講和。」

右手五指一鬆，手中長劍丟棄在地上，道：「姑娘請勸勸他們，丟掉手中的兵刃。」

祝小鳳沉吟了一陣，丟棄手中兵刃，望著余三省和羅清風，道：「你們都聽到了，咱們合起來，也無法衝出羅漢陣去，如若是你們不想死，咱們只有一條路可以走，那就是和少林寺僧侶講和。」

羅清風、余三省望了祝小鳳一眼，緩緩把兵刃棄置地上。

只有無缺大師和玄真道長，兩個人仍然站在原地未動，既未丟棄手中兵刃，也未有動手的準備。

江曉峰身子一閃，到了玄真和無缺身後，雙手齊出，同時點中了兩人的穴道。

只聽一聲清亮的佛號，傳入耳際，道：「掌門人駕到。」

緩緩轉動的羅漢陣，突然停了下來，正東方位上群僧紛紛向兩側退開，讓出一條路來。

只見少林掌門人宏光大師，帶著神算子王修，緩步行了過來。

江曉峰一抱拳，道：「王老前輩別來無恙！」

王修緩緩說道：「你是……」

江曉峰伸手揭下臉上的人皮面具，道：「晚輩江曉峰。」

王修道：「果然是你。」

江曉峰回顧祝小鳳一眼，道：「他們都已被藍天義逼得脫離了天道教……」

王修道：「我都看到了……」

目光轉到玄真和無缺的臉上，接道：「這兩位的神情有些奇怪。」

江曉峰道：「老前輩智略過人，如若能夠找出那藍天義控制這些人的法子，咱們就掌握了一半的勝機。」

王修道：「這是關鍵，在下自當盡力而為……」

目光轉到祝小鳳的身上，道：「假如你們都是被藍天義暗中下毒所致，不知不覺間受到了他的控制，姑娘是中毒最輕的一個，還要請你祝姑娘多多幫忙了。」

口中說話，雙目卻盯注在祝小鳳的臉上，查看她的反應。

祝小鳳眨動了一下眼睛，問道：「你想要我如何幫忙？」

王修道：「此處不是談話之地，咱們到禪房中再詳談。」

江曉峰道：「玄真和無缺都已被我點了穴道，暫時派人把他們送往一處靜室養息。」

話至此處，似是突然間想到了一件十分重大的事，接道：「糟了，咱們時間不多了。」

王修微微一怔，道：「什麼事啊？」

江曉峰道：「藍天義已準備在今夜之中，傾盡全力攻打貴寺，那將是驚天動地的惡戰。」

宏光大師嗯了一聲，道：「有這等事？咱們到方丈室中談吧！」

回頭吩咐身後兩個僧侶，扶走了玄真、無缺。

一面舉步而行，一面低聲對王修道：「王施主，這位祝姑娘，和另外兩位，是否也要送他們到藏經閣去？」

王修回目望著江曉峰道：「江少俠的意思呢？」

江曉峰道：「就在下觀察，此刻他們戰志消沉，大約不會動手，即若出手，在下也有信心能制服他們。」

王修道：「要他們和咱們同往方丈室內……」

江曉峰道：「他們決不能再重返天道教，藍天義惡毒成性，豈肯放過他們？這三人的神智，似都還有著適度的清明，對咱們也許會小有助益。」

王修點點頭，道：「好！就依江少俠之意。」

幾人隨著宏光大師，直入少林方丈室內，小沙彌獻上香茗，合掌一禮，退出室外。

宏光大師道：「遠慮近憂，序有先後，江施主先說說藍天義決心攻襲我少林寺的內情。」

江曉峰略一沉吟，道：「藍天義目下能控制多少武林人士，爲他效命，晚輩不知詳情，但

他卻養了很多人猿、猛獸，那些猿獸，都已經過很長的訓練，可聽命行動。」

宏光大師沉吟了一陣，道：「我少林寺僧侶，大都能伏虎降猿，縱然在藍天義控制之下，天下第一等的猛虎、兇猿，貧僧相信，我少林僧侶，也能夠對付得了。貧僧覺著難對付的，還是藍天義那一身出類拔萃的武功，如若天道教有幾位像藍天義那樣武功特高的人物，敝寺僧侶雖然不少，也無法在全寺布成羅漢陣以禦強敵。」

王修搖搖頭，道：「大師，那藍天義訓養的虎、猿，和一般的虎、猿不同，大師別忘了，他得到了丹書、魔令兩本武林寶典，那是兩本無所不包的奇書，藍天義處心積慮，早有準備，據在下所知，藍天義的這批虎、猿，已經在一處極隱密的所在，養了數年之久，初試銳鋒，生裂南嶽三英，決不能等閒視之。」

江曉峰道：「事已如此，現正急在眼前，老前輩素有神算子的稱號，可否先想出一個對付虎、猿的法子？」

王修道：「我已經思索甚久，強弩陷阱，都已經來不及準備，而且那些經過特殊訓練的虎、猿，也未必畏懼強弩陷阱。」

江曉峰接道：「那是說老前輩也想不出辦法了？」

王修道：「辦法倒有一個，只是不知道掌門大師是否同意？」

宏光大師道：「少林寺已面臨存亡絕續的關鍵，只要我能夠答應，決不推辭。」

王修道：「用火。昔年諸葛孔明，一把火燒了曹操八十三萬兵，這等大自然的威力，決非人力所能抗拒。在下已察看少林寺的四面形勢，除了用火之外，只有集中全寺僧侶苦拚一涂，但在下可以預作斷言，貴寺中縱然是群眾齊心，捨命抗拒，也無法和藍天義對抗，一宵血戰之後，必將遭覆滅之危。少林一派，向爲武林中正義象徵，如是被藍天義一宵血洗，武林中還有哪個門派，敢和藍天義抗拒呢？」

宏光大師沉吟了一陣，道：「水火無情，如是一個控制不好，只怕要燒毀這一座古剎。」

王修道：「詳作算計，嚴密控制，雖然難免使貴寺稍受損傷，但還不致一發不可收拾。」

宏光大師沉思了一下，道：「此事重大，貧僧一個人也不敢作主，我雖是少林掌門、寺中方丈，但我寺中，還有師伯、師叔，貧僧須得和他們商量一下才成。」

王修道：「那麼，大師最好是早些去和他們談談，如是他們同意了，咱們還要早作準備。」

宏光大師站起身子，道：「貧僧這就去和他們商量，盡快給你們答覆。」舉步向外行去。

王修目睹宏光大師去後，低聲對江曉峰道：「宏光大師品德、心地，都是上佳之選，如若是武林盛平之世，他是少林派中一位極爲出色的掌門人，但如身處亂世，就顯得有些魄力不足，難以領袖群倫了。」

江曉峰道：「老前輩怎會到此，我那方姊姊和義父呢？」

王修目光一掠祝小鳳等三人，只見三人靜靜地坐著，若有所思，似乎是根本未曾留心到兩人談些什麼！才緩緩說道：「你那義父傷勢已好，但他立志要尋到一頭巨鳥，以對付那藍天義的虎、猿，此刻，恐怕正在乘鳥飛行，漫遊在名山大洋之中……」

語聲一頓，接道：「關於方姑娘，現正在一處隱密的地方……」

江曉峰接道：「在哪裏？做什麼？」

王修道：「在下近年，正埋首研究諸葛孔明留下的八陣圖，而且已稍有成就，如若藍天義

再晚上兩、三年發動，那時區區已竟全功，只要把他送入陣中，就可制服於他……」

仰天歎息一聲，道：「這是劫數使然，也是我估計有誤，一步失錯，使我亂了手腳，目下之策，只是盡人力而聽天命，局勢如何發展，已非我才慧所能預測控制……

「方姑娘冷面熱心，我已經仔細做過觀察，她確是一個可傳我衣缽的人，因此，我已把研究的結果，傳給了方姑娘，要她靜居隱密之地，萬一武林不幸，全爲藍天義所控制，也要留一個重整旗鼓，替我們報仇的人。」

江曉峰點點頭，道：「原來如此。」

王修突然站起身子，暗中運氣戒備，一面舉步向祝小鳳等行去，一面說道：「江少俠，如若咱們能從這三人身上，找出藍天義控制他們的方法，那就可使藍天義所用之人，全都爲我所用。」

江曉峰道：「如若他們能衷誠合作，或可有成。」

王修行近余三省的身前，一拱手，道：「余兄，你被人尊稱爲袖裏日月，自然是一位智謀極高的人物了。」

余三省微微一點頭，卻未答話。

王修看他神智茫然之情，似是愈來愈重，不禁一皺眉頭，道：「余兄怎不回答在下的話？」

余三省又是微微一點頭，口齒啓動，欲言又止。

江曉峰回顧了余三省一眼，道：「奇怪啊！他們在藍天義手下之時，似是個個神智都很清明，怎的一離藍天義，迷惘之情，似乎是愈來愈重了。」

王修沉吟了一陣，道：「藍天義必已獲得一種奇術，控制武林同道，在下智慧有限，無法在短時間內找出原因，只要他們能夠好好的活下去，不致癲狂，慢慢地細察內情吧。」

江曉峰道：「問問祝姑娘，這些人中，似乎是祝姑娘受傷最輕。」

目光轉到祝小鳳的臉上，接道：「祝姑娘是否有不適之感？」

祝小鳳舉手按在鬢角上，道：「我的頭有一點暈暈的。」

王修臉色一整，雙目中神光閃動，盯在祝小鳳的臉上，沉聲說道：「祝姑娘，你用心聽著，這件事很重要……」

祝小鳳迷惘的神智，似是被他沉重的聲音所驚醒，雙目中眸光微閃，道：「什麼事啊？」

王修一字一字地說道：「這件事關係著你的生死存亡。」

祝小鳳道：「你說說看。」

王修高聲說道：「你要仔細想想看，藍天義用什麼方法，控制了你們？」

祝小鳳雙目神凝，似乎很用心地在想，但卻久久不答王修的問話。

王修看她眼中的神光，逐漸地消散，臉上又泛現迷惘的神情，立時欺身踏上一步，揮手向祝小鳳天靈穴上拍去。

祝小鳳嬌軀一閃，右手封住了王修的掌勢，左手一招「分花拂柳」，拍向王修前胸。

王修一吸氣，退開五步，避過了一掌，說道：「江少俠，她武功未失，反應也極靈敏，不會是藥物之力。」

江曉峰一橫身攔住了祝小鳳，右手閃電而出，扣住了祝小鳳的右腕，道：「祝姑娘，王老前輩在試驗姑娘的反應，並不是和你真的動手。」

原來祝小鳳已準備發出暗器，卻被江曉峰扣住了右腕脈穴。

王修輕輕歎息一聲，道：「好惡毒的手段啊！」

江曉峰道：「什麼手段？」

王修道：「照祝姑娘情形看來，藍天義是藥物和手法雙管齊下，咱們如是找不出解救之法，這些人縱然被咱生擒，也是無法使他們神智盡復，分辨善惡。」

談話之間，宏光大師已匆匆行至室中。

宏光大師滿臉凝重神情，進門就搶先說道：「貧僧和我寺中長老會商之後，覺著為了保存武林的正義，縱然傷損到少林寺古剎，也是無可奈何的事。」

王修精神一振，道：「那很好，時間不多，在下也應該去佈置一下了。」

宏光大師道：「貧僧已傳下綠玉佛令，寺中僧侶悉聽王施主的調遣。」

王修道：「這個在下不敢，在下只負責佈陣定謀，下令對敵，還要大師領導。」

語聲一頓，接問道：「寺中存糧可多？」

宏光大師道：「只供一月之需。」

王修道：「那是數量不少了。」

宏光大師道：「我寺中六院主持，和各殿護法，都已集於大雄寶殿之上，聽憑王施主的吩咐，寺中所有之物，亦憑應用。」

王修說道：「大師如此信任在下，在下自當全力以赴。」

語聲轉低，接道：「勞請江少俠出手，先點了祝小鳳等三人的穴道，把他們暫時囚禁起來。今宵一戰，事關重大，他們雖不能夠幫我們，但也不能為藍天義再收用。」

江曉峰點點頭，突然出手，以快速的手法，先點了祝小鳳的穴道，隨著又點了羅清風、佘三省的穴道。

宏光大師目睹江曉峰出手快速，不禁贊道：「小施主好快的手法！」

王修道：「日後，武林中如能有一個人，能和藍天義分庭抗禮，捨這位江少俠，恐已再無他人了。」

宏光大師連連點頭，卻未答話。

王修言外有意，因未聞宏光大師回答，改口說道：「這三人還望大師遣人把他們囚禁起來，小心看守。」

宏光大師揮手，道：「此事不勞王施主費心。」

王修微微一笑，舉步向外行去。

江曉峰緊追王修身後，道：「晚輩助老前輩一臂之力。」

急行了兩步，和王修並肩而行，一面低聲道：「老前輩，晚輩很慚愧，不能再混跡天道教中了，不過……」

王修道：「不過什麼？」

江曉峰低聲道：「在下已策反了藍家鳳。」

當下把經過詳情，很詳細地說了一遍。

王修臉上閃掠過一抹歡愉之色，道：「但望藍姑娘早些得手，那才是武林之福。此事既已辦妥，你也不用留在天道教中，目下少林寺中的高手，你是唯一可以和藍天義抗拒幾招的人。」

江曉峰道：「晚輩亦非他的敵手，而且就晚輩所見，藍天義的武功，似是仍在不停地長進之中。」

王修道：「你已是身兼數家的高手，除了藍天義之外，江湖上想勝你之人，已經很難找出來，如若少林寺願把幾種絕技再傳授給你，對你和武林同道，都將有很大的裨益，我剛才已拿話點了宏光大師，大約他該明白了。」

江曉峰道：「各門派有各門派的規矩，晚輩又非少林弟子，他們怎肯把絕技傳給外人？」

王修道：「此刻是拚命、保命的時刻，少林寺似也用不著再藏私了。」

江曉峰似是突然間想起了一件十分重大的事，急道：「有一樣很重大的事，晚輩忘記說了。」

王修停下腳步，道：「什麼大事？」

江曉峰低聲說道：「在天道教中，還有一個神智清明的人，就是茅山閒人君不語，他正替藍天義研究一座陣圖變化，準備對付少林。」

王修啊了一聲，道：「你聽他說過陣圖名稱麼？」

江曉峰道：「沒有，但晚輩知曉，那是藍天義由丹書、魔令之上得的，他卻解不出個中玄妙，才借用君不語的才慧，爲他研究出奇陣的對敵變化。」

但覺腦際靈光一閃，接道：「君不語提過陣名，似乎叫做什麼十絕毒陣的。」

王修呆了一呆，道：「十絕毒陣？」

江曉峰道：「不錯，晚輩想起來了，不會再錯。」

王修沉吟了一陣，道：「還有麼？此事重大，我必須問得十分詳盡。」

江曉峰道：「君不語告訴晚輩，此陣惡毒無比，萬萬不能落入藍天義的手中。他告訴晚輩說，他要把研究好的陣圖，刺在左股之上，設法交到你手，但晚輩卻勸他惜命自保。以後晚輩就被藍天義召去，自然不知如何了。」

王修沉吟了一陣，道：「那是說，君不語如若身遭不幸，咱們要設法找到他的屍體？」

談話之間，已到了大雄寶殿。

果見殿中聚了不少僧侶，六院主持，各殿護法。

群僧臉上，都是一片嚴肅。

王修行入大殿，舉手一招，道：「諸位大師，請看在下的計畫如何？」說著，蹲下身子，伸手在地上畫出了一幅少林寺的形勢圖來。

他在少林寺中時間並非很久，但他對少林寺中的形勢，卻是記得十分清楚，畫得一點不錯，群僧齊齊圍攏過來，成一個圓圈，卻把江曉峰擠出圈外……

王修手中不停地畫，何處樹多，何處草深，無不畫得十分詳盡，一面畫，一面不停地解說，少林僧侶個個凝神靜聽。

足足一頓飯工夫之久，王修才停下手，道：「諸位大師都聽清楚了吧？」

少林僧侶齊聲應道：「聽清楚了。」

王修道：「好！諸位要立刻回去準備，在下在此等候，如有不解之處，來問在下。」

六院主持、各殿護法，可算是少林寺中最重要的人物也是管理千餘僧侶的頭目。

群僧雖是個個神情冷肅，臉帶激忿，但仍然未忘禮數，合掌一躬，退出大殿。

江曉峰道：「晚輩聽候差遣。」

王修道：「天道教中，只有藍天義武功最為高強，而能拒擋藍天義的，目下只有你和少林方丈兩人，為了保存這座少林古剎，今宵要勞你江少俠出手了。」

江曉峰道：「晚輩盡我心力就是。」

王修道：「雖是如此，你也不能使那藍天義特別注意。」

江曉峰道：「老前輩的意思是……」

王修道：「我要把你改扮成少林的僧侶模樣，穿上袈裟。」

少林僧侶已開始了匆忙的準備，但見人來人往地穿梭行走，林木、草叢、屋角、窗外，都在安排生火之物。

江曉峰也改扮做了少林僧侶，身穿袈裟，腰掛戒刀，袈裟內卻又佩了一柄長劍。

太陽下山之後，少林寺中僧侶全部出動。

在王修精密的設計之下，武功高強的僧侶，分排成二十餘組羅漢陣，隱在暗中。其餘的僧侶，都各有守護的方位，準備迎敵。

王修也改穿了一身袈裟，精巧的改扮，在暗夜中很難分辨。

不過初更時分，少林僧侶都已經佈置妥當，嚴陣以待。

王修果然是有著過人之能，匆忙地安排之下，竟然有條不紊，而且衣著顏色，都和整個的埋伏相配合，連絡的暗記、身分的辨別，亦都有著嚴格精密的安排。

幾位天字輩的高僧，都有著適當的分配，各率著九位武功最強的僧侶，分頭接應各處。

江曉峰目睹其情，心中暗暗敬佩不已。

少林僧侶，大約已覺出了王修的才華過人，個個都甘心聽他之命。

整個廣大的寺院，都有了嚴密的準備，靜待敵人來攻。

寺中處處有人，卻看不到一點煙火，聽不到一點聲息。

江曉峰隨著王修巡視了幾處埋伏之後，低聲說道：「老前輩計畫周密，在武林中是一位身懷奇術的高人，但不知老前輩對今晚雙方勝負，有怎樣的估算呢？」

王修微微一笑，道：「這不是單打獨鬥，各憑武功，決一生死的事，而是群守的大戰，勝敗之機，決定於調度之方。少林寺千餘僧侶，大半都當得高手之稱，爲了保護這座古刹，必將全力以赴，羅漢陣又是合乎搏鬥中最精奧的一種奇陣，綜觀天道教中人，除了藍天義本人之外，其他的人，縱然是武功高強，但如想在羅漢陣拒守之中，來去自如，恐怕還不是易事。但如藍天義在迅快攻襲之下，使少林僧侶無法排成羅漢陣拒敵，群僧決難是天道教的敵手。如若有你和少林方丈從中策應，能使少林僧侶在遇上強敵時，有暇排出羅漢陣，這一戰情勢就大不相同了。」

江曉峰歎息一聲，道：「老前輩如此看重晚輩，使晚輩心情沉重無比，但願能不負老前輩的期望。」

王修道：「只要你盡力施爲，咱們就可能保護住這名刹，既是幫了少林寺的忙，也替武林保留了一分元氣。」

兩人看完寺中的部署，王修又解說了進退之道。

這時，布守少林寺外的僧侶，大都撤入寺中，只留下幾個嘹哨之人。

王修帶著江曉峰，和少林寺的方丈宏光大師，登上緊傍二進大殿旁側一座平台之上，台與

殿齊，可側瞰全寺變化。

天約二更時分，突見一道火花，高沖天際。

王修輕輕歎息一聲，道：「來了，大師請即刻下令，要天字輩高僧率領的十路救應，立刻出動。」

宏光大師點點頭，一揮手中的綠玉佛杖，低聲對身旁一個小沙彌道：「傳我令諭，要十路救應立即出動。」

那個沙彌應了一聲，轉身而去。

王修輕輕喚了一聲，道：「大師也該出動了。」回顧江曉峰，道：「江少俠，咱們也該走了。」

江曉峰應聲而起，飛下平台。

宏光大師也站起身子，緩步行下平台。

王修緊追江曉峰身後，飛落實地。

王修道：「如若我推斷不錯，他們應該先從正東方位而來……」

語聲未斷，突聞三聲鐘響，由正東方位上傳了過來。

江曉峰道：「果然由東面先攻。」放腿向前奔去。

王修緊追江曉峰的身後，兩人距圍牆三丈左右處，停下了腳步。

原來，王修這番部署，並未緊依圍牆，而是準備在圍牆之內，和天道教中人一決死戰。

王修輕輕咳了兩聲，一個少林僧侶由暗影中飛躍而出。

他右手執著一把戒刀，左手抱一個匣弩，打量了王修一眼，道：「王施主有何吩咐？」

王修道：「此地大約是天道教選擇的主攻之處，大師要通知他們一聲，早作戒備。」

那執刀僧侶欠身應道：「我們已得吩咐，決不會自亂章法，王施主但請放心。」

王修伸手一拉江曉峰道：「咱們也躲起來，看看那藍天義的來勢再說。」

後退兩丈，到了一株古松之前，飛身躍上樹去。

江曉峰一提氣，緊隨王修躍上大樹。

凝目望去，只見樹上早已藏著兩個少林僧侶，一個手執強弓長箭，一個手抱著一個匣弩，兩人腰間各佩著一把戒刀。

突聞一聲淒厲的猿嘯，傳入耳際，緊接著一聲震耳的虎吼之聲。

江曉峰道：「藍天義要以虎、猿攻打頭陣了。」

王修道：「就算通靈的虎、猿，也得有人指揮才成，江少俠注意他役使虎、猿的方法。」

江曉峰點點頭，運足目力望去。

但見人影一閃，一個全身黑衣，手執長劍之人，越牆而入，飄落實地。

夜色幽暗，相距又遠，江曉峰雖然目力過人，也無法瞧到那人面貌，但見他飛越圍牆的身法，武功顯極高強。

那人腳落實地之後，以劍護身，準備拒敵。

但少林僧侶早已準備，無人輕舉妄動，出手攻襲。

黑衣人緩緩收了劍式，流目四顧。

顯然，他已爲這反常寂靜所迷惑，有些不知所措。

片刻之後，那黑衣人突然舉劍揮動，星光下但見一片劍花閃動。

第二條人影閃動，又一個黑衣人飛入了圍牆。

那人左手執著一柄單刀，右手中卻握著皮鞭。

但聞那執劍人低聲說道：「老大，情形有些奇怪，我不信少林寺中的僧侶們竟然是全無戒備。」

那執鞭人道：「我們先召兩頭猩猿試試。」說完話，舉起手中皮鞭一揮。

但聞啪的一聲，打了一個響鞭。

鞭聲起處，兩條黑影，應聲而入。

這一次，卻是兩頭高可及人的巨猿，一黑一白，不住地發出低嘯，氣勢凶惡，似是要擇人而噬一般。

只聽那執鞭人口中發出一陣低語之聲，兩頭巨猿突然飛躍而起，直向寺中奔來。

隱身在松樹上的僧侶，舉弓搭箭，颼的一聲，射出一支長箭。

他臂力強勁，取位甚準，箭如流星，直向那頭黑色的巨猿射去。

但見那黑色巨猿舉起毛臂一揮，波的一聲，竟把射向前胸的勁箭拍開。

江曉峰吃了一驚，暗道：「好厲害的人猿。」

黑猿大約已發覺勁箭由松樹上射來，揮臂長嘯，直向松樹撲來。

江曉峰眼看一黑一白兩頭人猿，撲向停身巨松，兩邊的埋伏，仍然沒有發動，心中暗道：「這少林僧侶果然是修養有素，王修能在極短的半日時光中，安排到這等境界，非真有過人的才慧，實難辦到。」

忖思之間，那兩頭巨猿已然撲到巨松之下，那黑猿搶先了一步，長嘯一聲，振臂而起，向

松樹上面撲來。

江曉峰右臂一探，抽出了戒刀，正待劈出，忽見刀光一閃，那手執弓箭的僧侶，已放下弓箭，抽出戒刀劈了出去。

人也隨著那劈落的刀勢，直向下面沉落。

那黑猿突然間雙臂一收，懸空打了一個轉身，竟把一刀避開。

這一來，不但那僧侶吃了一驚，連江曉峰也瞧得一皺眉頭，暗道：「想不到這些畜牲，竟然也能練成閃騰之法。」

那僧侶一刀劈空，人已落了實地，急急收刀護身。

但那白猿動作，快速異常，飛身躍起，長臂一探，抓向和尚的前胸。

執刀僧侶戒刀急起，劃出一片刀光，橫斬白猿的長臂。

卻不料那黑猿竟悄無聲息地撲了過來，利爪箕張，抓向後背。

執刀僧侶心生警覺，急急一個鷂子翻身，橫裏避開五尺。

他應變雖然夠快，但仍然被那黑猿利爪抓到了袈裟，嚓的一聲，整件袈裟被撕去了一塊，毫釐之差，就要傷到肌膚。

江曉峰正待飛下松樹，助他一臂之力，卻被王修一把拉住，低聲說道：「你不要輕易出手。」

但見那執刀僧侶手中戒刀揮展，閃起了一片刀光，護繞著身子。

一白一黑兩頭人猿，分由兩個方向夾擊，四條毛臂，在一片刀光中運轉如飛。

這時，那兩個黑衣人也緩步行近動手之處。

但兩人既未用嘯聲指揮雙猿，亦未出手相助，竟然好整以暇地站在旁邊觀戰。

江曉峰運足目力，察看兩人，見兩人看得十分小心，似乎是不止在用心觀戰了。顯然，兩人在察看少林刀法的變化，以作準備指揮群猿之參考。

王修卻和那兩個黑衣人一般，全神貫注在黑、白二猿身上。

原來，這巨猿雖然個個力大無窮，但猩猿的智慧，究竟無法和人相比，牠們守攻之勢，只是幾招死式而已，不能靈活運用，但牠們的飛躍閃挪，卻又非人能及得，所以少林僧侶，雖然刀光飛轉，竟也無法傷得兩猿。

人、猿互鬥，足足有一盞熱茶工夫之久，仍然是一個纏鬥不息的局面。

突然間，聽得那執鞭的黑衣人，口發兩聲低嘯，場中搏鬥的形勢，突然一變。黑、白二猿攻勢頓變猛烈，四條毛臂，在環繞刀光中左飛右舞，迫得少林僧侶險象環生。

這當兒，那懷抱匣弩的僧侶，突然放下匣弩，抽出戒刀，飛身而下。

執鞭人口中低嘯一聲，那白猿突然躍出戰圈，向另一個僧人撲去。

兩人、兩猿，展開了一場激烈的惡鬥。

這兩個僧侶，俱都是達摩院中上座僧人，一身武功甚是高強，一對一的搏鬥，足可對付那人猿凌厲的攻勢。

王修附在江曉峰耳際，低聲說道：「江少俠，你能否記得，藍天義訓練了多少人猿、猛獸？」

江曉峰道：「一個別莊之中，盡都是擺的鐵籠，詳細數字，很難說出，但數目決然不會太少。」

王修道：「目下還未見到他們訓練的猛獸情形，單是人猿而論，少數固然不足以構成威脅，但如數字太過龐大，倒是一樁很麻煩的事情。如若他們驅使這些人猿捨命硬拚，必然會阻礙羅漢陣的變化。」

但聞那執劍的黑衣人，高聲說道：「老大，這兩少林僧侶的武功如何？」

執鞭的黑衣人道：「看他們的年歲，應該是寺中的主要人物，不過只和咱們人猿鬥平手而已……」

執劍人似是性子很急，忍不住說道：「咱們是否要下令虎、猿總攻？」

執鞭人四顧一眼，緩緩道：「我心中一直覺著有些奇怪。」

執劍人道：「奇怪什麼？」

執鞭人道：「少林僧侶何以會防備得如此鬆懈，似乎是有意的給咱們可乘之機，此等情形，大為反常，只怕他們別有準備。」

那執劍人嗯了一聲，道：「情勢確然是有些怪異，不過，他們能有什麼詭謀呢？咱們發動時，要傳出信號，各路高手，都將分別攻入支援咱們。」

執鞭人沉吟了片刻，道：「好！我去招呼虎、猿。」

轉身兩個飛躍，人已消失於夜暗之中。

王修低聲說道：「江少俠，你能夠一舉殺死那執劍人麼？」

江曉峰道：「有一招劍法，大概可以。」

王修道：「好！那你就快些下手，在他同伴尚未回來之前，把他殺死，以最快的手法，換上他的衣服。」

江曉峰若有所悟地點點頭，拔出了戒刀。

兩人、兩猿搏鬥激烈，那執劍人全神貫注在搏鬥之上，兩人談話，聲音極低，那人竟是毫無所覺。

江曉峰暗中提氣，左手分開松枝，疾撲而下。

這一撲之勢，全力施爲，當真是疾如閃電一般。

那黑衣人覺著一股疾風襲來，本能地長劍一揮，掃出一劍。

這一招防衛變化，早已在江曉峰預料之中，一收雙腿，呼的一聲，由那人頭上掠過，回手一刀，劈下了那人的腦袋，這一招快速、奇奧，兼而有之，那執劍人果然連哼也未哼一聲，屍體已向地上倒了下去。

王修緊隨著飛落實地，右手一探，抓住了向下倒摔的屍體，道：「這邊來。」疾快地閃入了松樹之後。

江曉峰抬頭看去，只見兩猿、兩人仍然搏鬥得十分激烈，急急縱身一躍，閃入松樹之後。

王修低聲說道：「快些動手換上他的衣服。」

江曉峰應了一聲，脫下袈裟，換上了那人的黑色衣服。

王修一面匆匆動手幫他換去衣服，一面低聲說道：「記住，兵不厭詐，愈詐愈好，如是你有下手的機會，就殺了那位老大。」

江曉峰道：「晚輩明白了。」

談話之間，突聞一陣陣猿鳴虎嘯，傳入耳際，聲勢十分驚人。

江曉峰提起長劍，急步由樹後行了出來，背對寺外，裝出全神貫注僧、猿搏鬥之上。

但覺身後虎吼猿嘯，交錯如織，忍不住回頭望去。

目光到處，只見數十頭虎、猿，潮水一般地奔竄過來，江曉峰心中雖是有備，也不覺暗生寒意。

埋伏的少林僧侶，也同時發動，匣弩並發，箭如飛蝗。

但那些巨猿、猛虎悍不畏死，冒著弩箭，向前奔衝，虎躍猿跳，比起十萬人馬的聲勢，更爲駭人。

眨眼之間，已有數十隻猛虎、巨猿，越過弩箭，奔向少林僧侶的埋伏之處。

埋伏在暗處的少林僧侶，已有甚多從暗中飛躍而出，揮舞著禪杖、戒刀，和虎、猿鬥在一起。

只聽一陣陣急促的哨聲傳了過來，虎、猿在哨聲催促之下，攻勢更見凌厲。

只聽得幾聲悶哼慘叫，兩個少林僧侶分別傷在虎口猿爪之下。

十幾隻猿、虎，已然越過了少林群僧的攔阻。

江曉峰暗暗忖道：「看來我要出手阻止這些虎、猿了，如若被牠們衝過這一道防線，少林寺在這眾多虎、猿騷擾之下，必然會鬧得一片混亂，對王修整個的拒敵部署，也許會有很大的影響。」

正忖思間，瞥見一隊身著袈裟的少林僧侶，疾奔而至。

江曉峰暗中一數，這一隊少林僧侶，共有一十二人，六人手執禪杖，六人手執戒刀，當下急用手中長劍，劃出了一個十字。

這正是王修規定的連絡信號。

群僧看到江曉峰劍勢劃出了暗號，立時散佈開去，攔住了虎、猿。加了十二個主力軍，立時威勢大增，十餘隻衝過攔阻的虎、猿，全被擋住。

江曉峰目睹群僧阻擋住了虎、猿，似已不用自己再出手相助，心中略寬，暗道：「那執鞭的黑衣人，還不見來，王修也不知到了何處，難道我一直要守在此地不成？」

忖思之間，忽聽一聲驚心動魄的厲嘯，一個少林僧侶，生生被一頭巨猿，抓起了雙足，扯成兩半。

江曉峰轉眼看去，只見那巨猿全身白毛，似是特別高大一些，兩手分握著兩條人腿，揮舞著屍體，攻向群僧。

心中吃了一驚，暗道：「這白猿似乎是猿中之王，要得早些想法子把牠除去才成。」

就在他念頭轉動之間，一陣勁風，撲面而至。

江曉峰本能地一揮長劍，護住了身子，目光到處，只見一隻巨虎疾撲而下。

虎背上坐著一人，沉聲說道：「老二，是我。」

說話之人，正是那執鞭的黑衣人。

江曉峰怕他瞧出破綻，急急側過臉去，同時收住了長劍。

虎落身側，耳際間又響起那黑衣人的聲音：「第二批虎、猿即要攻入，兄弟……」

大約他已發覺了情勢不對，聲音突然頓住。

江曉峰長劍疾轉，一招「石破天驚」，疾攻過來，口中說道：「那老二在鬼門關外等你。」

變起倉促，江曉峰又是全力施為，黑衣人刀、鞭並舉，迎向劍勢。

江曉峰右腕疾沉，長劍灑出了一片光華，寒芒過處，那黑衣人一顆人頭，滾到數尺以外。那黑衣人屍體由虎背上滾了下來。

江曉峰一劍劈了那黑衣人後，正待飛身而起，攻向那隻巨猿，卻不料那隻巨虎一個轉身，巨口大張，躍飛而起，撲向江曉峰。

這一下，大出了江曉峰的意外，閃避已自不及，匆忙之間，急急向後一仰身子，背脊貼地，長劍一舉，向上刺去，正刺入虎腹之內。

江曉峰雖然一劍斃虎，劈開了那巨虎的胸膛，但卻被巨虎後爪掃過肩頭，劃破了一片衣服，幸好還未傷及皮肉。

那巨虎越過江曉峰，仍然是四足著地，腹中內臟，灑落一地。

江曉峰飛起一腳，踢倒了老虎屍體，轉身一躍，長劍探出，刺向那大白巨猿的後背。

那巨猿正和兩個少林僧侶纏鬥，江曉峰以迅快無比的一劍，正中那巨猿的後背。但聞波的一聲，有如刺在了堅木之上，手腕為之一震。

江曉峰吃了一驚，暗道：「原來這些巨猿身上都已披甲，縱使刀劍擊中，如是力道不夠，也是無法傷得了牠。」

心中念轉，右手暗加真力，長劍向前一推。

他內力強大，勁透劍尖，長劍直刺入了那巨猿後背之中，劍尖刺透前胸。

巨猿受此致命一擊，野性大發，長嘯一聲，回臂一探，棄去了手中的屍體，利爪拍向了江曉峰的頭上。

江曉峰身子一蹲，拔出長劍，飛身而起，躍起了一丈多高。

那巨猿身負重傷，縱身而起，直向前面撲去，衝向一個少林僧侶。

那和尚戒刀一起，迎頭劈下，戒刀正中那巨猿頭頂，但巨猿兩隻利爪，卻洞穿了那僧侶前胸，猿體、人體，齊齊摔倒。

江曉峰暗暗歎息一聲，揮劍而起，撲殺虎、猿。

他自得藍夫人傳授武功，和服用過松溪老人的丹丸之後，這是第一次盡全力施展，招招滿蘊真力。

寒光到處，虎、猿非死即傷。

和少林寺僧侶力搏不息的虎、猿，在江曉峰的長劍下，卻如摧枯拉朽一般，不過片刻工夫，進入寺中的虎、猿，已經傷亡了大半。

少林群僧目睹那江曉峰的勇猛，個個看得心中震駭不已。

數十頭虎、猿傷亡大半之後，威勢大減，少林群僧亦個個奮起，刀砍、杖擊，不大工夫，所有進入寺中的虎、猿，全被殺死。

奇怪的是，並無後繼的虎、猿再衝入寺中。

江曉峰在一頭虎屍上，抹去了劍上的血漬，再抬頭時，少林僧侶已全不見。

原來，殺盡了寺中的虎、猿之後，少林僧侶立時又歸原位。

夜色中，空闊的廣場上，恢復了原有的靜寂，只有數十頭虎、猿的屍體，橫陳地上。

江曉峰長長歎一口氣，緩步行向巨松之下，一提真氣，縱身飛上大樹。

只見兩個少林僧侶，仍然隱伏在原位之上，一個手執弓箭，一個懷抱匣弩。

江曉峰目睹少林僧侶戒律的嚴謹，亦不禁爲之讚歎不已，當下低聲問道：「兩位大師父，

王老前輩哪裏去了？」

左首一個僧侶，低聲回答道：「王施主奔向正南去了。」

江曉峰道：「在下追他去了。」

左首僧侶低聲說道：「王施主臨走時，曾經告訴貧僧，要你在此等候。」

江曉峰哦了一聲，正待答話，正南方突然冒起了一片火光。

火勢擴展很快，眨眼間，那火光已然擴展成一片火海。

江曉峰一皺眉頭，道：「在下到南面瞧瞧去。」

正待飛身而起，瞥見人影閃動，越過圍牆直向少林寺中衝去。

江曉峰運足目力望去，只見那衝入寺中之人，個個都執著長劍，似乎是武當派的弟子。

就在那執劍的黑衣人衝入寺內的同時，埋伏在暗影中的少林僧侶，也同時飛躍而出。

但是雙方沒有問答之言，立時展開惡鬥。

一陣金鐵交響，長劍戒刀，各攻向對方致命所在。

卅三　火牆拒敵

這時，執劍黑衣人源源湧到，埋伏在四周的少林僧侶，也重重躍出迎敵。

片刻之間，已成了一個數十人分別搏鬥的大場面。

江曉峰瞧了一陣雙方的搏鬥形勢，雖然還無傷亡，但卻是一場性命相搏的險鬥，隨時可能發生流血的慘劇。

就在他心念轉動之間，又有一批黑衣人湧了進來。

少林寺僧侶人手不足，形成以寡敵眾之勢。

隱身在松樹上的兩個少林僧侶，突然放下了匣弩、長箭，取了兵刃，飛身而下，參與助戰。

兩個僧侶雖然未招呼江曉峰，但江曉峰卻緊隨二僧身後飛落，仗劍迎向湧入少林寺中的黑衣人。

湧入少林寺中的黑衣人，雖然未穿道袍，但卻清一色手執長劍。

江曉峰心中有疑，大聲喝道：「來者可是武當弟子麼？」

語聲未落，兩柄長劍，分由左右攻了過來。

江曉峰長劍一揮，擋開了兩柄長劍，冷冷說道：「諸位如若不肯回答在下的問話，那就別怪在下劍下無情了！」

喝聲中長劍掉轉，反擊了兩招，分向兩個黑衣人攻去。

江曉峰誠心要兩人吃點苦頭，劍上蓄蘊了極強的真力。

果然，兩個黑衣人接下了江曉峰的劍勢之後，都被震退了一步。

但見人影一閃，一條人影，天馬行空一般，直向江曉峰撲了過來。

那人來勢猛惡，連人帶劍，有如一道白虹般，疾飛而至。

江曉峰長劍一揮，化作一片寒雲。

雙劍交觸，響起了金鐵交鳴之聲。

那撲向江曉峰的劍勢，被生生震退了五尺。

江曉峰擋開了對方一劍之後，也瞧出來人正是武當門下的青萍子。

當下急急收住長劍，低聲說道：「青萍道長。」

青萍子一面揮劍攻上，一面暗施傳音之術，道：「閣下是何許人？」

江曉峰道：「在下江曉峰。」

青萍子道：「江少俠請讓我幾劍，貧道正有話奉告。」

江曉峰道：「好！道長放心攻吧。」

青萍子長劍疾轉，連攻五劍。

江曉峰擋開青萍子五劍之後，轉身向前奔去。

青萍子大喝一聲道：「哪裏走！」縱身直追而去。

兩人奔行數丈，暗影中立時躍飛出四個少林僧侶，攔住了兩人去路。

江曉峰左手打出暗記，口中低聲說道：「這位道長和在下有要事商談，諸位請讓開去路。」

四個僧侶看他打的暗記不錯，依言讓開去路。

江曉峰越過四僧，又向前奔行數丈，停了下來，回身說道：「道長有何指教？」

青萍子道：「貧道心感江少俠相救之恩，曾約江少俠趕赴武當一行，可惜江少俠未能履約。」

江曉峰道：「道長之約，在下一直是牢記心中，但武林中變化太快，藍天義又一直追殺在下，貴派為勢所逼，暫允依附在天道教下時，在下也在場中。」

青萍子啊了一聲，奇道：「貧道怎的未曾瞧到江少俠。」

江曉峰道：「那時在下不是江曉峰，而是血手門的高公子。」

青萍子道：「江少俠易容混入了天道教中？」

江曉峰道：「不錯，扮裝高文超。」

青萍子道：「我們猶豫難決，聽到一種傳音術，要我們多多忍耐，想是江少俠所示了？」

江曉峰搖搖頭道：「傳音要各位忍耐，以保實力的不是我，而是另有其人。」

青萍子道：「那是說，目下有很多人混入了天道教中？」

江曉峰沉吟了一陣，道：「就在下所知，人數並不多。」

青萍子四顧了一眼，低聲說道：「在下有一物奉贈江少俠。」

探手從懷中取出一個玉瓶，遞了過去。

江曉峰接過玉瓶，道：「是藥物？」

青萍子搖搖頭，道：「擊破玉瓶，可得一張白絹繪製的秘圖，依圖索驥，自會引導江少俠到一個去處。貧道既受救命之恩，又覺著江少俠是一位可信託的君子，才把此隱密盡付江少俠。」

江曉峰心中甚感奇怪，問道：「道長可否說明白一些？」

青萍子道：「那是貧道發現的一件隱秘，對你江少俠，甚至是整個武林，有很大的幫助。」

江曉峰皺皺眉頭，道：「貴掌門知道麼？」

青萍子道：「貧道已經說過，那是貧道個人發現的一樁隱秘，貧道亦曾數經思索，是否應該告訴掌門人，但我三思之後，覺著此事，和武當派關係不大，因此沒有告訴敝掌門。」

江曉峰收好玉瓶，道：「好！在下如能抽出時間，一定趕去見識一番。」

青萍子急道：「我無暇對你詳細說明，如是才智不夠的人，去也無用，貧道已然考慮再三，覺得江少俠最爲適當，但你不能等抽出時間再去……」

江曉峰接道：「要在下如何？」

青萍子接道：「想法子非去不可，而且愈快愈好，時間不多，貧道走了。」轉身欲去。

江曉峰急急喝道：「道長止步。」

青萍子轉過身子，道：「江少俠有何吩咐？」

江曉峰道：「這一路攻入少林寺的人，似都是貴派弟子？」

青萍子道：「不錯，都是本門中弟子，貧道正是這一路的領隊。」

江曉峰道：「我看貴派中弟子，個個振劍力拚，攻勢極爲凶猛，道長難道準備當真要和少

林寺中僧侶拚命麼?」

青萍子歎息一聲，道：「敝掌門身受禁制，如若不全力一拚，敝掌門恐怕是很難保得性命。」

江曉峰道：「道長要仔細想想，如若真的大家各憑武功一拚，貴派未必能夠占得便宜，何況，貴掌門的生死雖然重要，但他只有一個人，在這一場拚命搏戰之下，貴派中弟子的死傷，恐怕要在數十人以上了。」

青萍子苦笑一下，道：「江少俠之意呢?貧道應該如何?」

江曉峰道：「在下覺著此刻已是貴派面臨抉擇的時機，少林寺中僧侶，已奮起抗拒大道教，貴派如能一舉間倒戈對敵，可增加不少實力。」

青萍子道：「如若貧道目下有此力量，能使我武當門下弟子，盡皆倒戈相向，那藍天義會放心要貧道帶隊攻入少林寺麼?」

江曉峰一皺眉頭，道：「爲什麼?」

青萍子道：「藍天義把我武當弟子，每十人編成一組，每一組中，由藍天義派遣兩人管理，那兩人控制了其他的八個人。」

江曉峰道：「道長可否連絡貴派中弟子，搏殺藍天義派來的人?」

青萍子道：「自從藍天義派來人後，本門中弟子，似乎是對他們都很依恃……」

江曉峰接道：「這麼說來，道長是決心驅使貴派中弟子，和少林僧侶一拚了?」

青萍子道：「不瞞江少俠說，本門中弟子分組之時，我們武當四子，都被藍天義囚集一處，藍天義如何控制本門弟子，貧道並不清楚，但貧道願意暗中一試。」

江曉峰道：「我通知少林寺僧侶，不要他們認真搏殺，免得雙方都造成重大的傷亡……」

語聲一頓，接道：「不過，道長要盡快答覆我。」

青萍子道：「一頓飯工夫之內，如若還無回音，那就是我已失去控制本門弟子的能力了。」

江曉峰神情肅然地說道：「如若貴派中弟子，不能及時反正，少林僧侶爲了自保，只好要大開殺戒了。」

青萍子黯然說道：「事已如此，如若貧道無法促使本門中弟子反正，他們也就已變成了藍天義的工具，貧道也就無法顧及他們，只好殺了他們。」

江曉峰接道：「好！就此一言爲定，不過……」

青萍子道：「不過什麼？」

江曉峰道：「不過，道長是否要反正過來呢？」

青萍子道：「我們武當四子，生死同命，而且貧道一人，也不能影響大局，如若不能及時策反門下弟子，貧道也不想獨善其身……」

語聲微微一頓，接道：「貧道唯一放不下心的，就是貧道收藏的這件物品，如今交給你江少俠，貧道心中已再無顧慮了。」

江曉峰歎息一聲，道：「你們師兄弟情意深重，生死與共，在下實也不便從中作梗，堅持不讓道長顧及他們的生死，獨善其身，但一個人的生死，應該有輕重之分，在下言盡於此，該當如何，道長自已考慮了。」

青萍子黯然道：「貧道會三思江少俠之言。」轉身一躍，疾快而去。

江曉峰目光轉動，只見正南方熊熊的火光，突然消失，心中暗暗贊道：「王修能在片刻間燃起一片火海，而且能夠控制住它，使它很快熄去，非極高才慧之人，實難設計出來。」

再看前面少林僧侶和天道教中人的搏殺，十分激烈，天道教中人源源湧入，少林僧侶雖個個勇猛，也呈不支之勢，如不大開殺戒，以擋強敵的攻勢，少林僧侶似已難再守住陣腳。

奇怪的是，王修編排各路救應的援手，竟然不見趕來。

但這一來，天道教的攻勢，又是以武當弟子爲主，如若大肆屠殺，只怕日後很難爲武當所諒解。

正自爲難之間，突然身後傳過來王修的聲音，道：「江少俠用不著左右爲難，這裏已用不著你出手助戰。」

回頭望去，只見王修站在六尺以外的夜色之中。

江曉峰心中忖道：「星光微弱，夜色幽幽，如此距離，決無法看到我的臉上神情，他怎會知曉我心中所想之事。」

但聞王修接道：「江少俠快請回來。」

江曉峰一提氣，躍落到王修的身側，道：「老前輩，宏光大師授權你指揮少林僧侶，怎不快調援手趕來助戰?敵勢強大，少林僧侶已然難再撐下去了。」

王修道：「咱們要保存實力，這不過是天道教的先鋒而已，以後的攻勢，必將是越來越強，咱們不用和他們玉石俱焚，保存實力最爲重要。」

江曉峰道：「這麼說來，要看著那數十位少林僧侶，苦苦戰死不成?」

王修道：「咱們設下很多埋伏，不能棄而不用。」

江曉峰道：「老前輩可是要他們撤退下來？」

王修點點頭，道：「不錯，咱們要保存實力，以應付更重要的攻勢。」口中說話，右手卻探入懷中，取出一枚竹哨，放入口中，吹出了一陣陣尖銳的哨聲。

哨聲傳入耳際，搏鬥的戰場上，也起了很大變化。

只見列隊迎敵的少林僧侶，突然向後退了下來……

群僧既知地理形勢，又訓練有素，雖然是向後撤退，仍是有條不紊。

幾個斷後僧侶，稍一阻擋天道教的攻勢，立時以極快速度，閃入了暗影之中。

江曉峰隱在暗處查看，發覺天道教中人，列隊橫立，不下七、八十個之多，其中之人，大部份手執長劍，顯然這一路攻勢，是以武當弟子爲主。

突聞一陣鐘聲傳來，緊接弓弦聲動，一排弩箭，疾射而去。

青萍子口發長嘯，揮動長劍，當先撥打近身弩箭。

執劍黑衣人迅快地散佈開去，各舞長劍護身。

但聞一陣波波之聲，不絕於耳，近身弩箭，大都爲長劍擊落。

但因夜色幽暗，弩箭來自四面八方，撥打不易，亦有數人爲弩箭所傷。

青萍子振劍大喝一聲，當先向前衝來。

十餘個黑衣人追隨身後，揮劍護身而進。

江曉峰正待揮劍迎敵，忽見火光閃動，四、五支燃燒的火箭，由暗處疾射而出。

這些火箭並不射人，卻射向江曉峰身前一片草地之上。

燃火長箭，都是在王修指導下做成的特殊之物，落地之後，立時化成一片藍色的火焰。

草地上，早已被少林僧侶散佈下硫磺、油棉等物，見火即燃，而且蔓延得十分迅快，片刻之間，已燃燒成一道八尺寬，四、五丈長的一道火牆。

青萍子右臂一振，躍飛而起，躍過火牆。

江曉峰心中大怒，忖道：「這牛鼻子老道，奮身猛攻，不知是何用心。」長劍向前一探，人隨劍起，迎了上去。

緊隨青萍子身後之人，有四個挫腰長身而起，想追隨青萍子越過火牆。

隱在暗處的四個少林僧侶，突然跳起，懷抱匣弩一揚，一排弩箭射出，弩箭如雨，破空而至。

四個執劍黑衣人，雖然揮劍撥打近身弩箭，但因身懸半空，運劍不便，那一排弩箭，又不下二十餘支，撥打不及，四人一齊中箭，跌入火海之中，火勢猛惡，四人落入火中，眨眼間生生燒死。

再說江曉峰，飛身一躍，迎著青萍子，揮手一劍，斜裏點去。

這一劍，若點若劈，難測變化，迫得青萍子疾退三步，橫劍當胸，低聲說道：「江少俠……」

江曉峰心中氣怒，冷冷說道：「道長奮不顧身，看來倒是想替天道教立下一樁大功。」口中在說話，手中長劍，連攻兩劍。

這兩劍都是藍夫人傳授的劍勢，詭奇莫測，青萍子簡直不知如何封架，被那凌厲的劍勢，又迫得向後退了五步，已然到了火牆邊緣，只要再向後退上一步，即將跌入火海之中。

青萍子低聲說道：「江少俠點我穴道。」一面振劍反擊。

江曉峰心中頓悟，一面揮劍封擋青萍子的反擊之勢，一面緩緩向後退去。

青萍子長劍展開了快攻，灑出點點寒星，口中卻低聲說道：「貧道已告訴了本門中部分弟子，要他們反正過來，但爲了敝派掌門人的安全，只有在搏鬥之中被擒，才能瞞過藍天義的耳目……」

說話之中，又有兩個黑衣人飛身而起，企圖越過火牆，但卻仍爲弩箭射中，跌入了大火之中。

青萍子歎一口氣，接道：「他們都不甘爲藍天義賣命，但形勢迫人，無法反抗……」

江曉峰接道：「貴派中人，可是都已同意了道長的高見。」

青萍子道：「藍天義控制的手段，十分惡毒，貧道只能把心中之意，轉告幾位門下，但不管如何，我武當門下弟子，個個都有忠於我武當之心，祈請江少俠，轉告少林弟子，如若能夠生擒他們的話，最好是不要加以傷害。」

江曉峰道：「好！在下定當轉告道長之言，盡量減少貴派中的傷亡就是。」

青萍子道：「江少俠有此承諾，貧道就感到心滿意足了，爲了掩人耳目，請江少俠趕快點貧道的穴道。」

兩人口中雖然在不斷地交談，但搏鬥並未停下，劍來劍往，打得十分激烈。

江曉峰低聲說道：「道長小心了。」

手中長劍，突然一招「直搗黃龍」，當胸刺去。

青萍子揮劍一擋，封住江曉峰的劍勢，卻不料江曉峰左手探出，一指點來。

這一招奇變突出，手隨劍後，就算青萍子真的想擋此一指，亦不可能。

江曉峰一指點倒了青萍子，探手一把，抓起了青萍子的道袍甩擲身後，大聲喝道：「暫把他囚入密室，不許傷害。」

他生恐少林僧侶，出手傷害青萍子，故而大聲喝叫。

兩個少林僧侶，由暗影中飛躍而出，扶起青萍子疾奔而去。

江曉峰抬眼望去，只見那燃起的火焰，雖已不再擴展，但火勢卻仍很熾旺，雙方隔火相恃，看不清對方景物。

天道教的強厲攻勢似已受挫，無人再越度火海。

經過了幾番交手相搏，江曉峰已覺出自己武功大進，已非當年可比，即使青萍子等號稱武林中第一流的高手，如果認真動手，也難在手中走過十招。

這使江曉峰心中大爲振奮，也增強了極大的信心，暗中提聚真氣，正待飛越而過，突聞王修的聲音傳了過來，道：「江少俠，這邊來。」

江曉峰回頭看去，只見神算子王修站在兩丈外一株大樹下，火光熊熊，看得十分清楚。

當下兩個飛躍，落在王修身側，道：「什麼事？」

王修微微一笑，道：「幸得咱們設計了這一道火牆，江少俠快到樹上瞧瞧吧！」口中說話，人卻當先飛上樹梢。

江曉峰一提氣，也隨著飛上樹梢。

凝神看去，只見火牆對面除了近百的身穿黑色勁裝、手執兵刃的大漢之外，還有百頭左右的虎、猿。

那些虎、猿，顯然是受了嚴格的訓練，靜伏在地上不動，

熊熊大火燃燒之下，一群虎、猿，全無驚畏之狀。

江曉峰已見識過那些虎、猿的厲害，望了王修一眼，低聲說道：「老前輩，百多頭虎、猿，再加上百位以上武林高手，配合攻襲，是一股極爲強大的力量，不能輕視，虎、猿凶殘，悍不畏死，如若憑藉少林僧侶抗拒，必也付出重大的代價。」

王修似是早已胸有成竹，淡淡一笑，道：「我勘察四方所得，這個方位似乎是藍天義的主攻所在，他原想以武當弟子爲主，配合巨猿猛虎，先和少林僧侶搏殺一陣，既可大傷少林元氣，亦可借此機會，屠戮武當之人，這本是一石二鳥之計，但他卻未料到，咱們會布下火焰陣，阻擋住了虎、猿攻勢，加上青萍子臨陣背離，也使他們有些意外之感，此刻百位以上高手，和百頭虎、猿，和咱們隔火相持，既不進攻，也不撤走，顯然是在等候藍天義的命令……」

江曉峰接道：「如果老前輩的推論不錯，他們正處在進退失據、彷徨無措的時機，咱們何不搶個先機，攻他個防而不備？」

王修道：「兵機戰陣，變化萬端，藍天義如何措置，目下還未了然，必得先明白他的用心，咱們才能安排拒敵之策。」

江曉峰沉吟了一陣，道：「老前輩胸藏玄機，想必早有成竹了？」

王修淡淡一笑，道：「形勢已有變化，江少俠留心了。」

江曉峰凝目望去，果見靜伏的虎、猿，突然間站了起來。

但那站起的虎、猿，並未向前攻襲，反而緩緩向後退去。

這情景，確然大出了江曉峰的意料之外，不禁爲之一呆，正待詢問，突見三條人影，越牆

而入。

火光明亮，看得十分清晰，來人正是藍天義、藍福和武當掌門人朝陽子。

只見手執兵刃的黑衣人，齊齊對藍天義欠身行禮。

藍天義舉手一招，八個黑衣人步行了過去，垂手肅立在藍天義的身前。

藍天義和幾人低言數語，接著又回頭對朝陽子說了數言。

相隔過遠，江曉峰等無法聽見藍天義和幾人說些什麼，但見朝陽子垂手俯首之狀，顯然是受了一頓斥責。

王修低聲說道：「大約是藍天義已決定了，不變更主攻方位，這地方必將是他們主攻所在。」

江曉峰道：「老前輩要早些調遣人手防備才是。」

王修道：「這我已有準備，不過藍天義武功太強，如是他親自出手，要你江少俠擋他幾招才成。」

江曉峰道：「晚輩全力以赴就是。」

王修道：「你不是他的敵手，不妨盡量拖延動手的時間，請你出手之意，只是要借用那一刻緩衝時間，以安排少林僧侶拒敵陣勢。」

江曉峰道：「晚輩記下了。」

語聲甫落，瞥見藍天義縱身而起，有如天馬行空一般，一躍之下，越過火牆。

朝陽子和藍福隨後而起，飛落在藍天義的身旁。

王修舉起手中竹哨，吹出一聲尖厲的長嘯。

暗影中弓弦聲動，一排長箭，疾射而來。

緊接著十餘支匣弩，一齊發動，百支弩箭，破空而出。

點點寒星，集向三人襲去。

藍天義大喝一聲，一探手長劍出鞘。

不知他用的什麼招術，只見他長劍一展，突然間湧現出一片銀花似的光華，群集射向三人的弩箭，大都被那湧現的劍光擊落。

朝陽子和藍福，也同時揮動長劍，擊落了餘下的弩箭。

藍天義擊落了弩箭之後，突然一式「潛龍升天」，呼的一聲，平空拔起兩丈多高，身子懸空打轉，疾向王修和江曉峰隱身的大樹上衝去。

人近大樹，長劍展布，光華繞身，劍化白虹，衝向濃密的枝葉之中，劍光到處，枝葉紛飛。

藍天義並沒有仔細分辨那竹哨聲傳來的方向，但他飛身一擊，竟然直奔向王修的停身之處。

單是這一種聽聲辨位的能耐，就顯出了他超凡拔俗的成就。

江曉峰心中暗道：「這一劍力道不小，我應該接他一招試試。」當下一提真氣，橫裏一劍，直衝過去。

藍天義由那股斜裏衝來的劍氣上，感到遇上了強勁的對手，突然一拔身子，本是向前奔衝之勢，變成了向上翻起。

翻起的森森劍氣，斬落一樹枝葉。

另一方面，也陡然枝葉紛裂，江曉峰挾著一道劍光，飄落實地。回頭看去，只見藍天義借著那劍光迴旋之力，身子在半空中打了兩個旋轉，才落著平地。藍天義落著實地，兩道目光立時盯在江曉峰的身上，冷冷說道：「你不是少林寺中人！」原來，江曉峰穿著一身黑衣，手提長劍，一望即知不是少林寺中僧侶。

江曉峰心中暗道：「此時此情，還是不讓他知我身分，使他莫測高深的好。」心念一轉，默不作聲不作回答。

藍天義不聞對方回答之言，心中大怒，但他乃一代梟雄之才，心中怒火高燒，並未發作出來，只是殺機暗生，潛藏心底，冷笑一聲，道：「本座乃天道教主藍天義。」

江曉峰原本打算給他個不理不睬，但究是少年心性，忍耐不住，冷冷說道：「我早已知道你是藍天義了。」

這當兒，藍福和朝陽子，分由兩側圍了上來，把江曉峰圍在中間。

藍福冷冷說道：「這小子橫得很，宰了他算啦。」話出劍出，寒光一閃，刺向了江曉峰的前胸。

江曉峰早已蓄勢戒備，見藍福一劍刺來，立時一縮身子，右手一探，長劍斜裏推出，這一招大出武學常規，劍路之怪，連藍福亦爲之慌張失措。

但藍福究竟是一位身具非凡武功的人物，他雖然認不出這一劍的來路，但卻看出了這一劍的惡毒，如若不及時退避，自己攻出的劍招，還未觸及對方，就先被對方的劍勢，斬斷了自己的右臂。

匆忙之間，吸氣挫腰，硬把向前衝的身子收住，同時轉腕收劍，易攻爲守。

江曉峰這等以攻制攻的劍招，乃劍術中奇絕之學，任是一代劍術宗師，不懂就是不懂，也無法預測他下一招的變化。

藍福以數十年精修的功力，在急促中，強行收住攻勢，回劍護身，心中暗叫了一聲僥倖，哪知江曉峰劍勢一轉，突然間，挽起了兩朵劍花，削向右腕。

這一劍又是大出了藍福的意料之外，只覺對方劍勢怪異，難以封擋，急急向後退開了五尺。

任他應變快速，仍然被江曉峰奇快的劍勢，劃破了右腕衣袖。

不僅慚愧還有驚愕，藍福退開之後，頂門上不停地向下滾落汗珠。

朝陽子長劍一順，正待欺身而上，卻聽藍天義沉聲道：「住手！」

朝陽子聽得藍天義喝叫之聲，立時向後退了兩步。

藍天義緩緩向江曉峰行近了兩步，冷冷說道：「閣下劍招非凡，必是大有來歷之人，可否把姓名賜告？」

江曉峰臉上經過一番化妝，掩去了本來的面目，再加上一套不太合身的衣服，又是側臉相對，是以藍天義一直未認出他的身分。

藍天義連問數聲，一直不聞江曉峰回答，心頭大為惱火，冷笑一聲說道：「你這小子，本教主數到五字，你如仍不開口，本教主立即出劍取你之命。」

語聲一頓，喊出「一」字。

江曉峰力穩馬步，勁貫劍身，仍是不言不語。

藍天義似是已極感不耐，一口氣二、三兩個數字同時喊出。

這當兒，突聞一連佛語傳來，十八個少林僧侶，布成陣勢，急步奔來。

藍天義冷笑一聲，道：「閣下可是認為羅漢陣，就能救你之命麼？」

陡然間舌綻春雷，大聲叫出一個五字。

五字出口，人也同時躍起，直向江曉峰撲了過去。

江曉峰早已盤算好了拒敵之策，忽然間一長身，人、劍齊起，劍化一片護身寒雲。

藍天義劍勢如驚雷駭電，射入了一片寒雲之中。

但聞一陣金鐵交鳴之聲，兩人陡然分開。

江曉峰就地打了兩個翻滾，滾出了一丈多遠，才站起身子。

藍天義臉上微現愕驚之色，道：「好小子，竟能接了我這一劍。」

只聽藍福叫道：「他是江曉峰！」

江曉峰道：「不錯，正是在下。」

藍天義冷哼一聲，縱身而起，又是一劍刺了過去。

江曉峰長劍一起，又接了一招。

藍天義劍上真力強大，江曉峰又被劍上反震之力，震退三步。

江曉峰雖然連吃了兩次苦頭，但他的膽氣卻大為增加，暗道：「藍天義也不過如此而已。」

正待揮劍還擊，卻聞得王修的聲音，傳了過來，道：「江少俠，快些退下。」

江曉峰對神算子王修，早已十分信服，聽得呼叫之言，立時飛身而退。

藍天義心中已對江曉峰恨至極處，還待施下辣手，卻不料江曉峰已見機而逃。

就一陣工夫，少林寺羅漢陣已布成合圍之勢，把藍天義、朝陽子、藍福三人，一齊圈入了羅漢陣中。

王修調度有方，羅漢陣困住三人的同時，兩個天字輩高僧，冷佛天禪、飛鈸天音，各率十二位少林僧侶，兩路奔出，掩殺過去。

這時，火勢也在少林僧侶的控制下，大爲減弱。

天音大師一馬當先，人還未近火牆，兩面大如輪月的飛鈸，已然破空而出，越過火牆。

但聞一陣金風破空之聲，緊接著響起了兩聲慘叫，兩個黑衣人死於鈸下。

天音大師的飛鈸絕技，天下無雙，雙鈸各殺一人後，借旋轉之力，重又飛了回來。

先聲奪人，使得眾多的天道教中弟子，都不禁爲之一怔。

冷佛天禪，在天字輩中，嫉惡如仇，素有嗜殺之名，看天音雙鈸，拔了頭籌，先殺了兩人，立時飛身而起，天馬行空一般，越過了火牆，戒刀揮展，衝入了天道教弟子群中。

只聽一陣金鐵交鳴之聲，夾雜著兩聲慘呼，兩個天道教弟子，傷在戒刀之下。

天禪傷了兩人，並未停手，戒刀舞成一團寒光，向裏面衝去。

隨行僧侶，齊揮兵刃，越過火牆，有如出柵猛虎一般，撲了過去。

這二十四個僧侶，都是少林寺中的精銳高手，而且個個心懷激憤，有了拚命之心，禪杖、戒刀施展開來，勇不可當，再加天禪、天音兩位天字輩的高僧從中相助，刀劈掌擊，頓時把天道教中雲集的百位以上高手陣腳衝亂。

這正是王修苦苦思慮的佈署，選集了少林寺中第一流高手，由天字輩高僧率領，伺機出動，以寒天道教中弟子的膽氣，以羅漢陣奇奧的變化，困住藍天義等幾位絕頂高手，使其無法馳援。

藍天義眼看隨行弟子，陣腳大亂，已失去了迎敵能力，心中不禁大為焦急，急於衝破羅漢陣，趕往馳援，但卻一直被羅漢陣緊緊圍住，一時間竟無法破圍而出。

變化萬端、奇奧絕倫的羅漢陣，憑藉著佳妙的配合，困住了身負魔、道兩門絕學的藍天義。

突然間，藍天義劍法一變，閃起一道耀目的寒芒，森冷的劍風，分向四面射去。

羅漢陣轉動的連鎖變化，被那耀目的劍光，迫得為之一頓。

就這一眨眼的工夫，藍天義已連出三劍，刺傷了三個少林僧侶。

一個被刺中肩頭，一個被刺中前胸，一個被刺中小腹，三個僧侶的傷勢，都很嚴重，但卻一個都沒有倒下，也未哼一聲，仍然各自揮動兵刃反擊。

羅漢陣又迅快地開始轉動，兵刃紛紛，連環攻到，又把藍天義等困入陣中。

三個受傷僧侶，強忍傷疼，勉力苦戰，雖然把羅漢陣保住，未遭破去，但三僧卻因失血過多，倒地而斃。

暗影中立時躍出六個少林僧侶，三個扶下受傷三僧，三個加入了羅漢陣中，遞補上三僧遺下的方位。

藍天義毒手頻施，怪異奇招，連傷了十幾個少林僧侶，只要有一個少林僧侶中劍後即刻躺下，羅漢陣變化受阻，藍天義就可以破去羅漢陣突圍而出。

但每一個少林僧侶，都在受傷之後強自忍耐，咬牙支撐，寧可轉到外圈，力竭而死，亦拚命保住元氣，不讓羅漢陣為藍天義衝破。

藍天義雖然連出奇招傷了數人，但卻無法破除羅漢陣。

再說冷佛天禪、飛鈸天音，率領了二十四位高僧，大開殺戒，不大工夫，已殺死了天道教中三十餘人，眼看天道教雲集於寺中的百位高手，就要被兩位天字輩所率高僧衝散，圍牆外面，突然又飛入十餘個黑衣人。

天道教中人爲了便於識別，進入少林寺中的人，全都穿一色的黑衣，當先一人，白髮飄飄，手執長劍，正是太湖漁隱黃九洲。

黃九洲大喝一聲，長劍揮動，攔住了冷佛天禪，兩個人也不打話，刀劍並舉打在一起。

天禪大師戒刀揮動，全力搶攻，但那黃九洲劍術造詣極高，施展開一套大羅劍法，守中帶攻，接下了冷佛天禪的凌厲攻勢。

天音大師連環劈擊，又傷三人，衝開了一條血路，正想先助天禪大師一臂之力，結果了黃九洲，卻不料人影一閃，一個身著黑衣的矮子由人眾中穿了出來，攔住了無音大師，道：「兩個打一個太難看，老和尚想動手，和我矮子玩玩如何？」

天音大師看那矮子右手執劍，左手卻拿著一把摺扇，不禁一皺眉頭道：「施主怎麼稱呼？」

黑衣矮子道：「江湖上有行不更名、坐不改姓之說，在下奇書生吳半風。」

天音大師冷哼一聲，道：「吳施主可是要和老衲單打獨鬥？」

吳半風道：「我如打你不過，自然會有人幫我，咱們今宵不是比武定名，用不著訂下甚麼規矩，你和尚大約是自恃身分，不肯先行出手，我吳半風卻不在乎這個，大師小心了。」右手一探，長劍點向天音大師前胸。

天音大師左手一揮，劈出一掌。

一股強勁絕倫的掌風，震偏了吳半風手中的長劍。

天音大師緊隨著一上步，右手快速地又劈出了一掌。

哪知吳半風隨著天音大師震偏的長劍，一個轉身，左手摺扇，突然身隨劍轉，斜裏向上劃來。

天音大師劈出的掌勢，正好撞向吳半風的摺扇。

天音大師吃了一驚，心知遇上了高人，急急收掌而退。

這時，吳半風已收回長劍，再次攻來。

天音大師心知遇上了高手，不敢再存輕敵之心，雙掌連環劈出，和吳半風打在一起。

冷佛天禪和飛鈸天音，被黃九洲和吳半風攔住之後，只餘下二十四位高僧，和天道教中弟子們動手相搏。

失去了天字輩高僧相助，二十四位僧侶的攻勢，大爲減弱，這時，圍牆外天道教的援手，源源而入，反而把二十四位高僧圍了起來。

冷佛天禪眼看凌厲攻勢，全被對方阻止，反被敵人圍了起來，不禁心中大急，手中戒刀一緊，全力搶攻。

剎那間，刀化一片冷雲，排山倒海一般直攻過去。

黃九洲的劍法，一直是不徐不疾，但卻有一種極大的陰柔之力，任那冷佛天禪攻勢猛銳，卻始終能保持著不敗。

冷佛天禪連攻了十餘招，都被黃九洲化解開去。

但冷佛天禪戒刀稍收，黃九洲的劍勢，卻又變得凌厲起來，反守為攻。

天音大師在一陣猛攻之後，無法打敗奇書生吳半風，心知已無法在急切之間取勝，也不再虛耗真力。

一時之間，雙方保持了一個僵持之局。

天道教人數雖然眾多，圍起二十四位高僧，但這二十四位高僧，都是少林寺百中選一的高手，人人都有著數十年修為的功力，能攻能守，又有著很大的耐戰之力，故採守勢之後，立時相互支援，排成了一排堅固的防守陣形。

是以，天道教後援高手，雖然是源源接上，但亦無法擊敗少林僧侶。

這是一場武林中罕聞罕見的惡鬥，少林寺中所有的僧侶，全部動員，四面八方，都有人搏鬥，只有規模大小和激烈的程度不同罷了。

在十餘處不同地區的決鬥中，少林寺傷亡最大、損失最慘重的，卻是圍困藍天義的羅漢陣。

神算子王修雖然一向是料事如神，但他卻沒有估準藍天義的武功，只見他手中之劍，連連用出奇幻無倫的招數，有如瀉地的水銀一般，配合著他強猛的掌勢，不放過羅漢陣任何空隙，一有空隙，必被他劍傷一人。

搏鬥的時間愈長，藍天義對羅漢陣的變化，知道的愈多，手中的劍招，也愈為惡毒，陣中的僧侶，受傷的也愈多。

王修原想憑藉羅漢陣，困住藍天義，再由江曉峰和少林寺中百位武功高強的僧侶，擊潰天道教各路攻勢，再全力對付藍天義，只要能把此人收拾下來，整個天道教都不難擊散。

但少林寺的羅漢陣，雖然困住藍天義，卻無法阻止他奇劍傷人。

不大工夫，傷在藍天義劍下的僧侶，已經有二十餘人。

王修仔細地查看了受傷僧侶的傷勢情形，發覺一半傷得極重，難免要落下殘廢之身，另一半，也無法在三、五日內再行和人動手。

這當兒，藍天義已放棄了破圍而出的企圖，一心一意地傷人，片刻之間，又被他傷了三個。

王修搖搖頭，歎息一聲，對江曉峰道：「江少俠，羅漢陣雖是千古以來的奇奧陣法，但並非無懈可擊，藍天義的武功成就，也遠出我估計之上，如若不是在少林寺中，如若不是有眾多的人手補充，羅漢陣早已被他破去，看起來，羅漢陣已無法再用來對付藍天義了。」

江曉峰道：「不錯，照他傷人的速度計算下去，再有一個時辰，傷在他手下之人，必在百位以上，這是一場很殘酷的殺傷，雖然少林寺中大師們個個勇猛，不畏死亡，但也不能這樣支撐下去。」

回目望去，只見十餘個少林僧侶，排成一行，前仆後繼地接替下受傷僧侶。

他們臉上的神色十分沉重，顯然，是內心中都有著畏懼，只是都極力在控制著自己，不讓畏懼的神色流露出來。

因爲，這是一場非拚不可的搏鬥，自己無法擊敗敵人，傷亡只有早晚輕重之分。

王修道：「不錯，這是無謂的犧牲，不能再撐下去了。」

江曉峰道：「我去替他們下來。」

王修黯然說道：「我已遣人去請少林方丈，聽說少林寺有一套奇奧無比的杖法，鮮爲武林

人物知曉，所以，金頂丹書上沒有這一套杖法的記載，藍天義也無法破解那一套杖法，由他對付藍天義……」

目光盯注在江曉峰的臉上，接道：「你要全力對付藍福，最好能把他搏殺於這一次惡戰之中。」

江曉峰苦笑一下，道：「藍福武功不弱，只怕我無法取勝他，但我將全力以赴。」

只聽一聲悶哼，傳了過來，羅漢陣中一個僧侶，竟被藍天義一劍劈成兩半。

羅漢陣上僧侶，雖被藍天義傷了數十個，但都是受傷而已，從無人被一劍殺死，這次，陡然殺死一人，整個羅漢陣運動受制，為之一緩。

藍天義見有機可乘，又要出手傷人，只見他一抖手中長劍，一記彈躍，飛身而起，身如流矢般暴射，眼見一僧人又要血濺當場，站在高處的江曉峰已忍無可忍，如魚鷹般撲射藍天義，手中長劍已然交手。

但聞一陣鏗鏘之金屬回響，江曉峰被震得反彈回來，落在丈外的實地，又踉蹌地退了數步才拿樁站穩。

江曉峰和藍天義硬拚了一劍，雖然幸未受傷，但被震得右臂發麻，手中長劍幾乎脫手飛出。

他心中明白，藍天義的反擊之力，已然震盪到自己的內腑，如若不經過一段時間的調息，將完全失去抗拒之能，只要藍天義隨手一劍，即可取自己之命。

江曉峰強自保持鎮靜，舉劍平胸，裝出一副仍能搏鬥的樣子。

但聞一陣梵唱，破去的羅漢陣，重又布成，圍攏上來。

少林僧侶口中唸著經文，手中兵刃卻如狂風暴雨一般，攻向藍天義。

藍天義目睹少林僧侶不畏死亡的豪勇之氣，亦不禁為之震動。

王修快步行了過來，低聲說道：「江少俠，如非你這一劍，少林寺今宵必將潰敗，難逃劫數。」

江曉峰強自支撐搖顫的身軀，低聲說道：「老前輩，我受傷很重，必須運氣調息。」

王修吃了一驚，道：「要我助你麼？」

江曉峰道：「扶我到一處隱秘的地方，我要運氣調息。」

王修道：「我明白。」

一把抱起了江曉峰，放膽奔去，直奔少林寺中最為機要的藏經閣，將他放了下來，道：「這是少林寺中最重要的地方，也是最後的防守所在，如若少林寺中僧侶，不支潰敗，這地方當是最後的決戰地。這地方一直是防守十分嚴密，天道教的人很難找到，你好好運氣調息，等一會兒我再來看你。」也不待江曉峰答話，轉身而去。

藏經閣中未點燈火，一片黑暗，也無人來擾他，江曉峰立時閉目運氣調息起來。

不知道過了多少時間，江曉峰由忘我之境中清醒了過來。

睜眼看去，只見神算子王修和少林方丈宏光大師，並肩而立，站在身側。

室外曦光透入，天色已經大亮。

江曉峰站起身子，道：「藍天義呢？」

宏光大師道：「退走了。」

王修道：「多虧你那一劍，使散了的羅漢陣，重又補起，阻止了藍天義一場屠殺。」

江曉峰歎息一聲，道：「我不過是僥倖罷了，如若他劍上的力道，再強一成，那一劍的反震之力，就要震飛去我的兵刃，把我傷在劍下。」

王修微微一笑，道：「你內腑的傷勢怎樣了？」

江曉峰道：「晚輩內腑，只是受到震盪而已，經過這一陣調息，已經不礙事了。」

宏光大師道：「阿彌陀佛，江少俠吉人天相，沒有受傷，老衲就安心了。」

江曉峰道：「貴寺中傷亡如何？」

宏光大師道：「死了三十二個，傷了百人，這是少林寺中，從未有過的大劫，貧僧領導無方，想來慚愧得很。」

語音微微一頓，接道：「不過，他們爲了保存這座名刹，雖死無憾，江少俠爲助我們少林寺而來，如是有了三長兩短，那就更叫貧僧難安了。」

江曉峰道：「這是一場江湖大劫，凡是武林中人，都在這場劫難之中，在下亦是劫數中人了。」

王修輕輕咳了一聲，道：「大師和江少俠，都不用客套了，藍天義雖然退去，但天道教中人，依然守在少林寺外，如是在下的推斷不錯，三天之內，他們將再行攻打少林寺。」

宏光大師點點頭，道：「夜來一戰，憑仗王施主的調度，江少俠的相助，使少林寺免於被毀之厄，但這一戰，也傷了少林寺二分之一的精銳，如若是藍天義再次攻打，貧僧實無信心能夠再支持一戰。」

王修道：「這就是咱們要研商的事了……」

語聲一頓，接道：「藍天義在這一戰之中，也未占去便宜，天道教中人，傷亡總在兩百以

上，同時也暴露了他們的缺點。」

宏光大師道：「什麼缺點？」

王修道：「天道教雖然羅致了甚多武林精英，但除了幾個武功特強的人物外，其他的都不足和貴寺中高手對抗……」

江曉峰接道：「如若單以武功而言，只怕當今之世，很難有人能夠對付藍天義了。」

王修道：「少林僧侶有一種奇奧的杖法，可以和藍天義動手相搏，至少可以一擋他的銳鋒，如若世間，能夠多有幾人會此杖法，豈不是多了幾個抗拒藍天義的高手。」

江曉峰心中暗道：「好啊！原來這王修的用心，是想要宏光大師，把少林寺中絕世奇學，傳授出來。」

宏光大師沉吟了一陣，道：「老衲明白王施主的弦外之音，不過……」

王修道：「在下也早想到，這套杖法，必是貴寺中只傳掌門的絕技，而且，它必然還有著一種很重要的原因。」

宏光大師點點頭，道：「正是如此。」

王修道：「貴寺中先賢、長輩立下的規矩，自然是不能輕易修改，但目下貴寺卻正遭遇著歷代所未有的大變，覆巢之下無完卵，如是貴寺在藍天義第二度攻打之中，高手盡死，全寺覆亡，武林中從此沒有了少林派，貴寺中先賢長者立下的規戒，也將是隨著消失於全派覆亡之中了。」

宏光大師沉吟了良久，突然抬頭說道：「好！在下接受王施主的高見，爲了保護少林寺的基業，在下這套只傳寺中掌門的奇奧杖法，決定公諸寺中，不過，這中間尙有一件大難之事，

必得先有應對之法才成。」

王修道：「大師請說？」

宏光大師道：「這套杖法蛻化於少林羅漢陣杖法中，加入了大悲直解十三式，是一套滿含慈悲的王道杖法，它雖是變化萬端，但卻沒有傷人的變化，對方的攻勢來得愈強，這套大悲杖法的變化，也愈能發揮出來，所以，它是一種只能防禦、不能傷敵的杖法。」

王修道：「也許正因如此，它沒有記入金頂丹書之上。」

宏光大師道：「大悲杖法，雖然是只能守、不能攻的一種武功，但因變化精奧，也不是三、五日所能練成的武功，除非羅漢杖已有了很深厚的基礎，不能有速成之望。」

王修道：「大師心目中，可能有這樣的人物麼？」

宏光大師道：「有三個精於杖法的同門，都死於藍天義的劍下，細想和貧僧同輩，以宏字排行的師兄弟中，只不過還有兩人精於羅漢杖法，加上幾位天字輩的師叔，算來不過五、六人而已。」

王修道：「夠了，如若能有五、六個人，會使羅漢大悲杖法，人人都可阻擋藍天義的攻勢，咱們就可以把握這一場中原爭雄之戰，不會敗於敵手。」

宏光大師道：「這就是面臨貧僧所說的大難之事，就是集幾個精通羅漢杖法的人，也需要數日之功，方有練成之望。」

王修道：「大師能否算出來，需要幾天時間？」

宏光大師口中自言自語地說了一陣，道：「至快麼，也要四天，這四天之中，不能受到一點驚擾，更不能過問其他的事，集中全神，以求速成。」

王修面現難色，默然了一陣，道：「大師，能不能減少一天？」

宏光大師搖搖頭，道：「這是貧僧最緊的演算法了，不能減少，也就是貧僧覺著的大難之事，甚麼人有力量，能夠阻止藍天義，四天之內不攻少林寺呢？」

王修長長吁一口氣，默然不語。

宏光大師接道：「如若在這四天之內，藍天義攻入少林寺中，貧僧和幾位大字輩的師叔，都在習練杖法，還有幾人能夠阻擋藍天義的攻勢呢？」

王修道：「在下也曾想到了必需要一段時間，這時間將是少林寺中最爲脆弱的一段時間，問題是在下未料到要四日之久。」

宏光大師道：「至少要四天才成。」

王修道：「此已成爲必行之事，就算要五天時間，咱們也得冒險，大師請選拔人手，練那大悲杖法去吧！」

宏光大師似是還想多問一句，但卻欲言又止地轉身而去。

藏經閣中，只餘下了江曉峰和王修兩人。

江曉峰四顧了一眼，低聲道：「老前輩，如把宏光方丈，及幾個天字輩高僧集中起來，使他們專心練習大悲杖法，少林寺中失去了這幾個高人，如何還能攔阻那藍天義凌厲攻勢？這個險冒得太大了。」

王修道：「世無十全之策，這個險非冒不可，在下已然細看了宏光大師和藍天義搏鬥的情形，就目下世上所知的武功而言，那大悲杖法，是唯一可以阻擋藍天義奇厲劍招的武功，但宏光大師的功力，和藍天義尚有一段距離，如是兩人搏鬥時間一長，宏光就難逃藍天義的奇幻劍

招，未雨綢繆，必要借此機會，使宏光大師把這套杖法傳授出來。」

江曉峰輕輕咳了一聲道：「但攻不攻少林寺，操諸在藍天義的手中，老前輩如何能使他聽你的吩咐？」

王修道：「昔年諸葛武侯，一生謹慎，但仍有空城之失，此刻，我們的處境，在表面上似還有再戰之能，事實上，已到了山窮水盡之境，藍天義第二次攻打少林寺時，少林寺就難逃寺毀人亡之禍。」

江曉峰嗯了一聲，道：「老前輩如已有良策，不知可否說出來，以開晚輩的茅塞。」

王修道：「如若咱們能讓天道教中，發生內爭，引起一場混亂，藍天義必先平內爭，然後才能攻打少林寺了。」

江曉峰沉吟了一陣，道：「不錯啊！只是如何才能引起他們的內亂呢？」

王修道：「藍天義統率有術，大部份屬下，都被他用魔功禁制，對他一片愚忠，想要引起他們內部的混亂，自然不是易事了……」

江曉峰道：「何謂魔功禁制？」

王修道：「這幾日來，我一直研究祝小鳳等幾人，受制情形，希望找出破解之法，因此，我連日配製了數種藥物，讓他們服下，不論他們服用之毒，集聚何處，服下此藥，必有反應……

「待他們服用藥物之後，我才確定，他們並不是被毒藥控制，藍天義要他們入教之時，服用藥物，不過是用來惑人耳目的方法罷了。」

江曉峰道：「因此，老前輩就斷定他們是受魔功禁制了？」

王修道：「這使我想起了百年之前崛起於江湖的一個大魔頭來，聽說他出現江湖之後，引起的恐怖，凡是和他有過接觸，或是被他擒過之後，沒有一人不對他忠心耿耿，背叛師倫，慘殺同門，甚麼惡毒的事，都能做得出來，當時，大家亦都覺著他是一位用毒的能手，因此，邀集了無數名醫研究他施用的藥物，但卻無一人能夠找出痕跡，數年後，才得一位高人指點，破去了他加諸人身的魔功禁制……」

江曉峰啊了一聲，道：「那人既然解開魔功的禁制，此術想已傳了下來。」

王修搖搖頭，道：「此術並未傳於世上，但卻記入了金頂丹書之中，目下世間，是否還有人會此武功，我不知道，但藍天義會施用魔功，自然也會解除魔功的禁制，目下就我所知，欲求解除魔功，最近的路，只有兩條，一條是從金頂丹書上求，另一條是從藍天義手中學得。」

江曉峰道：「老前輩對此事，毫無辦法了。」

王修搖搖頭，道：「沒有辦法，唯一之策，就是取得金頂丹書。」

江曉峰沉吟了一陣，道：「老前輩既無法解除他們魔功的禁制，又如何能夠引起他們的內亂呢？」

王修道：「這就要用一些非常的手段了。」

江曉峰精神一振，道：「老前輩準備用甚麼非常手段？這藍天義不是好人，咱們對付藍天義，自然也用不著什麼君子手段了。」

王修道：「在我用藥物研究祝小鳳等反應時，無意中發覺了一種藥物，人服用之後，神智就變得十分迷亂，性情急躁，不克自制……」

江曉峰啊了一聲，道：「有這種藥物？」

王修道：「四種毒藥混合，發生的特殊變化，若說我在少林寺中有什麼收獲，就是研究出這一種藥物……」

長長吁一口氣，接道：「但這等手段，太過卑下，在下希望讓少林寺中群僧知曉，所以只好麻煩你江少俠了。」

江曉峰道：「要我如何？只要力所能及，晚輩當全力以赴。」

王修道：「咱們今夜之中，設法潛入藍天義的營地之中，憑仗那種亂人神智的藥物，引起他們的混亂。」

江曉峰道：「咱們要對何人下手？」

王修道：「在下感覺到，最好不要對人，他們養了很多鳥、虎、猿，咱們要設法在虎、猿身上動手。」

江曉峰道：「不錯，這藥物一定要服下才成，如是要人服用下藥物，必然十分困難，但如要使虎、猿服用，那就容易了。」

王修淡淡一笑，道：「藍天義養了這多虎、猿，代作人用，自以爲得計，但他想不到那些虎、猿將爲藥物所毒，變成了爲我所用。」

江曉峰沉吟道：「如若只對虎、猿下手，那倒是容易多了。」

王修道：「在這一場搏戰之中，藍天義並未沾光，因此，在下推想，藍天義不可能在一、兩日之內，立時進攻，因此，咱們明天晚上再設法潛入藍天義的營地之中，照我估計，藍天義要一天整頓，可能後天動手，那虎、猿服用的藥物，大約要六個時辰之後發作，咱們明天下手，要他養的虎、猿服用下藥物，正好後天發作，正是他們將要動手的時候。」

江曉峰道：「老前輩神機妙算，晚輩一向信服，咱們明天晚上動手就是。」
王修道：「還有一件事，希望江少俠答應在下。」
江曉峰道：「什麼事？」
王修道：「我要說服宏光大師，把那套大悲杖法，傳授於你。」
江曉峰道：「這個，方便麼？」
王修道：「我說服他，只要你答應肯學就行。」
江曉峰道：「咱們明天晚上，要潛入天道教營地之中動手，晚輩哪有時間去學？」
王修道：「你是我所見後起之秀中，天資最好的一個，天字輩的高僧，雖然對羅漢陣法，有很深的火候，但他們學起大悲杖法來，未必能夠強勝過你，他們需要四天，我想你有兩天時間，就可以學會了。」
江曉峰呆了一呆，問道：「老前輩怎會有如此的感覺？」
王修道：「也許你自己並不知道，你是一個很難得見到的練武奇材，你及時而生，也許正是一種神秘主宰力量作此安排。」
江曉峰接著道：「老前輩太捧我了，晚輩並未覺出和別人有什麼不同之處。」
王修道：「任何人看到你，都覺著可以把武功傳給你的感覺。」
江曉峰道：「有這等事？」
王修道：「不錯，藍夫人就是一個很好的例子，如若你沒有足夠的才華，那藍夫人也不會答應你留在藍府之中，傳授你武功了。」
江曉峰突然想到了青萍子交給自己的一個玉瓶，伸手摸了出來，道：「老前輩認識此物

翠袖玉環

麼？」

王修接在手中，仔細地看了一陣，道：「是一個很普通的玉瓶，有什麼奇怪之處呢？」

江曉峰道：「這是青萍子交給我的玉瓶，他說玉瓶之中，藏有一幅絹圖。」

王修嗯了一聲，打開瓶塞，道：「那要取出來瞧瞧才成。」

江曉峰道：「取出不易，乾脆把瓶子摔了吧！」

王修怔了一怔，道：「可以摔麼？」

江曉峰道：「重要的是那瓶中的絹圖，晚輩自知閱歷、經驗，都不足以瞧出內情，只有借重老前輩的才華了。」

王修應了一聲，揮手摔碎了玉瓶。

果然，那玉瓶碎去之後，現出了一張絹圖。

卅四　少林密技

那絹圖似是已經過了不少時間，已然變成黃色。

王修拾起絹圖，十分小心地打開仔細看了一陣，點點頭道：「江少俠，這是一幅指示一處隱密所在的圖案。」

江曉峰道：「那就不錯了，老前輩是否能夠瞧出這圖指示何處？」

王修道：「武當山，這山上面有一個突峰，老夫認識。」

江曉峰探首過去，瞧了一陣，歎道：「如若不是把圖交給老前輩，在下瞧上個三日五夜，也是瞧不出一點名堂了。」

王修笑道：「這不要緊，你瞧不出來時，自然會問青萍子了。」

江曉峰道：「老前輩，如若是咱們同到武當山去，老前輩是否能夠找出圖上指示所在？」

王修道：「那要先到這座峰前後，再看四周形勢，才能決定，但這幅圖畫得並不複雜，如若真有圖中所示的地方，在下自信可以找到。」

江曉峰道：「那好，咱們幾時到武當山去瞧瞧？」

王修道：「此時此情，咱們也無法預料幾時才能夠離開少林寺啊！」

江曉峰道：「老前輩，那青萍子說是很重要，他要我盡早趕往那武當山上一行，他說這幅圖，對整個江湖的局勢，都可能有著很大的影響。」

王修啊了一聲，道：「有這等事？」

江曉峰道：「如若咱們了然一些內情，也可決定是否可以去了。」

王修道：「我去問問他們，我現在去青萍子囚禁的地方。」說罷，即轉身向外行去。

片刻之後，王修帶著青萍子，行了進來。

江曉峰抱拳一禮，道：「道長好麼？」

青萍子道：「少林僧侶對我不錯，住的地方，也十分安全，他們施用少林獨門手法，點了我兩處穴道。」

江曉峰道：「彼此在搏鬥之間，難怪他們要小心一些。」

王修展開了手中的絹圖，說道：「道兄，目下少林寺仍處在極端的危機之中，天道教中人，隨時可以再向少林寺中攻襲，因此，在下無暇和道兄多談，這一點要請道兄原諒。」

青萍子道：「這個，貧道明白。」

王修道：「這幅圖是怎麼回事，道兄告訴江少俠，這幅圖十分重要。」

青萍子道：「很重要，也許它可能影響到整個武林大局。」

王修道：「這就是在下請道兄到此的用心了，在下用盡心機，也想不出，這幅圖爲什麼能夠影響到整個武林大局？」

青萍子道：「王兄才華冠絕一代，素有神算之稱，不知是否已仔細地看過這幅圖？」

王修道：「在下看過了，不過，瞧不出它有什麼重要的地方。」

青萍子說道：「這幅圖，指示出一個十分隱密的地方。」

王修道：「不錯，在下也瞧出來了，但卻想不出那處隱密所在，和武林中有何關係？」

青萍子四顧了一眼，道：「這藏經閣中，只有兩位麼？」

王修道：「這是少林寺藏經之所，平常之時，也是防守最嚴的地方，此刻，自然是更為嚴密了，但這地方，眼下卻只有我們兩個人。」

青萍子道：「貧道曾經依照圖上所示，找到了那處隱密的所在，但我只到了洞口，沒有進去。」

王修道：「快些說下去吧！少林寺的掌門方丈，很可能就要來了，如若道兄不願讓他聽到，那麼就只有在他到此之前，說完內情。」

青萍子道：「貧道找到了那地方，兒是一座十分隱密的山洞，那洞口十分細小，如無此圖，決難找到……」

王修道：「你既到了洞口，為什麼不肯進去呢？」

青萍子道：「因為我是武當弟子，那洞口有我們兩代武當掌門留下的手諭，不許武當弟子擅自入內，所以，貧道在洞口猶豫了很久，未曾進去。」

王修緩緩道：「道兄，那洞中究竟存放了什麼？」

青萍子道：「貧道沒有進去，無法說出那洞中存放的何物。」

王修道：「那麼道兄又怎能肯定，那山洞之中的存物，和整個武林都有著很大的關係呢？」

青萍子輕輕歎息了一聲，道：「我們武當派中，有一個傳說，也是一樁隱密，非我武當派中人，很少有人知曉。那就是我們武當祖師張三豐，曾留下了一套劍法，那套劍法曾經擊敗了當時武林中所有的高手，凡是敗在劍下的人，都受了傷……」

「傳說那一套劍法，太過惡毒，本派祖師，手諭第二代掌門人，凡我武當弟子，都不許學這一套劍去。武當派雖然經那一戰，在武林中占了一席之地，但最精華的劍道，卻也因此失傳。」

王修道：「道兄懷疑，那套劍法，就留在那山洞之中？」

青萍子沉吟了一陣，道：「不只是懷疑，而是有著十之八、九的把握。不過，那山洞之中，有很多凶險的埋伏，如若沒有這張圖，進入山洞之人，全無一線生機。這張圖，不但告訴你那山洞的位置，而且還指示出山洞中的埋伏，但你未進入洞中之前，也無法瞧出那洞中的含意。」

王修道：「這幅圖確是很複雜，但道兄未見山洞，怎能知曉如此清楚呢？」

青萍子道：「這件事我已經想了很多年，而且求證所得，我這推斷不致有錯……」

長長吁一口氣，接道：「我不是出賣武當派的隱密，而是爲整個武林同道的命運。那套劍法，除了我們武當派的師祖之外，就沒有傳過第二代，所以，貧道相信，它決不會記載在金頂丹書上面。再說江少俠又不是我們武當門下，用不著受我們武當先師的令諭束縛。」

一直很少開口的江曉峰，此刻卻道：「在下這點才智，縱然進了那山洞之中，也未必能夠解得洞中的隱密，希望能和王老前輩同去，不知道長意下如何？」

青萍子道：「圖已經交給了你，如何處理，你們自己決定。」

言下之意，無疑是答應了江曉峰的請求。

王修道：「多謝道兄對我王某的信任，現在還無法預知是否能夠生離少林寺，進入那座山

洞，不知道兄是否還有別的要求？」

青萍子道：「要求倒有一個，王兄如是不問，貧道就不會出口。」

王修道：「道兄但說不妨。」

青萍子道：「那套劍法，本是我們武當派所有，只可用來對付藍天義，一旦武林情勢恢復正常，希望江少俠就不再施用這套劍法。」

江曉峰道：「這個在下可以答允道長。」

青萍子道：「還有一件事勞請就商兩位？」

王修道：「請說啊！」

青萍子道：「可否告訴少林門下弟子，不要他們再點我穴道，藍天義很可能找到這裏，貧道需要坐息，萬一有變，亦可保命。」

王修道：「好！在下替道長說一聲就是。咱們走吧！」轉身向外行去。

青萍子緊隨王修身後而行，一面低聲問道：「王兄，那江曉峰是否配學這套劍法？」

王修道：「他如不配，放眼天下，再無第二個人可以學了。」

青萍子微微一笑，道：「這麼說來，貧道還沒有看錯。」

兩人剛剛離去，宏光大師已帶著天禪、天音等行入閣中。

江曉峰站起身子，抱拳相迎。

宏光大師還了一禮，道：「王施主呢？」

江曉峰邁：「片刻就來。」

語聲一頓：「諸位要在此練習貴派絕技，在下留此不便，我先告退。」

宏光大師還未來得及答話，王修已快步行了進來，接道：「我瞧江少俠不用避了。」

宏光大師道：「本寺中絕技，不宜外人瞧看。」

王修道：「江少俠不是外人，他爲了貴寺，劍門受傷！」

一面說話，一面舉步行近了宏光大師，低言數語。

宏光大師連連點頭，道：「王施主說得不錯……」

目光轉到江曉峰的臉上，接道：「江少俠不用避出去了。」

江曉峰暗暗忖道：「這王修說服人的能力，的確是少見，似乎是三言兩語，就把那少林方丈給說服了。」

口中卻應道：「好！大師既然相信在下，我坐在一側，不看諸位習武就是了。」

宏光大師道：「不但要你江少俠看，而且還要你江少俠學。」

江曉峰道：「這個，方便麼？」

宏光大師道：「數百年來，我少林派中，大都是隱技自珍，武林中無人不知，我少林寺中，收藏有七十二種絕技密本，但這些年來，本寺雖然代有才人，但卻沒有一人，能同時把七十二種絕技，完全學成，集於一身。不幸的是，敝寺中嚴密收藏的絕技密本，竟然已有很多外洩。」

語聲一頓，接道：「但貧僧這套大悲杖法，未列入七十二絕技之內，代代都由掌門人傳授下來。這套杖法的用心，原本是用來防止本門中高手叛離之用，也代表了掌門人的權威，想不到，如今用以對付藍天義。」

目光轉注到王修的臉上，道：「王施主的才華，已贏得本門全體僧侶的敬服，貧僧對他更

是欽敬。他要貧僧通權達變，造就你去抗拒藍天義對江湖上的威脅，因為你是唯一能夠抗拒藍天義的人物了。」

江曉峰道：「大師過獎了。」

宏光大師微微一笑道：「貧僧信其判斷，服其才華，故信其言。因此，貧僧決心把一套大悲杖法，在傳與兩位師叔時，同時傳授給你。」

王修接道：「武林正面臨大敵，江少俠鐵肩擔下正義，身負武林安危大任，不用推辭，此刻時間極為寶貴，諸位可以開始練習了。在下出去看看，如若無特殊清形，就不驚動諸位。」轉身行出藏經閣。

宏光大師目睹王修去後，燃起兩支火燭，神情肅然地望著江曉峰道：「江少俠，你學得本門的密技之後，希望答允貧僧一事。」

江曉峰道：「大師吩咐，但得力所能及，無不答允。」

宏光大師道：「答允貧僧，這套杖法，是少林以外的人，由你始，由你終，不得再傳授他人。」

江曉峰道：「貴寺絕技，江某怎能私相授人？」

宏光大師道：「貧僧相信江少俠是君子，一言九鼎。」

江曉峰道：「大師放心，我江某人出口之言，如有背棄，必遭天譴。」

宏光大師道：「咱們現在開始，貧僧先把全套杖法，講解一遍，諸位先了然一個大概，再行一招一式的練習。」

天禪、天音和江曉峰立時貫注全神，凝目相待。

宏光大師口中解說，手中的綠玉佛杖，開始習練。

他出手很慢，一招一式，都施展得十分仔細。

江曉峰天賦奇佳，再全神貫注，那繁複的杖法，竟能都一一記於心中。

從天禪、天音和江曉峰三人的神色之上觀察，三個人對這套杖法的領受情況，各有不同。天禪、天音，嚴肅中略帶茫然，江曉峰神情卻流露無限敬佩之色。

原來，江曉峰發覺了這一套杖法，乃是防守中最佳的武功，天衣無縫，無懈可擊。

緊張嚴肅之中，不知道過去了多少時間，那緊閉的閣門，突然大開。

神算子王修大步行了進來，道：「大師，請暫住手。」

宏光大師輕輕咳了一聲，道：「什麼事？」

王修道：「我和江少俠有點事，出去一下，三位大師只管繼續下去。」

宏光大師道：「不知是否當問，兩位要到何處？」

王修道：「出寺一行，早則一個時辰，遲則天色破曉之前，定可歸來。」

江曉峰伸手取過靠在壁上的長劍，接道：「好！咱們走吧！」

冷佛天禪沉聲喝道：「慢著！」

天禪大師似是有話待問，卻被宏光大師搖手阻止道：「王施主算無遺策，必已是早有成竹，兩位去吧！」

王修道：「天亮之前，在下定然可以回來。」帶江曉峰大步而去。

天音大師掩上閣門，道：「江少俠離去了，掌門人是否還要指點那大悲杖法？」

宏光大師道：「咱們繼續的練下去。」

原來，他早已瞧出了江曉峰比他們學得較多，已然隱窺全豹。

再說王修帶著江曉峰，一口氣奔到了少林寺外，才停下腳步，低聲說道：「剛才我出寺巡查，竟看到了藍家鳳。」

江曉峰突覺心頭一躍，道：「藍家鳳？」

王修道：「不錯，藍家鳳，她似乎是被人押解而去……」

江曉峰急急接道：「走的哪個方向？」

王修等停身之處，仍是少林僧侶的防守之區，一面舉步而行，一面說道：「那地方只有一條去路，你不難追上，不用心急。」

說話之間，行到了一株大樹之下。

王修飛身上樹，江曉峰隨著也飛躍而上。

王修爬到了樹頂，低聲說道：「這是少林寺最前端的防守之點，再向前走，三丈之後，就是天道教的前哨了。」

江曉峰心中焦急，道：「藍姑娘去了哪個方向？」

王修指著夜色中一條白線似的小徑，道：「那是一條碎石鋪成的小徑，通往寺後一座尼庵，如若藍天義準備把藍家鳳送離此地，決不會走這條路。」

江曉峰心中突然動了懷疑，說道：「夜色深沉，老前輩怎樣看清楚了那是藍家鳳呢？」

王修微微一笑，道：「問得好，這就是藍家鳳的聰明了，她在行進之中，不時故意說話，聲音雖然不大，但卻傳播甚遠，顯然是暗中運了內功。更妙的是，在這巨岩之下，忽然間亮起

傳入你的耳中……」

王修道：「她不過碰碰運氣罷了，希望守在此地的少林僧侶看到，能把此訊傳入寺中，再

一個火摺子，正巧在下趕上看到。」

江曉峰道：「她怎會知曉你在此呢？」

語聲微微一頓，接道：「因此，這是藍家鳳費盡心血的安排，她要你去見她。」

江曉峰沉吟了片刻，道：「老前輩覺著晚輩是否該去呢？」

王修道：「不是該不該去，而是一定要去。」

江曉峰道：「沿途上必然有天道教中的防守之人，在下地形不熟，只怕難免相遇，恐將被他們發現行蹤。」

王修道：「所以，你要沉得住氣，不要慌亂，用絹布掩去面目，別讓他們發覺你是誰。如是無法避開的際遇，要以迅雷不及掩耳的手法，搏殺敵人，免去痕跡。江少俠，這不但對你重要，而且對藍姑娘也很重要。」

江曉峰點點頭道：「我明白。」

王修伸手取出一條黑色的絹布，說道：「好！你去吧！」

江曉峰包起頭臉，緩緩說道：「咱們還要去對虎、猿下毒。」

王修道：「事有輕重緩急，這件事比下毒更重要，你不用分心。」

江曉峰穩穩背上的長劍，道：「晚輩去了。」

縱身躍下大樹，飛落懸崖，沿著那碎石小徑向前奔去。

他心中早已有了充份的準備，一路上鶴伏鹿行，全神貫注著四周的變化。

行約十餘丈，突聞道旁一聲沉喝道：「什麼人？」

江曉峰應道：「是我！藍總護法、藍姑娘過去好久了？」

道旁草叢中，閃出一個黑衣大漢，道：「才過去不久。」

似是突然間有了警覺，接道：「你口音不對啊！」

這時，江曉峰已然瞧出他停身之處，一躍而上，長劍疾如閃電一般，刺了出去，道：「不錯，我是要命來的。」

他出劍奇快，那大漢還未看清楚，長劍已經穿胸而過。

江曉峰心中很急，一抬腿，踢去那大漢的屍體，放腿向前奔去。

原來，他心中想到藍家鳳不惜用各種方法，甘冒奇險傳訊，似是含有求救之意，救人如救火，自是不能拖延。

一路行去，連遇到三次攔阻，但都被江曉峰施展快劍手法搏殺，未讓他們傳出警訊。

衝過了三道阻攔之後，夜色中，只見一座小庵，屹立群峰環繞之間。

江曉峰停下腳步，長長吁一口氣，小心翼翼地行了過去。

夜色中，小庵裏一片寧靜，聽不到一點聲息。

江曉峰傾耳聽了一陣，飛身躍上圍牆。

這座尼庵規模不大，前後只不過兩重院落，江曉峰躍上圍牆，一眼間可看得全庵景物。

只見第二重庭院中，一座廂房裏隱隱透出燈光。

江曉峰默記下庵中形勢和出入之路，一躍飛身而起，奔入後院，飄落在實地，走近窗口，凝目向裏望去。

只見一支紅燭，放在木案一角，緊傍木案是一座雲榻，藍家鳳一身青布衫褲，完全是一派村女的裝束。

但布衣荊釵，掩不住她天生麗質，只是翠眉愁鎖，臉兒憔悴，若有著重重心事。

兩個全身勁裝、身佩長劍的少女，並肩坐在一張木凳之上。

那兩個佩劍少女，都在十五、六歲左右，生得眉目清秀，但臉上神情卻是一片冷厲。

只聽藍家鳳輕輕歎息一聲，道：「教主如何吩咐你們？」

左首佩劍少女搖搖頭，道：「教主沒有吩咐我們什麼，要我們把姑娘送到此地就是。」

藍家鳳嗯了一聲，道：「你們已經把我送到……」

左首少女接道：「是啊！現在等教主一到，我們就可以走了。」

藍家鳳柳眉一揚，道：「教主要來？」

左首那少女展顏一笑，道：「不錯啊，教主要我們姊妹把你送在此處待命。」

藍家鳳長長吁一口氣，道：「你們兩人，想來是七燕姊妹中人了。」

左首少女點點頭，道：「我是七燕，她是六姐。」

藍家鳳道：「我知道教主培育了七燕姊妹，但卻沒有和你們見過。」

七燕笑道：「聽教主說，我們七燕姊妹本是要撥歸姑娘率領，現在好像教主又改變了主意。」

藍家鳳道：「教主常常改變主意，你們在他身旁聽差，要多多小心一些啊！」

那位六燕姑娘忍住不說話，但她最後仍是忍耐不住，說道：「不知姑娘犯了什麼大錯，教

主要懲罰於你？」

藍家鳳搖搖頭，道：「我沒有犯錯，只因爲我問了句話，問得不當。」

六燕回頭望了七燕一眼，道：「教主說他幾時到此？」

七燕道：「他要我們在此等候，沒有說明幾時到此地。」

六燕、七燕，都是沒有江湖經驗之人，江曉峰站在窗外甚久，兩人既未發覺，亦未想到出去查看一下。

但江曉峰卻把三人交談之言，聽得十分詳盡，心中暗作盤算道：「如若等那藍天義到此之後，再想救藍家鳳脫險，想非易事，趁他未到之前，設法制住二女，自是容易多了。」

心中念轉，計謀暗生，繞過屋前，故意放重腳步行去。

但聞六燕說道：「七妹，教主來了，你去瞧瞧。」

七燕應了一聲，正待舉步，江曉峰突然一個飛躍，衝入室中。

他臉上蒙著黑布，六燕、七燕一時之間，無法認出他的身分。

江曉峰逼近二女，道：「教主之命，要兩位……」

但聞二女同時嗯了一聲，雙雙跌倒地上。

原來，江曉峰在說話之時，卻右手疾伸，點了二女穴道。

藍家鳳霍然站起身子，道：「江曉峰。」

江曉峰心頭一震，暗道：「我臉上蒙著黑紗，她怎能一眼認出？」

口中卻應道：「正是在下。」伸手拉卜臉上的黑布，露出本來面目。

藍家鳳搖搖頭，道：「你怎麼這樣莽撞？」

江曉峰怔了一怔，道：「哪裏不對了？」

藍家鳳道：「你出手點了二女穴道，破壞了我一番心血佈置。唉！數日苦苦思索出辦法，想不到被你一下破壞了。」

江曉峰怔了一怔，道：「姑娘燃火傳警，幸爲王老前輩發覺，差遣在下前來，我點倒二女，相救姑娘，哪裏不對了？」

藍家鳳輕輕歎息一聲，道：「王修人稱神算子，看起來，他的演算法，也有差錯……」

站起身子，撿起了二女跌落在地上的長劍，接道：「咱們走吧！」

江曉峰道：「姑娘準備到哪裏去？」

藍家鳳道：「咱們去見神算子王修，唉！本來今夜之中，就可能結束這一場武林風波，被你這一破壞，不知又要拖延多久時間了。」

江曉峰道：「在下想不明白，做錯了什麼事？」

藍家鳳收好雙劍，伸手抱起六燕，道：「勞你駕將她抱起來，這地方不是談話之處。」

江曉峰望了七燕一眼，伸手抱了起來。

藍家鳳道：「咱們走吧！」舉步行出室外。

江曉峰心中疑問重重，但卻不便多問，緊隨在藍家鳳身後。

但見藍家鳳步履穩健，行走迅快，似是早已恢復功力，忍不住問道：「姑娘恢復了功力？」

藍家鳳道：「嗯！但藍天義並不知曉我功力已復。這段時刻中，我一直裝出功力未復的樣子，使他對我不存戒備之心。」

江曉峰嗯了一聲，接道：「原來如此。」

藍家鳳道：「你卻冒冒失失的破壞了我的計畫，唉！你現在明白了。」

江曉峰道：「我還是有些不明白。」

藍家鳳忽然展顏一笑，道：「其實這不能怪你，你是見我被困在那裏，愁眉苦臉，有如待宰的羔羊，心中自然是有些焦急了。」

江曉峰忽然感覺藍家鳳有了很大的改變，他無法說出這改變是好是壞，但他卻覺出藍家鳳似乎是成熟多了。

談話之間，兩人已行出尼庵。

藍家鳳突然停下腳步，道：「江兄，你來此之時，路上可曾遇到攔劫麼？」

江曉峰道：「遇上了三道攔劫，但那三人都被在下殺死了。」

藍家鳳道：「屍體呢？」

江曉峰道：「在下心惦姑娘安危，一路追來，未曾想到藏起屍體。」

藍家鳳四顧了一眼，道：「希望咱們能早走一步，只要不遇上藍天義，咱們就可以進入少林寺中去了。」

只聽一聲冷笑，傳入耳際，道：「遇上了在下也是一樣！」

笑聲就在兩人身前丈餘左右之處。

江曉峰右手一抬，拔出長劍，道：「什麼人？」

暗影中有人應道：「我！」

一條人影，由丈餘外一株大樹之後閃出，直向兩人行了過來。

藍家鳳道：「吳半風。」

來人正是奇書生吳半風。

只聽他一陣嘿嘿冷笑，道：「正是在下，藍姑娘竟然能記著在下，吳某很感意外。」

江曉峰放下懷中的七燕，欺上兩步，道：「閣下亮兵刃啊！」

吳半風停下腳步，冷然一笑，道：「這是天道教的區域，在下只要招呼一聲，立時會有很多人趕來助拳，何況，藍教主也離此不遠。」

江曉峰一皺眉道：「閣下如是英雄漢、大丈夫，那就不召援手，咱們一個對一個，一決生死。」

吳半風搖搖頭，道：「此時此情，恕在下不肯答允了。」

藍家鳳沉聲說道：「江兄閃開。」

江曉峰怔了一怔，向旁側閃去。

藍家鳳加快腳步，越過了江曉峰，長劍橫胸，緩緩說道：「吳半風，你要什麼？」

吳半風淡淡一笑，道：「姑娘不失是一位聰明人……」

目光一掠江曉峰，接道：「在下想要金頂丹書和天魔令……」

藍家鳳接道：「那金頂丹書、天魔令都在藍教主的手中，我哪裏會有？閣下提出這個條件，豈不是強人所難？」

吳半風冷然一笑，道：「如是沒有丹書、魔令，姑娘準備用何物替代？」

藍家鳳微一沉吟，道：「只要是我之所有，都可奉上。」

吳半風道：「好！姑娘願付代價，那就好談了……」

右手一揮，道：「江曉峰，你可以上路了，趁著藍教主還未趕到，閣下還有一分逃生的機會。」

江曉峰望了藍家鳳一眼，道：「姑娘……」

藍家鳳接道：「你抱起兩燕姊妹，先走一步。」

江曉峰道：「這人沒安好心。」

藍家鳳道：「江兄，聽我的話，你先走一步，我會趕上你。」

江曉峰不知藍家鳳用心何在，但又不便多問，只好一手挾起一人，大步向前行去。

片刻之後，身後響起了急快的步履之聲，江曉峰回目一顧，只見一條人影，快迅絕倫地直衝過來，不禁心頭大駭，但他雙臂各挾著一人，無法騰出手去迎敵，只好縱身避開。

但聞藍家鳳的聲音，傳入耳際，道：「快走。」

伸手從江曉峰手中搶過六燕嬌軀，放腿而奔。

江曉峰一提真氣，全力追趕。

兩人奔入少林僧侶防守之處，王修早已帶了二十餘位少林高僧在等候兩人。

藍家鳳停下腳步，說道：「王老前輩，天道教必然會聚集全力，取我之命……」

王修道：「這個，在下也曾想到，姑娘請入寺中，咱們共商退敵之策。」

藍家鳳道：「王老前輩是否想解少林寺的圍困？」

王修略一沉吟，道：「不錯，姑娘有何高見？」

藍家鳳道：「老前輩把我擒住，用作交換條件，可使藍天義撤去對少林寺的圍困。」

王修道：「這個，別說在下不肯，少林寺中的僧侶，也不會出此下策……」

語聲一頓，接道：「數日來幾番鏖戰，少林寺雖然有不少傷亡，但天道教也沒有討得好去。少林寺不愧是武林中的泰山北斗，寺中竟然找出了可以對付令尊的武功。」

藍家鳳啊了一聲，道：「有這等事？」

王修道：「天道教精銳盡出，而且又有訓練的虎、猿助戰，但他們數番攻打，並未能破去少林寺，少林寺人數眾多，冠於天下各大門戶，寺中規戒森嚴，上下齊心，令尊雖然聚集了天下大部份精華高手，也無法毀了少林寺……」

藍家鳳搖搖頭道：「王老前輩忽略了一件事。」

神算子王修怔了一怔，道：「什麼事？」

藍家鳳道：「天魔令，乃是集古今魔功大全的一本奇書，上面記述了很多使人無法預測的事……」

王修接道：「藍姑娘可否舉出一、兩件事，讓在下一開眼界。」

藍家鳳道：「就晚輩所知，有一種魔功、能使人完全陷入了瘋狂之境，不知死爲何物，搏鬥之間，能把人體全部的潛能發揮出來，但一戰之後，那人縱然不被打死，亦將戰至力盡而亡。不過，當他瘋狂之時，那種淩厲的攻勢，決非常人能夠阻擋。老前輩見多識廣，不知是否聽人說過這種魔功？」

王修怔了一怔，道：「在下聽人說過，世上有這麼一種奇怪的武功，但卻未見人用過，也未聽說在江湖出現過。」

藍家鳳接道：「不幸的是，藍天義確已習得這樣的魔功，因此少林寺找出了抗拒藍天義的

武功，並非可喜的事，若是激他施下毒手，少林寺可能要全毀在他的手中了。」

王修道：「聽姑娘之言，倒不是危言聳聽。」

藍家鳳道：「晚輩說的句句真實，但這中間有一點，還未說明。」

王修精神一振道：「姑娘快說，在下洗耳恭聽。」

藍家鳳道：「如非情況特殊，藍天義也不願用這等手段，因爲那是玉石俱焚的打法。少林僧侶固然難逃大劫，但天道教中精英，也難免葬送在這一戰之中。」

王修似是已爲藍家鳳言詞震住，沉吟了良久，道：「姑娘之意是說，除了把姑娘奉還令尊之外，別無他法了？」

藍家鳳笑道：「不錯，如若藍天義要把我追回，他將不惜用任何手段……」突然放低了聲音，接道：「再說晚輩被他要回之後，仍有自保之道。」

王修道：「只怕江少俠不會同意。」

藍家鳳道：「我去說服他。」轉身直對江曉峰行了過去，道：「江兄，我和王老前輩交談之言，你都聽到了。」

江曉峰道：「都聽到了，不過，在下一直想不通，姑娘既離虎口，爲什麼又要回去？」

藍家鳳嬌美無比的臉上，泛現出歡愉的笑意，低聲說道：「你一直這樣關心著我麼？」

江曉峰突覺臉上一熱，緩緩應道：「你自己覺不出麼？」

藍家鳳突然一整臉色，道：「江兄，你數番救我之命，其情可感，但目下江湖大難方殷，咱們不得不暫時收斂起兒女私情。」

江曉峰奇道：「在下想不明白，把你交回給藍天義，和武林大局，有什麼關係？」

藍家鳳道：「關係很大……」

放低了聲音，接道：「江郎，經過了這次的變化之後，我想得很多，這幾天來我自覺知道了很多事情，你不用爲我的安危擔憂。」

江曉峰目光轉動，只見王修早已帶著少林僧侶，在前面布成了防守之陣，顯是故意留給了兩人說幾句私話的機會，不禁膽氣一壯，低聲說道：「鳳妹，令尊手段惡毒，你回去，豈不是自投羅網麼？」

藍家鳳黯然一笑道：「你假冒高文超，混入天道教中，害得我誤認你真的被人殺死了，傷心欲絕，這件事，你都看到了眼中，我也不用再隱瞞了，至於藍天義，他不是我的父親，本來我就早有些懷疑，只是找不出證據，天下沒有不是的父母，如若他是我爹爹，就算倒行逆施，我做女兒的也不能背叛他。江郎，不用爲我的安危擔憂，我已有自保之法。」

只聽一聲斷喝，傳了過來，道：「什麼人？」

緊接著金風破空，一面飛鈸，盤轉飛出。

藍家鳳急急說道：「好好待六燕、七燕，我已解了她們身上的禁制。你只要解了她們的穴道，可以從她們口中問出一些內情。」

江曉峰只覺這數日之間，藍家鳳完全變了一個人似的，她成熟多了，也老練多了，短短數十天的工夫，對藍家鳳而言，似是過了十餘年。

心中念轉，雙目卻盯注在藍家鳳的臉上，呆呆地瞧看，半晌說不出一句話來。

藍家鳳似是已瞧出了江曉峰心中所思，微微一笑，道：「怎麼？是不是覺著我有些變了？」

江曉峰道：「是的，這幾日夜間，你好像經歷了很多事，似乎是老練了很多。」

藍家鳳道：「坎坷際遇，斷腸身世，使我學會了用心去想，我比人幸運些的是，我有一個聰慧絕世的母親，她早已替我安排了很多路，我不過照計行事罷了。」

語聲一頓，接道：「點我穴道，押著我到前面去瞧瞧。」

江曉峰右手揚起，但卻久久不能放下。

藍家鳳一皺眉頭，道：「快下手啊！不用憐惜我，需知你多一分憐惜，少加一分手勁，我就多了一分危險了！」

江曉峰聽得一呆，道：「為什麼？」

藍家鳳道：「因為多一分露出馬腳的機會。」

江曉峰低聲說道：「鳳妹，小心了。」

右手起落，連點了藍家鳳三處大穴。

藍家鳳不知是有心還是無意，藉故向前一擺嬌軀，偎入了江曉峰的懷中。

江曉峰伸手扶住了藍家鳳，道：「鳳妹，我出手重了麼？」

藍家鳳搖搖頭，道：「不重，扶我到前面去，不見藍天義，不要放我。」

江曉峰道：「如是他不管你呢？」

藍家鳳笑道：「裝出殺我的樣子，藍天義如若來找我，他就不會讓我死，殺放之間，你們可以和他談談條件了。」

江曉峰輕輕歎息一聲，道：「這個，我恐怕做不出來。」

藍家鳳道：「你一定要做出來……」

語聲一頓，正容接道：「江郎，答應我一件事。」

江曉峰道：「什麼事？只要我力所能及……」

藍家鳳接道：「不要太過逞強好勝，你還不是藍天義的敵手，何況他已有殺你之心。」

江曉峰沉聲說道：「我雖非他敵手，但還可以接他幾招，其他人，難擋他一招攻勢。」

藍家鳳道：「所以，你才要保重，你如不幸被害，武林中，很難再找出一個和他抗拒的人……」

放低了聲音，接道：「你要爲我保重。」

只聽一陣呼喝和兵刃交擊之聲，傳了過來，打斷了兩人未完之言。

抬頭看去，只見王修和群僧，守著崖壁，正和數十位天道教中高手，展開一場激烈絕倫地惡鬥。

藍家鳳道：「快些扶我上去，記著，你越是凶狠越好。」

江曉峰微微一頷首，推著藍家鳳行近崖邊。

只見奇書生吳半風，手中長劍，寒光閃動，一人獨鬥三個少林高僧。

數十個天道教中弟子，已然登上崖邊，各揮兵刃，猛力向上攻擊。

少林僧侶禪杖、戒刀，交織成一堵鐵牆，阻攔住天道教中衝擊之勢。

這是一場十分激烈的混戰，數十人浴血苦鬥的大場面。

天道教中人，已有十餘個橫屍濺血，倒臥當場，少林寺也死了兩個僧侶，四人受傷。

天道教中人，凶猛剽悍，不畏死亡，前仆後繼，不停地向前衝殺，但少林僧侶，亦是敵愾同仇，受傷者裹傷再戰。

江曉峰目睹這場凶殘之搏，亦不禁暗暗歎息一聲，氣聚丹田，舌綻春雷地大喝一聲：「住手！」

聲如雷震，少林僧侶和天道教中人，果然同時停下手來。

江曉峰道：「燃起火把。」

一個少林僧侶，應聲晃燃了一支火摺子，燃起一支火把。

江曉峰左手抓住藍家鳳的衣領，右手長劍架在藍家鳳的玉頸上，冷冷說道：「你們哪一個膽敢再向前衝上一步，我就要她立刻濺血劍下。」

吳半風舉手一揮，天道教中人，向後退了五步。

江曉峰心中暗道：「剛才鳳妹不知道和他談些什麼？」

口中卻問道：「閣下能夠作得主麼？」

吳半風望了藍家鳳一眼，道：「是小姐被擒，快去通知教主一聲。」

兩個年輕大漢欠身一應，轉身而去。

江曉峰望望地上的狼藉血汗，冷冷說道：「閣下既是作不了主，在下也不願多費口舌了。」

長劍一抬，撩起了藍家鳳頭下披垂的長髮，道：「貴教主很喜愛他這位獨生女吧！」

吳半風淡淡一笑，默不作聲。

但聞幾聲厲淒長嘯，傳了過來，一呼百諾，片刻間，滿山都是淒厲的嘯聲。

江曉峰想到這是天道教的傳訊之術，但他卻不知道是緊急呼救之訊。

片刻之後，瞥見一條人影，疾如流星閃電一般，急奔而來，帶著一股急風，飛落於崖壁之上。

火把下，看得清楚，來人正是天道教主藍天義。

藍天義本是滿臉怒意，滿含殺機，但一眼看到藍家鳳後，不禁為之一呆。

江曉峰輕輕咳了一聲，道：「藍教主，看見令嬡了麼？」

藍天義緩緩向前行了兩步，正待開口，江曉峰卻疾快地向後退了兩步，道：「站住！閣下如再向前行上一步，在下立刻取令嬡之命。」

藍天義兩道冷厲的目光，投注在藍家鳳臉上，冷冷說道：「你怎麼會被他擒住？」

藍家鳳黯然一歎道：「爹爹啊！女兒也想不出解說的理由，他武功太高強，一出手就把女兒給擒住了。」

她回答得很乾脆，也很意外，藍天義反而聽得怔了一怔，道：「他沒有傷著你麼？」

一面說話，一面目光轉動，在藍家鳳身上打量。

藍家鳳淡淡一笑道：「他沒有傷我，只是點了我兩處穴道而已。」

藍天義冷笑一聲，道：「你好像一點也不畏懼。」

藍家鳳道：「我很怕，但他要殺我，怕也是一樣要殺我，他如知道留我一條命，比殺我有用一些，我不怕他，他也一樣不會殺我。」

藍天義淡淡一笑，道：「孩子，你知道我定會救你，是麼？」

藍家鳳道：「爹爹不救我，豈不是損了你的威名？」

藍天義冷哼一聲，目光轉到江曉峰的臉上，道：「你留她不殺，定然是想和老夫談條件了。」

江曉峰道：「不錯，條件很簡單，閣下撤離少林寺，三個月內，不得再行侵犯。」

藍天義道：「三月之後呢？」

江曉峰道：「三月之後，你藍教主可以再帶人手，圍攻少林。」

藍天義道：「如果老夫不答允呢？」

江曉峰道：「立時殺死令嬡。」

藍天義道：「天下武林，都已知我藍天義不講信義，我如答應，你們是否會相信呢？」

神算子王修接道：「相信！你藍教主，是一教至尊，當著屬下之面，許下了承諾不算，日後縱然你能夠霸主武林，也將是一個永遠沒有洗除的污點。」

藍天義雙目中冷芒閃動，瞧了江曉峰一陣，道：「你如肯信任老夫，那就放了小女。」一上步，伸手向藍家鳳抓去。

江曉峰長劍一揮，橫斬一劍，人卻向後退了兩步，道：「慢著。」

藍天義道：「你想變卦？」

江曉峰道：「並非變卦。而是你藍教主還沒有答應。」

藍天義道，「好！本座答應你，交出藍家鳳以後，天道教中人立刻撤走，三個月內，決不再圍攻少林寺。」

江曉峰左手一鬆，疾退三步，道：「有勞教主解開令嬡的穴道。」

藍天義大行一步，左手抓住了藍家鳳，右手一揚，劈出一掌。

江曉峰感覺一股強猛的掌風，直逼過來，心中忽然一動，忖道：「他對我積怨甚深，這一掌定是他畢生功力所聚，不可硬擋。」

這念頭快如電光石火一般從胸中閃起，湧來暗勁，已然逼上身來。

江曉峰就地一滾，翻了兩個跟頭。

但覺暗勁潛力，排山倒海一般，衝撞過來，江曉峰竟然無法收住翻滾之勢，夜色中又如斷線風箏一般，滾出了十幾丈遠。

藍天義縱身而起，一把抱住了藍家鳳，道：「咱們走。」

帶著奇書生吳半風和天道教中人，轉身而去，滿地傷亡，竟然是棄置不理。

王修一直帶著群僧，布成了羅漢陣，準備迎擊藍天義的攻勢，直待藍天義帶人去遠，王修才輕輕歎息一聲，道：「煩請諸位大師，安置一下傷亡。」

這時，江曉峰已然左手支地，坐起了身子，口中喃喃道：「好厲害的掌力，我如硬擋這一掌，非死於掌下不可。」

王修奔到江曉峰的身前，伸手抓住了江曉峰的右手，道：「江少俠，傷著沒有？」

江曉峰站起身子，搖搖頭道：「傷是沒有傷著，不過，在下想不到那藍天義竟然有著如此強渾的掌力。」

王修關切地道：「你運氣試試看，內腑是否受到了傷害？」

江曉峰道：「除了翻滾之時，被兩塊山石撞了一下，肋間隱有疼痛之外，別無痛楚之感。」

輕輕歎息一聲，道：「說起來，實在是運氣好，如若晚輩稍存狂傲之心，接他一掌，勢非重傷在他的掌下不可。」

王修道：「這麼看起來，江湖上還有幾分可救的機運……」

仰臉望天，長長吁一口氣，接道：「無論如何奇妙的計算，都不能有絕對把握，常常因一次小變，使全盤計畫作廢。」

江曉峰道：「老前輩感慨很多？」

王修道：「咱們苦心設計，想用藥物，激起那些虎、猿的瘋狂，以延緩藍天義攻襲少林寺的時間。但藍家鳳的陡然出現，竟使局勢大為改觀。她不但有著秀麗絕倫的外貌，而且還具有著絕世的智慧。實在說起來，我對她也有些莫測高深的感覺了。」

江曉峰道：「依老前輩看，那藍天義是否會真的撤退呢？」

王修道：「如若藍家鳳沒有把握，她又為什麼甘冒大險呢？」

江曉峰道：「藍姑娘的安危呢？」

王修沉吟了一陣，道：「在下對相人之術，稍有涉獵。看那藍天義雖強自忍耐胸中的氣怒，但殺機深沉，不時流現於眼光之中，似是已對藍家鳳恨到極處……」

江曉峰吃了一驚，接道：「這麼說來，那藍姑娘的處境，是十分危險了？」

王修道：「但那藍家鳳的輕鬆，似是早已胸有成竹，藍天義滿懷殺機，不能發洩出來，必有原因。那原因，就控制在藍家鳳的手中，這是一個結，藍天義一天無法解開這一個結，藍家鳳就不會死。」

江曉峰啊了一聲，道：「如若那藍天義問出內情，藍家鳳必遭殺害了。」

王修笑道：「他們父女之間，正在鬥智。藍家鳳志在保命，必然會更為小心一些，也想得更周密一些。照在下的看法，藍家鳳縱然無法勝得藍天義，也必可脫出藍天義的掌握。」

江曉峰道：「但願老前輩推斷得不錯。」

王修四顧了一眼，道：「咱們回去吧！」

江曉峰望著藍家鳳消失的方向，黯然一歎，才緩緩轉身向寺中行去。

王修招呼了少林群僧一聲，道：「江少俠，咱們可以走了。」

江曉峰怔了一怔，道：「走哪裏？」

王修低聲說道：「武當山，咱們在少林寺再住二天，等你學會了那一套大悲杖法，咱們就帶著青萍子一起去。」

江曉峰道：「那套大悲杖法，晚輩好像是已經有些印象了。」

王修呆了一呆，道：「你已經會了？」

江曉峰搖搖頭，道：「不是會，只是隱隱約約的記得。」

王修道：「全套的杖法？」

江曉鋒點點頭道：「我只是隱隱約約的記得，自然中間有很多變化，還未能完全了然。」

兩人並肩而行，進了少林寺中。

王修沉吟良久，才緩緩說道：「這麼看起來，咱們只要再有二天的時間，你就可以把那套大悲杖法完全學會了。」

江曉峰道：「如若那宏光大師，仍然講解得十分細心，在下相信，兩天之內，縱然不能完全學會，但也差不多了。」

王修道：「如若兩天之內，藍天義還不肯攻打少林寺，大概就會遵守三個月的信諾了，咱們現在決定第三天午時動身如何？」

江曉峰點點頭，道：「好！就此一言為定。」

王修道：「你回到藏經閣，希望拋棄一切雜念，全心全意的學那套大悲杖法，其他的事，都由我來安排。第三天中午時分，我在外面等你。」

江曉峰道：「老前輩有一事奉懇。」

王修笑道：「可是關於那藍家鳳的事？」

江曉峰臉上一熱，道：「不錯，希望老前望打聽一下藍家鳳的安危。」

王修道：「好！我盡力而爲，你安心去學那大悲杖法吧。」

兩人停下說話，加快腳步，行到藏經閣。

四個中年僧侶，並肩橫立，攔住了兩人去路。

少林寺中，似是都已對王修十分熟識，齊齊合掌一禮，道：「王施主。」

王修還了一禮，道：「掌門方丈在麼？」

語聲甫落，閣門大開，宏光大師出現在門口，道：「兩位請進吧！」

四僧閃開去路，讓王修和江曉峰步入閣中。

王修目光轉動，天音、天禪，手中各執著一柄戒刀，但卻做杖法練習，全神貫注，竟不知有人進入閣中。

當下一抱拳，道：「在下已使藍天義暫時退去，大師可安心傳授他們杖法。如有事故，在下自然會通知大師的。」言罷，抱拳一禮，退出了藏經閣。

宏光大師也不挽留，掩上閣門，低聲對江曉峰道：「江少俠還記得幾招？」

江曉峰道：「記得不夠詳盡……」

宏光大師接道：「這本來是一門極爲繁重的武功，你能記住一、二招，那已算才氣過人了。」

江曉峰微微一笑，也不辯駁。

宏光大師立時開始傳授。

卅五　雙探古洞

兩日時間，匆匆而過。

江曉峰第一天，已把全套杖法學會，但他不願太露鋒芒，仍然跟著練習。

第三天午時，王修依約而至。

宏光大師早已得王修說明，也未挽留江曉峰，合掌送出藏經閣，就未再送。

原來，天禪和天音大師，練習那大悲杖法，正值緊要關頭，不能有所失誤。

江曉峰急行兩步，道：「老前輩……」

王修接道：「咱們走吧……」放步向外行去。

一面低聲說道：「藍天義全軍撤走，藍家鳳受著極爲嚴密的保護，大約是那位藍姑娘的手法，迫得藍天義非要撤走不可。」

江曉峰道：「老前輩說得如此武斷，定然是推算有據，但不知那位藍姑娘用的什麼手法？」

王修搖搖頭，道：「這個，在下不知道。不過，那定然是一樁十分重大的事了。」

江曉峰不再多言，但神情之間，卻仍有著很深的憂慮之色。

談話之間，人已行出少林寺。

只見一個身著黑衣的中年人，站在寺外，正自凝目沉思。

王修道：「江少俠能認出他是誰麼？」

江曉峰仔細看去，只覺那人有些面善，但一時想不起來，直待瞧到他左手斷指，心中才恍然大悟，道：「青萍子。」

王修道：「正是青萍道長，在下勸他改裝易容，以掩耳目。強大敵勢，滿佈江湖，咱們不得不小心一些。何況，穿著道袍，在江湖上行走，確亦有著很多不便之處。」

青萍子回目一顧兩人，道：「王兄說服了兄弟換著俗裝，但貧道已立下誓願，如若不能光復武當門戶，我這一生就不再重穿道裝。」

江曉峰道：「道長有此心願，在下極感佩服。在下願盡我之力，助道長一臂之力。」

青萍子道：「武當門戶光復，借重大力之處正多，貧道這裏先行謝過了。」言罷，合掌一禮。

王修微微一笑，道：「道兄，有道是裝龍像龍，裝虎像虎，道兄既然改了俗裝，這口氣之間，就不能再自稱貧道了。」

青萍子道：「王兄說的是……貧道……」

急急改口接道：「在下以後記著就是。」

王修道：「咱們該動身了，前面也許還有人在等咱們。」當先向前行去。

江曉峰、青萍子等魚貫追在身後，行約數里，到了一株大松樹下。

王修停下腳步，回顧一眼，道：「兩位來了麼？」

但聞樹上枝葉密茂之處，有人應道：「我們來了很久啦。」

只見人影閃動，兩個身著青布衣褲的少女，由樹上躍落實地。

江曉峰抬頭看去，只見兩個少女青布包頭，身佩寶劍，正是六燕、七燕，不禁一怔道：「是兩位姑娘……」

他叫出了兩位姑娘，卻又想不出下面該說些什麼，一時接不上話。

王修微微一笑，接道：「藍姑娘解了兩位姑娘身上的禁制，使她們神智盡復，已經有了辨別是非之能。而且藍姑娘早已在六燕姑娘身上留書，勸她們改邪歸正。兩位燕姑娘，閱讀過留書之後，回想過去一切，有如經歷了一場惡夢，因此，決心和我等合作。不過，兩位姑娘有一條件。」

江曉峰道：「什麼條件？」

王修道：「兩位燕姑娘懷念故舊，想到了另外五位姊姊們身受之苦，要我們幫她們救助五位姊姊脫險。」

江曉峰道：「那是當然，咱們是義不容辭。」

六燕、七燕，齊齊欠身作禮道：「多謝江少俠。」

江曉峰急急還禮，道：「兩位姑娘不用多禮，在下當全力以赴。不過，兩位叛離天道教後，只怕藍天義已生警惕之心，你們那五位姊姊，不知可會受到傷害？」

六燕道：「所以，我們兩人要改扮形貌，只要能不讓藍天義知曉我們姊妹生死，不讓大道教中人知道我們的身分，那就可以了。」

江曉峰道：「對！兩位姑娘若改扮一下，那就天衣無縫了。」

王修道：「我已為兩位帶來衣服，兩位挽起頭髮，改扮成兩個男童，說話時小心一些，那就可保天衣無縫了。」說完，取出衣服，交與二女。

二女接過衣服，轉身行入道旁草叢之中。

江曉峰道：「王老前輩早已準備好了。」

王修笑道：「我說服了她們之後，就給了她們一些盤纏，要她們二位在此會晤，來不來任由她們作主，如是她們不來，咱們就不等她們了。」

江曉峰道：「她們應該回家躲起來，以少女之身，混在江湖中，總是不好。」

王修道：「她們都是藍天義偷竊而來，根本不知自己的身世及父母何人。」

江曉峰道：「藍天義連不解人事的幼童，也不肯放過，當真是罪大惡極了。」

王修道：「唉！十幾年前，他已經有了準備，不擇手段的找了一些資質很好的嬰兒，把他們收集在一起，十二劍童、十二飛龍童子，再加七燕姊妹，都是這樣偷盜而來的才慧嬰兒。」

江曉峰道：「藍天義偷了人家的兒女，不知他如何對付那些嬰兒的父母？」

王修道：「這個，在下也無法斷言，不過，那些身受失子之痛的父母，所受的折磨痛苦，實非常人所能承受的了。」

這時，六燕、七燕，已然換過衣服，由草叢中行了出來。

王修不顧觸及二女的傷疼，急急說道：「咱們要上路了。」

幾人立刻就道，向武當山上趕去。

兩位燕姑娘，年紀雖不大，但她們的武功，根基十分扎實，腳程上並不輸於王修和青萍道長。

五個人不分日夜，兼程趕路，除了進食、飲水之外，大都用來打坐調息，恢復體能。兩位燕姑娘，神智清明之後，也恢復了女人特有的文靜，一路上甚少說話。

一路無阻，這日，天色到黃昏時分，已到了武當山下。

王修抬頭瞧了那半沒在晚霞雲氣中的山峰，道：「青萍兄，貴派歸入天道教後，三元觀中是否還留的有道侶？」

青萍子道：「當時，我們談好了歸入天道教的條件是，武當山仍歸我武當派所有，留下了部分弟子守護，天道教中人不能侵犯，但那藍天義是否會遵守約言，那就很難說了。」

王修道：「青萍兄是否要先行到三元觀中瞧瞧情形呢？」

青萍子沉吟了一陣，道：「王兄對此，有何高見呢。」

王修道：「以在下之見，咱們的行蹤，愈是穩密愈好……」

語聲一頓，接道：「在下想到，貴派留在山中的弟子，必然是貴派中極爲傑出的人才，但藍天義的手段，非同小可，叫人防不勝防，因此，三元觀中，也許早已有了他的耳目，我們陡然在武當山三元觀中出現一事，十分重大，如若那三元觀中，潛有著藍天義的耳目，必然會以最快的方法，報於藍天義知道。」

青萍子沉吟了片刻，道：「王兄顧慮甚是，在下雖有回觀一看的用心，那也只好暫時按下了。」

王修道：「青萍兄能顧及大局，那是最好。去那密洞之路，不知是否要經過三元觀才能到達？」

青萍子搖搖頭，道：「那密洞之事，本派中極少人知曉，而且僻處後山，但如不經三元觀，那就要爬過一段險坡和一道深谷。」

王修道：「青萍兄路徑熟悉，想想看，那段險坡，人是否能夠越度？」

青萍子道：「就在下的武功而言，必需要借重外物，始能越度。」

王修道：「那就成了。趁天色還未全黑，咱們借月光越度深谷和峭壁。」

青萍子道：「在下帶路。」

他自幼生長在三元觀，山前山後的形勢，知悉甚詳，帶著幾人繞過到後山。這是一段很艱苦的行程，越山登嶺，足足走了一個多時辰，才到後山。

這時，天色已近二更，半輪明月，已然高高升起。

青萍子指著前面一座高峰，道：「要越過那座山峰，但峰前百丈左右處，有一道深谷，要先越過這深谷，才能到達峰前。」

王修道：「咱們就在此地休息一下，然後設法越度深谷。」

五人盤膝坐息約一個更次，恢復了大部分體能，起身行近谷邊。

低頭看去，但見谷中一片陰暗，月光下雲氣沉沉，瞧不出谷中形勢。

青萍子道：「谷間石壁光滑，手足難留，必須要藉繩索之物。」

王修道：「在下早已想到，兩位燕姑娘的衣服，撕成布條，可以結成一條長索。」

青萍子道：「好！在下先下。」

王修結成布索，青萍子先行下入谷中，緊接著二燕姊妹、江曉峰等相繼而下。

越過深谷，攀過絕峰，饒是幾人都有著深厚的功力，也都累得不住喘氣。

這座山峰，高插雲霄，爲環繞三元觀附近最高的一座山峰。登峰下望，隱隱可見三元觀中的燈火。

青萍子望著峰下的三元觀，默然良久，唏噓一歎，道：「那密洞就在這山峰之後，不過，貧道從未從後山走過，夜暗之間，找起來，只怕不太容易。」

王修道：「咱們在峰下休息一陣，天亮之後，再找不遲。」

青萍子說道：「觀中燈火依舊，似是沒有多大的改變。」

江曉峰低聲說道：「咱們去找密洞，了然內情之後，在下願奉陪道長到三元觀中一行。」

青萍子道：「唉！這要聽王兄的意見了，回觀一行，如果有害大局，那也不必了。」

王修道：「到時間，在下想個法子，使二位進入三元觀中一行，亦可不露馬腳。」

江曉峰、青萍子，都知曉他的能耐，出口之言，必然胸有成竹。

青萍子回顧了王修和江曉峰一眼，道：「多謝兩位了。」

江曉峰取出身上藏圖，道：「原物還故主，這幅圖也許對你記憶上有些幫助。」

青萍子接過絹圖，瞧了一陣，道：「我在前面帶路。」大步向前行去。

江曉峰回顧了王修一眼，緊追在青萍子身後而行，王修帶著二燕走在後面，一面行路，一面低聲說道：「兩位姑娘可要休息一下？」

六燕搖頭道：「我們並不覺得很累。」

王修心中暗道：「這一路日夜兼程，越谷登峰，縱然是武功很高的人，也難免有困乏之感，這兩位丫頭，竟是全無倦意，藍天義訓練這一批童男童女，倒是費了一番心血。」

只聽七燕低聲說道：「六姊，咱們想的事情，是不是要告訴王老前輩？」

六燕道：「不用太急嘛，咱們想得並不具體，只不過是想到而已。等王老前輩有空時，再告訴他也不遲。」

王修道：「山高路險，月色朦朧，兩位要小心一些了。」

這時，青萍子卻突然停下了腳步，流目四顧。

顯然，他正在用心分辨方位。

良久之後，忽聽青萍子自言自語地說道：「應該是這裏啊！」

王修低聲道：「青萍兄，可是山形有了改變？」

青萍子搖搖頭，道：「那地方本來難找，這條路，我又從未走過。諸位在此稍候，讓貧道先四下勘查一下。」

江曉峰道：「在下奉陪。」

青萍子微微一笑，道：「江少俠最好保留一份體能，說不定咱們要遇到麻煩。」

江曉峰啊一聲，不再多言。

青萍子飛身而出，奔向東北。

王修低聲說道：「青萍子可能有了什麼警覺，咱們先躲起來。」

四人就原地隱起身子。

幾人等了一刻工夫，青萍子手持長劍而回。

王修由一塊大石後，閃身而出，道：「道兄，遇上了麻煩麼？」

青萍子道：「遇上了兩個巡山弟子。」

王修道：「是不是武當門下的人？」

青萍子道：「不錯，是武當門下弟子。」

王修道：「道長放走了他們。」

青萍子搖搖頭，道：「沒有，爲了大局，貧道殺了他們。」

王修道：「過去貴觀中是否常有巡邏之人來此？」

青萍子道：「很少有人來此。」

語聲一頓，接道：「我已找出那地方了，咱們快些去。」

話落口，人已轉身向前奔去。

王修、江曉峰魚貫相隨，越過一條小溪，穿過一道狹谷，到了一座怪石嶙峋的山壁之下。

青萍子輕輕咳了一聲，道：「到了。」

江曉峰四顧了一眼，只見怪石突起，有如條條石柱，分佈四圍，瞧不出一點可疑之處。

青萍子道：「走！咱們先到那洞中瞧瞧，希望它沒有變化才好。」

帶幾人穿過嶙峋怪石，又攀登十餘丈峭壁，才到了一座僅可容一人爬行而入的洞口前面。

青萍子四下一顧，道：「就是這裏。」屈了雙膝，當先爬行而入。

江曉峰皺皺眉道，暗道：「這是什麼地方？……」

心中念頭轉動時，六燕、七燕已然緊隨在青萍子身後，爬行入洞。

王修微微一笑，緊隨二女入洞。

江曉峰也只好屈下雙膝，爬入洞中。

洞中本已黑暗，夜晚間，更是伸手不見五指。

但江曉峰的感覺之中，覺出這深入山腹的石洞，愈來愈是高大。

果然，耳際間響起了青萍子的聲音，道：「諸位可以站起來了。」

但見火光一閃，王修晃燃了一個火摺子。

火光下，洞中情形，清晰可見。幾人停身之處，已然高可逾丈。

但奇怪的是，這座山洞，已到了盡處，除了入口之處外，三面都是石壁。

青萍子行到一處壁角，用手一推道：「在下留此，替諸位守衛，諸位可以進去了。」

江曉峰抬頭看去，只見青萍子手推之處，開了一扇門戶。

敢情這石洞之中，還有暗門。

江曉峰道：「道長爲什麼不進去呢？」

青萍子道：「因爲，這座石門之上，留有我們上三代掌門人的旨諭，凡我武當門下弟子，都不得入內。」

江曉峰行近石門望去，果見石面上刻著：武當弟子，不得擅入，下面的署名，已然破損，江曉峰只能瞧到「上人」兩個字，然而瞧不出上面寫的什麼。

只聽王修說道：「青萍兄，這留字，只限制武當門下弟子，在下有些不明白了。」

青萍子道：「因爲其他之人，很難到此，咱們爬越的後山，在過去本門曾派有十二個弟子守護。當我們決定投入天道教時，才把那一道關卡撤去，否則，咱們也不能輕易到此了。」

王修道：「這後山一道關卡，專是爲了防守這座秘洞麼？」

青萍子搖搖頭，道：「就我所知，這座密洞，本門之中，除我之外，還無別人知道，年後山上設下防守，是防止宵小進入武當山禁區之用。」

王修略一沉吟，道：「江少俠，請在此稍候，在下先進去瞧瞧。」

這時，王修手中的火摺子，一閃而熄，洞中，又恢復了黑暗。

但聽得青萍子的聲音，傳入了耳際，道：「王兄，這洞中可能有著潛伏的凶險。」

王修道：「我知道，所以，我要一個人先進去瞧瞧。武當派崛起江湖，風頭極健，一度有壓倒少林派的聲勢。後來，雖然稍有不振，但和少林一直並稱。百年來，江湖上的正義，均賴貴派和少林派在維持。前兩代貴派中人，突然間又出了兩位傑出的掌門人，又使武當聲勢一振，那人似乎叫指塵上人。」

青萍子道：「不錯，王兄對我們武當派的事，倒是清楚得很。」

王修笑道：「兄弟這神算子的稱呼，也不能讓人白叫啊！江湖上各大門派中事，我王某雖然不敢說全部知道，但大部份我都知道一些。」

語聲一頓，接道：「貴派指塵上人，才絕一代，奇怪的是，他在江湖上出現不足二十年，忽然失蹤不見，很久之後，才傳出他物化的消息。適才兄弟看到這石門上的留名，大約是指塵上人了。」

青萍子道：「不錯，本門中對他老人家，極爲尊重，所以，對他的留諭，不敢稍有違犯。」

王修輕輕咳了一聲道：「這就是啦，在下進了此門，快則半個時辰，至遲兩個時辰，必有消息傳出來。如是我在兩個時辰之後，不見復出，諸位最好也不用再行涉險進去查看了。」

江曉峰道：「慢著。在下和老前輩一起進去，萬一遇上了什麼危險，也好有個照應。」

青萍子道：「石洞有凶險，雖是在下的猜測之詞，但並非全無可能。王兄一人進洞，萬一遇上變故，確然應付不易，有江少俠同行，合力拒敵，自然好多了。」

王修道：「好！江少俠請走在後面，在下開路。」側身行入洞中。

江曉峰緊隨王修身後而入。

行不過三尺，就嗅到一股古怪的氣味。

江曉峰道：「老前輩，這是什麼氣味？」

王修道：「這座山洞不通風，似乎是一股腐黴的味道。」

語聲一頓，道：「我身上還有三枚火摺子，估算一枚燃燒的時間，大約一盞茶時光，咱們要省一點用。」

江曉峰凝目望去，只見一片幽暗，目光所見，不過三尺左右。

但聞王修接道：「江少俠，這座石洞之中，如若有什麼隱密，也和那指塵上人有關……」

江曉峰道：「老前輩何以會有此感覺呢？」

王修道：「那指塵上人是一位了不起的人物，他突然失蹤，幾年後才傳出他物化的消息，但江湖上從未發現過他有什麼遺物，在下為此花了很多工夫，一直未找出一點蛛絲馬跡。剛才由青萍子口中證實，那是指塵上人的遺筆，因此，在下想到，這密洞定然和指塵上人有關。」

江曉峰道：「原來如此。」

王修道：「如若我的推斷不錯，咱們此番必然有很豐富的收獲。」

一面說話，一面又向前行去。

又探入兩丈左右，到了一處岔道所在，但聞輕微的叮叮之聲，傳入耳際。

王修傾耳聽了一陣，道：「這似是水聲。」

伸手燃晃了一個火摺子。

凝目看去，只見面前兩條岔道，一條轉向右側，一條轉向左側。

叮叮水聲，從右面岔道之中傳來。

王修回顧了江曉峰一眼，道：「江少俠，咱們先到左面瞧瞧。」

突然以極快的速度，向前行去。

他手中高舉著火摺子，景物清晰可見，是以奔行極快。

左面岔道，深約四丈，已到盡處，但見石壁攔阻，已無去路。

王修一手舉著火摺子，一手在石壁之上敲打，直待一個火摺子燒完，仍未聽出有什麼可疑之處。

不禁輕聲一歎，道：「到右面看看去。這位老前輩，果然是一位高手。」轉身向來路奔去。

兩人轉入右邊岔道，兩丈之後，突感腳上一涼，敢情石道之中，竟有積水，但仍舉步向前行去。

但覺水勢愈來愈深，過膝及腹，不大工夫，水已及胸。

抬頭看去，只見停身處的石道，寬約三尺，愈往裏面，石道愈寬，目力所及處，石道已寬過丈五，水波蕩漾，水色碧綠，似是越往裏面走，水勢愈深。這時，那叮叮之聲，更加清晰，似乎是山腹中有一道細小的山泉，但因年月過久，積成了這一道深水。

王修打量過水道形勢，說道：「這水道有一處排出的地方，所以，雖然年代久遠，它直保持著一定的水量。」
江曉峰道：「造物神奇，不可思議。如是這重山堅壁之中，沒有一種排水所在，這座石洞，早已到處積水，青萍子也不會帶咱們來此了。」
王修道：「江少俠，認為這石道中積水，完全是天然形成的麼？」
江曉峰道：「難道會有人在山腹之中，鑿出一條水道來，把水引入石道中積存起來？」
王修道：「不錯，只是他選擇了一個天然地形。如若這石道中的積水，出於天然景象，那麼該有千萬年了，縱有小泉，亦已被水衝破，豈會是此刻這等形勢。」
江曉峰道：「照老前輩說法，是有人故意引水至此了，那麼他的用心何在呢？」
王修道：「阻止人進去，見此積水，大部份人，都會望而止步，退出石洞了。」
江曉峰道：「他阻止旁人進去，是有原因了。」
王修道：「我們先確定這石道中的積水，是人工引來，再推想他的用心，是阻止旁人進入，就可得出一個結論：這石道盡處，定然藏著一樁隱密，不欲旁人瞧到、取得。」
江曉峰點點頭，道：「老前輩推斷有理。」
王修道：「目下，只有一個困難了，這石道中水有多深？此刻水已過胸，如若咱們再向裏面走，水勢可能更深。那安排這積水的人，真如存心斷絕別人進入，他盡可毀去水道後面存放的隱密，但他不作此想，卻又費盡心機，佈置了這樣一座水道來阻人進入，算起他的用心，並非是絕對不准人發覺那樁隱密。」
江曉峰道：「老前輩言外之意，那是說咱們再往前走，也不會遇上危險。」
王修道：「他希望晚一代武林人物中，能有人了解他的用心，但能夠了解的人，卻不一定

是精通水性的人啊！這一點，他應該想到才是。」

他手中高舉著火摺子，清晰可見他臉上一片虔誠的表情，幾句話似祈禱，又似自慰。

江曉峰輕咳了一聲，道：「老前輩精通水性麼？」

王修搖搖頭，道：「完全不會，江少俠又如何？」

江曉峰道：「晚輩也不會游泳，不過這石道中水勢不大，咱們就算不會游泳，也不致於會被淹死此中。」

王修沉吟了一陣，道：「如若這是他有意的佈置，只怕不會如此簡單。」

這時，手中的火摺子已燃完，火光一閃而熄。就在那火光熄去剎那間，江曉峰隱隱瞧出，王修的雙目中閃起一道神采，似乎是他突然之間悟出了什麼。

但聞王修的聲音傳入耳際，道：「江少俠，你站著別動。」

江曉峰運足目力望去，只見王修身子停在原地，但卻不停地搖動。

這洞中雖然黑暗，但江曉峰目力過人，兩人相距又近，江曉峰全神貫注，仍然可見那王修的舉動。

初見王修的舉動，心中甚覺奇怪，但江曉峰究竟是聰明之人，略一沉思，已想出原因。

王修是一腳著地，一腳在四下探索。

只見王修身子向前移動了一步，水又深了一些，積水已然過胸及肩。

片刻之後，王修又向前行了一步。

水勢已然深及脖子，王修如若再往前走，必將被水淹沒。

江曉峰心中大急，說道：「老前輩小心一些，不要涉險。」

但王修卻似是充滿了信心，不理會江曉峰的勸告，仍然向前探索。

只見積水已及唇間，王修爲了避開水勢，不得不仰起頭來。

突然王修發出喜悅的聲音，道：「這就對了，這就對了！」

身子陡然間高出許多，積水也忽然間落及胸下。

江曉峰道：「老前輩找到了什麼？」

王修道：「接腳的石墩！這就證明了我的想法，這水道之中，除了積水之外，還有著別的佈置，就算精通水性的人，如若他的智慧不夠，冒冒失失的闖過去，亦必爲水中的機關佈置所傷。」

語聲突轉嚴肅，接道：「江少俠，你能看清楚我停身的位置麼？」

江曉峰道：「看得清楚。」

王修道：「那很好，記著我落腳的位置。這石墩足足有半尺見方，應該是不難找到。」話聲甫落，身子陡然由水中飛起。

江曉峰看他躍飛的方向，並非是奔向正前方，而是斜向右面飛去。他心中已默記了停身的方位，生恐忘去，立時雙足用力，飛身而起，落在王修適才停身之處，果然，落足處有一塊半尺見方的石墩。

轉眼看去，只見王修停在石墩前面五尺左右之處，那距離早已超過一個人跨步而行的能耐，奇怪的是，那王修怎能掌握得如此準確，一躍之間，正好落在那落足石墩之處。

正待發問，王修已搶先說道：「這段距離稍遠，江少俠看得清楚麼？」

江曉峰道：「處久了黑暗，眼力似是已能適應，晚輩可以分辨出老前輩的停身所在。」

王修道：「那很好，你記清楚我的位置，不能有一點差錯，我已證實很多推想，如是失足出錯，很可能觸發這水底的機關。」

江曉峰奇道：「老前輩可知這水底之中，有著什麼樣之機關佈置？」

王修搖搖頭，道：「這我不知道，但我可以斷言，水底之中一定有，而且那機關十分惡毒，人如觸及，十九必死。」

江曉峰啊了一聲，未再多問，暗中提氣準備，心中暗算那王修停身的位置，只待王修飛身躍起時，自己立時跟著落下。

哪知王修竟然站在原地，良久之後，仍然不動。

江曉峰忍了又忍，最後仍是忍不住地叫道：「老前輩……」

王修如夢初醒般地啊了一聲，接道：「我想到了很多事，也許我們會在這水道之內，找出和藍天義有關的隱密。」

江曉峰愈聽愈奇，心中更是不解，正待再問，王修已接口說道：「這只是我的想法，目前還沒有法子證實。此時，咱們正處於危險之境，必得集中心神，才可越度險境。」話落口，人已飛身而起，斜向前面飛出。

江曉峰只好集中心神，飛身而起，落向王修方位。

在王修引導之下，兩人連越過十二個石墩，已到水道盡處。

王修晃燃了最後一個火摺子，幽暗的石洞，頓然大亮。

凝目望去，只見水緣之上，一座平整的石台，端坐一個身著道袍的黑髯道人。

那道人身前，有一座石案，兩側各有著一座石鼎。

死去。

江曉峰驟見有人盤坐，不禁一怔，失聲道：「原來這裏有人？」

王修縱身而起，躍落在石台之上，凝目望去，只見那道人面目枯乾，只見人形，顯然早已死去。

當下應道：「只是一具枯屍。」

江曉峰隨後躍落石台，兩人身上衣服都已濕透，水珠點點，滴落在石台之上。

王修舉起火摺子，迅快地打量了一下四面的形勢，默記心中，才轉向石鼎之中望去。

江曉峰行到那具枯屍前面，仔細端詳了一陣，道：「他似是死了很久，何以肉屍竟然不化，而且看上去也未腐爛。」

王修接道：「道理在這石鼎中了。他在坐化之前，在這石鼎之內，燃起了一些逐蟲保屍的藥物，放入泉水，使猛獸、穿山甲等不能進入這石道之內。那藥物慢慢地燃燒，屍體慢慢地乾枯，他早已算好了藥物的份量，這藥物燒完，他的屍體，也正好枯乾硬化。」

江曉峰道：「老前輩的見識，確是叫人欽敬。」

王修道：「這最後的一枚火摺子，還可燃燒片刻時光，咱們要在這極短的時間內，找出這石台的隱密。」

這突出的石岩，長不過八尺，寬不足一丈，四面都是石壁，除了那具枯屍之外，只有一張石板做成的供台，和兩座石鼎，除此之外，再無其他之物了，景物簡單，一目了然。

但兩人仍然仔細地瞧了一遍。

剛剛看完石台上的景物，火摺子也同時燃完熄去。

石洞中，又恢復了黑暗。

江曉峰輕輕咳了一聲，道：「老前輩，在下未發現什麼可疑事物。」

王修似正在運用思考，並未接言。

江曉峰不聞王修回答，接口說道：「老前輩，也許那石壁間有什麼機關，像咱們進入這石洞的暗門一樣，不妨在石壁上找找看。」

王修恍如未聞，又未接口。

但聞王修自言自語地說道：「他要留下自己完整的軀體，難道那些隱密，和他的屍體有關不成？」

江曉峰心中一動，暗道：「原來他正在用心思索，難怪不理我的問話。」

只見王修伸手在兩座石鼎中摸索了一陣，又在石板上下找了半天，道：「定然和他屍體有關了。」

江曉峰聽得大不明白，道：「老前輩，你說什麼和這具屍體有關？」

王修道：「這石洞中的隱密，他用心保留下自己的屍體，自然是有用的了。」

江曉峰道：「這具屍體是什麼人？」

王修道：「武林中一代奇傑，指塵上人。」

江曉峰道：「老前輩之意，可是說，指塵上人的屍體，和這石洞中的隱密有關？」

王修道：「不錯。若非如此，他也不會費盡心機，留下他的屍體了。」

江曉峰忽然想到君不語要刺字在股，要他尋找屍體的事，急急說道：「對了，也許是他在身上刺的有字……」

輕輕咳了一聲，道：「老前輩，可惜咱們沒有了火摺子，這等黑暗之境，縱然是目力最好

的人，也無法瞧得出屍體身上的字跡。」

王修道：「不錯，在下亦正在思索，應該如何處置此事。」

江曉峰道：「照晚輩的看法，只有一個法子，那就是設法把他的屍體運出洞去。」

王修搖搖頭，道：「如若事情這樣簡單，在下也不用想了！」

江曉峰道：「除此之外，只怕很難想出第二個辦法了。」

王修道：「這屍體是死的，不會走動，但咱們是活的啊！」

江曉峰道：「晚輩明白了，咱們可以出去，找些燃火之物？」

王修道：「對了，我去去就來，你就守在此地。」

江曉峰道：「老前輩，你去了之後，萬一這洞中發生了變化，晚輩要如何應付？」

王修聰慧絕倫，也聽得爲之一怔，道：「什麼變化呢？洞口有青萍子和雙燕姊妹的守護，這水道之中，又有八卦、九宮的佈置，別的人不能夠越度，這裏面會有什麼變化？」

江曉峰笑道：「幾年來，晚輩所聞所見，無一不是意外之變，因此，晚輩不得不作最壞的打算。」

王修略一沉吟，說道：「好吧！我去之後，萬一有什麼變化，你就全力保護指塵上人的屍體，不讓他受到傷害。」

江曉峰道：「有老前輩這一句話，晚輩就有所遵循了，但不知老前輩此去要多少時間？」

王修道：「算來頓飯工夫足矣，最長不超過一個時辰。」

江曉峰道：「如是超過一個時辰呢？」

王修道：「如是超過一個時辰，你就設法帶著這具屍體離開。」

江曉峰微微一笑，道：「晚輩等候兩個時辰，如果老前輩兩個時辰還不回來，晚輩就帶這位老前輩的屍體離開。」

只見王修縱身而起，躍入水中，回頭說道：「你愈來愈像領袖武林的人物了。」

江曉峰突然想起，已然忘去了水中石柱的方位，再想發問時，那王修早已走得不知去向了。

幽暗的石洞，只有那如鳴珮環般的叮咚水聲，傳入耳際。

江曉峰盤膝坐下，希望藉這機會，調息一下，但覺腦際間各種事端紛至沓來，竟然無法安靜下去。

突然間，一種奇異的波波之聲，傳入耳中。

那波波之聲，突如其來，使江曉峰嚇了一跳，凝神靜聽，更加駭然。

原來，那波波之聲，竟正由那指塵上人屍體之上發出。

幽暗石洞，枯屍相伴，任他江曉峰膽子壯大，聽見屍體上發出了怪異聲息，也不禁駭了一跳，只覺一股寒意，由背脊上冒了起來，毫髮倒豎。

屍體上發出波波之聲，響了一陣之後，又突然停了下來。

經過這一驚鬧之後，江曉峰更是無法定下心來坐息，暗中運氣戒備。

又過約頓飯工夫，突然水中波動，似是有人進入了石道。

江曉峰精神一振，道：「老前輩……」

突然金風劃空，直襲過來。

黑暗中，江曉峰無法瞧清楚那飛來的暗器，但憑兩耳聽風辨位，拔劍一攔。

但聞啪的一聲金鐵交鳴，飛來暗器，被那江曉峰長劍擊落，跌入水中。

江曉峰擊落暗器之後，立時躍身而起，攔在那屍體前面，沉聲喝道：「什麼人？」

只聽聲音由石洞中傳了出去，回答的又是一連串金風破空之聲。

江曉峰長劍揮動，化布成一片寒雲。

近身暗器，盡都被幻起的劍光擊落。

江曉峰擊落了一連串襲來的暗器，運足目力，希望能辨別來的人究竟是誰？但石洞太暗，雙方距離又遠，任是江曉峰全神貫注，仍然無法看出一點痕跡。

極度的黑暗，對那人發射暗器的手法，亦有著很大的影響，有甚多暗器，擊打在石鼎之上。

江曉峰伸手在石台上，拾了兩枚暗器，竟是一種形同黃豆大的銀丸。心中暗道：「來人使用這等細小的暗器，定然是精通『豆粒打穴』的絕技了。但洞口有青萍子和雙燕把守，除了王修之外，別人怎能輕易混入，何況，進入此處，必要經過一道暗門，不知此中內情的人，如何能夠進來呢？」

心中千迴百轉，實是想不出來此之人，當下說道：「朋友既然到了此地，自是有著非凡身手，何以竟不肯報上姓名？」

但聞一個清冷的聲音，道：「你問我姓名，怎的自己不先報上名來。」

聽聲音清脆，赫然是女子口音。

江曉峰呆了一呆，道：「在下江曉峰，姑娘是誰？」

只聽一陣嬌甜的笑聲，道：「果然是你，我聽聲音有些耳熟，所以未施展惡毒的暗器。」

這時，江曉峰也聽出來人的聲音，有些耳熟，道：「你是玉燕子……」

來人接道：「你一向不是叫我家鳳麼？怎的會忽然間叫起玉燕子來了？」

但見火光一閃，亮了一道火摺子。

江曉峰凝目望去，果見一張美麗絕倫的面孔，高出水面半尺。

當下急道：「鳳姑娘，這水道之中，藏有機關，不能亂走。」

藍家鳳微微一笑道：「我知道，這石道之中，布有九宮奇陣，如是走錯方位，就要陷入水中的絞輪之內，被捲入水中，生生淹死。」

江曉峰啊了一聲，道：「原來你早已知道了。」

藍家鳳道：「我如是不知道這石道中的隱密，怎會到了此地呢？」

語聲微微一頓，接道：「但我不解的倒是你，怎會也找到這地方？」

江曉峰道：「我覺著很奇怪，這地方十分隱密。」

藍家鳳道：「對啊！我娘留字中說明，這地方除了她之外，沒有第二個人知曉。」

江曉峰心中暗道：「聽她口氣，似乎是沒有瞧到青萍子和六燕、七燕。」

心中更是奇怪，忍不住問道：「鳳姑娘，你從哪裏進來？」

藍家鳳一愣道：「這地方難道還會有第二個門戶不成？」

江曉峰道：「不錯，那你一定見過青萍子和六燕、七燕了。」

藍家鳳搖搖頭，道：「沒有，他們是和你一起來的麼？」

江曉峰道：「是的，他們守在洞口，你進入此洞竟沒有瞧到他們，定然出了事情。」

藍家鳳道：「不會的，我自己開門進來，如若你沒有說錯，就是這地方有兩個出口……」

語聲一頓接著道：「咱們等一會兒再談，我先過來。」飛身而起，落在第一座石墩上。

她並未立時躍登第二座石墩，卻停在第一座石墩上算了半天，才飛身躍上第二座石墩，這時，藍家鳳手中第一枚火摺子，已然燃完，火光熄去。

但她迅快地又晃燃了第二個火摺子。

藍家鳳顯然是真的知曉那九宮變化，但她不夠精熟，每跳上一座石墩之後，就停下來算上半天。

待她走至盡處，登上石台時，已然燃去了五枚火摺子。

江曉峰生恐她算錯了距離，跌入深水中，因此，一直運氣戒備，藍家鳳跌入水中時，也可及時出手解救。

直待藍家鳳登上了石台，江曉峰才長長吁一口氣，道：「姑娘果然通曉這九宮移位變化。」

藍家鳳抬目一顧江曉峰，道：「江兄，你怎會到了此地，而且也精通九宮移位之術。」

江曉峰搖搖頭道：「我們是青萍子帶路到此，神算子王老前輩，帶我過了九宮陣位，但你在令尊看守之下，怎會也到了此地？」

藍家鳳微微一笑，道：「藍天義不是我爹，我也不再姓藍啦，你以後，叫我鳳兒就是……」

語聲一頓，道：「我娘留給我很多逃命的法子，就算藍天義再抓到我兩次，只要他不是當場把我殺掉，我就有逃命之法。」

江曉峰啊了一聲，道：「鳳兒，你怎知曉這武當山中會有這樣一處洞穴？」

藍家鳳不答江曉峰的問話，反口問道：「那神算子王修呢？」

江曉峰道：「到此之時，忘了多帶幾枚火摺子，他取火去了。」

藍家鳳嗯了一聲，道：「你們在這座石洞裏，找到了什麼沒有？」

江曉峰道：「沒有，神算子王修未料到這石道中還有其他的佈置，所以多耗了幾枚火摺子。」

這時，藍家鳳手中的火摺子突然熄去，但她很快地又燃起一支。

江曉峰道：「鳳姑娘，在這石洞之中，最寶貴的就是火摺子了，你要愛惜一點。」

藍家鳳笑道：「我是有備而來。」

伸手從懷中取出一個油綢子包裹，打開取出一盞小琉璃燈，竟是油芯俱全。

藍家鳳燃起了琉璃燈，四顧了一眼，道：「你們都搜過了什麼地方？」

此際，燈光明亮，石洞中景物，一目了然。

江曉峰道：「這石鼎、石案中都未藏物，如若不見壁間有暗門，只有這具屍體沒有搜過。」

藍家鳳望著那具屍體，突然輕輕歎息一聲，道：「娘啊！娘啊！你千般神機妙算，說明了要女兒應付諸般變化之法，但你未算出他會先我一步，到了這石洞之中，這就叫女兒我作難了。」

這幾句話，似乎是自言自語，也似有意地說給江曉峰聽。

江曉峰輕輕咳了一聲，道：「鳳姑娘，什麼使你作難了？」

藍家鳳沉吟了一陣道：「先說明白也好，免得到時引起爭論。」

江曉峰道：「只要不是大害武林的事，我想我會讓你一步。」

藍家鳳道：「這麼說吧！如若咱們在這石洞之中，找出了一件很珍貴的事物，應該歸何人所有？」

江曉峰道：「那要看是何人找到，又是一件什麼樣的東西。」

藍家鳳輕輕歎息一聲，道：「江曉峰你一直很喜歡我，所以，才幾次救我的性命。」

江曉峰仰望著壁頂，緩緩說道：「在下對姑娘如何，姑娘應該早就明白了。」

藍家鳳道：「你如連這一個小小條件，都不能答應我，那些甜言蜜語，都是欺騙我的了。」

江曉峰神情嚴肅地說道：「如若找到的是金銀珠寶，不論這財富有多麼的巨大，在下分文不取，都送給你便是。」

藍家鳳搖搖頭道：「如若不是金銀珠寶呢？」

江曉峰道：「那就要再作計議了。如若咱們找出之物，是關係著整個武林大局，在下就不能讓你取走了。」

藍家鳳道：「總不能在藏物還未出現之前，咱們先打個生死出來吧。」

江曉峰道：「我江曉峰個人可為姑娘生，亦可為姑娘死，但武林正義，在下卻不能不據理力爭。」

仰起臉來，長歎一聲，道：「鳳兒，我在少林寺中數日，和令尊領導的天道教拚戰數次，每一戰都有著很多武林人物死亡，目睹那等慘狀，使在下覺著，令尊如不早被擊滅，整個武

林，都要毀在他的手中了。也就使在正邪分野之間，一個人的生殺事，是那樣渺小了。」

藍家鳳道：「如若是我尋得之物，你是否準備出手搶奪？」

江曉峰呆了一呆，道：「這個……這個……」

只聽一陣哈哈大笑，道：「藍姑娘也來了！山不轉路轉，想不到啊！咱們會在這地方見面。」

但聞一陣嘩嘩水聲，王修帶著一身水珠飛落石台。

藍家鳳回顧了王修一眼，道：「你們好多人？」

王修道：「還有三個，不過，有兩個是七燕姊妹中人。」

藍家鳳道：「還有一個青萍子是麼？他爲什麼不進來？」

王修道：「石門口處，留有武當上兩代掌門人的令諭，所以，武當派中人，都不能進入這座石洞之中。」

藍家鳳淡淡一笑，道：「王老前輩到這裏，想找什麼？」

王修道：「平息武林紛爭的珍寶奇物。」

藍家鳳道：「聽你口氣，你似乎還不知道那奇物是什麼？」

王修笑道：「姑娘聰明，目前爲止，在下確然還不知是何珍貴物品。不過，在下自信可以把它找出來。」

藍家鳳道：「不巧的是，我也來尋找一物。如若不是這古洞中藏有兩件東西，咱們找的東西，可能是相同之物。」

王修打了個哈哈，道：「姑娘，如若咱們尋的相同之物，姑娘準備如何分配？」

藍家鳳道：「分配……」

王修道：「是啊！見者有份，姑娘不能獨吞，我們也不能全要，那就只好分配了。」

藍家鳳略一沉吟，道：「怎麼一個分配法？」

王修道：「咱們有三個人在此，自然是三一三十一了。」

藍家鳳突然沉默下來，緩緩站起身子，行近石壁處，靠壁而立。

卅六　書簡暗藏

藍家鳳靠在石壁上，臉上是一片莊嚴、肅穆，有如畫在石壁上的一幅觀音圖像。

王修輕咳了一聲，道：「姑娘，你是否同意了？」

藍家鳳搖搖頭，道：「不同意。」

王修道：「姑娘的意思要如何分配？」

藍家鳳道：「不分配，全部歸我所有。」

王修道：「姑娘，是否覺著這樣很公平？」

藍家鳳道：「天下有很多事不公平，但它仍然是發生了。」

王修苦笑一下，道：「姑娘，如是定要堅持這個石洞中的存物，為你一人所有，使我等實很作難，但不知姑娘對我等有什麼承諾或條件？」

藍家鳳道：「你們根本不知道這石洞中存放的何物，取去也是無用，何況，這石洞中的存物，已得原主人答應送給我娘了，我娘死後，自然該歸我所有。」

江曉峰道：「唉！姑娘也許能提出證明，但在下等卻不會輕作允諾。」

王修道：「姑娘何不先取出來瞧瞧，再商議歸何人所有？」

藍家鳳淡淡一笑，道：「我不會上當，你們根本不知它存在何處。」

王修望著那具乾枯了的屍體，道：「姑娘，知曉那具屍體是何許人麼？」

藍家鳳道：「我自然知道，但我不會告訴你。」

王修道：「姑娘太低估在下了……」

語聲一頓，接道：「那具屍體是武當派的指塵上人，姑娘要尋的隱密，就藏在他腹中，毀屍破腹，可得隱密。」

藍家鳳道：「好吧！那麼老前輩請動手吧！」

這一下，倒把王修聽呆了，沉吟了良久，道：「姑娘之意，可是說那藏物不在指塵上人的腹中？」

藍家鳳緊閉雙目，不再作答。

江曉峰道：「如是存物不在屍體之內，咱們用不著毀人屍體了。」

王修搖搖頭道：「如若那留存之物，不在他屍體之中……」

突然一躍而起，道：「藍姑娘，你用毒……」

藍家鳳突睜雙眼道：「情勢逼人，只好對不住二位了。」

江曉峰一提氣，縱身向藍家鳳撲去。

他本尚未覺出中毒，但這一提氣，頓覺一陣頭暈，飛及一半，身子直向地下摔去。

藍家鳳身子一長，陡然間，向前飛行了五尺，一伸手，接住了江曉峰向下跌落的身子，伸手點了他兩處穴道，笑道：「江大俠，對不起啦，你好好休息一會兒。」

放下江曉峰，人卻舉步向王修行去，笑道：「老前輩，這地方的存物，本該是歸我娘所有，我娘死後，這東西算我所有，不算錯吧？」

王修道：「不錯，子襲父職，女承母業，那是千古常理，自然是不錯了。」

藍家鳳微微一笑，道：「老前輩說得不錯，這具枯乾的屍體，正是武當派的指塵上人，而且那些遺物，也確然在他的腹中，老前輩既然早有準備，那就請替我動手，剖開他的胸腹。」

王修微微一笑，道：「姑娘的鎮靜和狡詐，使在下又開了一次眼界。」

藍家鳳道：「就算我施了一點手段，但我無害大局，我不會幫助藍天義。」

王修緩步行近指塵上人的屍體前，欠身一禮，道：「老前輩，你留屍不毀，就是要保存你留下的武功，晚輩毀屍，那是正償你老前輩的遺願了。」

祈禮完畢，撕去指塵上人身上的道袍。

那道袍早已朽腐，手指碰點之下，紛紛落地，露出了袍內乾枯的肌膚。

王修舉刀刺那乾屍前胸，利刃緩緩向下沉落。

這人不知已死去了多少年代，整個的屍身，都已乾枯，刀劃肌膚，如切枯木，絲然有聲。刀及小腹，王修才停下手來，凝目望去，只見那枯乾胸腹之中，有兩個油布包捲之物，和一枚翠光閃閃的玉環。

王修取出兩個油布小包，和翠色玉環，道：「只有這三件事物。」

藍家鳳道：「好！你放在石台上，你幫我忙，也不能白幫，不能叫你們空入寶山。」

王修道：「那很好，在下先解開這油包看看。」

藍家鳳微微一笑，未置可否，暗中卻指聚真氣戒備，只要王修一有毀損舉動，立時出手搶救。

她心知王修已然中毒，武功縱然未全失去，也不會快過自己，心中十分鎮定。

王修緩緩打開油包，展開瞧去，油布中是兩片尺許見方的白絹，上面寫滿了字，也畫了幾幅圖。

藍家鳳微微一笑，道：「老前輩可瞧得出來那是什麼？」

王修凝目望去，只見上面寫道：「丹書總綱」。

不禁一呆，道：「原來金頂丹書藏在此處。」

藍家鳳道：「這不是全部的金頂丹書，只是丹書總綱，和幾種最精深的武功。」

王修啊了一聲道：「原來如此。」

藍家鳳道：「世人都說金頂丹書是武學中的寶典，但卻未必有幾人，能真正了解金頂丹書是怎麼回事，老前輩人稱神算子，爲武林中最有才氣的人，不知對金頂丹書知曉好多？」

王修搖搖頭，道：「不知道。」

藍家鳳道：「我知道。」

王修道：「請教姑娘。」

藍家鳳道：「金頂丹書，除了總綱之外，有十三篇，連同總綱合計一十四頁。此中兩頁白絹除了總綱之外，就是最後一篇。藍天義雖然是握有丹書，但卻是少了總綱和最後一篇，這就是很多年來，遲遲不敢發動的原因。」

王修道：「聽姑娘一言，在下茅塞頓開。」

一面答話，雙目卻盯注在白絹之上。

藍家鳳長劍一揮，挑過王修手中白絹，笑道：「聽說你有過目不忘之能，不能讓你看全了。」

王修早已被那總綱記述吸引，抬頭望了藍家鳳一眼，道：「為什麼？」

藍家鳳道：「我娘告訴我一句話，凡是男人，都不能盡得個中之秘，這句話在藍天義的身上，已得到了證明，也在這指塵上人的身上，證明了這件事。兩人看過那金頂丹書，但都是很悲慘的下場。一個為害江湖，一個自絕深洞，唉！我娘說得不錯，當年留下天魔令，已是一樁大錯，再留下金頂丹書，那是錯中之錯了。」

王修怔了一怔，道：「這位指塵上人的死亡，也和金頂丹書有關麼？」

藍家鳳道：「這是個很悲慘的經過，害得他死後還要被人毀屍體……」語聲一頓，接道：「這位老人家和藍天義一樣，同時找到了丹書、魔令，看過了這兩本武學寶典之後，他就覺出了不對……」

王修接道：「可是練功走火入魔？」

藍家鳳兩道清澈的眼睛，盯注在王修臉上瞧了一陣，搖搖頭，道：「不是，他瞧過這兩本書後，覺著意氣浮騰，天下再無一人，能夠高過自己，一種無法控制自己的衝動，使他動起了君臨天下的野心，幸好，他是個玄功精深的人，定力很強，但此念如春風野火，時息時生，他為此苦了很久時間。當他感覺到他稱雄天下的野心，愈來愈強時，這才想出毀滅自己的辦法，他把金頂丹書和天魔令藏好，決定自殉於自己的難息野心之下，一切都安排好了，忽然又覺著不妥，這才把丹書總綱、最後一篇，收了起來，返回武當山，自絕而死，這件事，他只告訴一個人。」

王修道：「那人是令堂。」

藍家鳳道：「不錯，指塵上人死後，我娘是天下唯一知曉這件事的人了。以後的事，就是

我娘告訴了藍天義，被他尋得丹書、魔令。初時，他還能恪守俠義之道，但他武功日高，野心就生，終於造成了現在不可收拾之局。」

王修點點頭，道：「幸好，令堂未把收存總綱和最後一篇的丹書所在，告訴那藍天義。」

藍家鳳道：「此事說來話長，但此刻咱們的時間不多，我只有刪繁從簡的說，其中很多事，要你們自己去想了。我娘是一個很美又很善良的人，但她的命太苦，生性太仁慈，所以，她一生的際遇，也很悲慘。藍天義一直覺著那丹書總綱與最後一篇，是由我娘收著，想盡了方法，迫害她交出來……」

「但我娘已瞧出他有了改變，自然不肯說出，她開始用心機保護自己，我娘的絕世智慧，都是在輾轉床側、痛苦煎熬中磨練出來的。她爲了保護我這個女兒，爲了替武林正義留著希望，耗費了無數心血，也忍受了很大的屈辱……」

「唉！說起我娘，當真是人世間，第一等苦命的女子了，她一生都在愛人，卻沒有一個人認真的愛過她。」

江曉峰突然想起了一件事，道：「鳳姑娘，在下想到了一件事，說出來，只怕會唐突姑娘。」

藍家鳳道：「你不說，我也想到了，你想問，我怎知自己不是藍天義的女兒，對麼？」

江曉峰道：「正是此意。」

藍家鳳道：「我不是，你們可以放心。」

王修道：「天下人都知道你是藍天義的女兒，你說出不是，只怕也難叫人相信。」

藍家鳳道：「這件事很重要麼？」

江曉峰道：「很重要，這些日子中，在下想了很多很多的事，覺著一個人的兒女私情，不能和影響千萬人生死的武林大事相比。」

藍家鳳沉吟了一陣，道：「你的意思我明白。」

江曉峰道：「在下打一個比喻，姑娘就明白了。」

藍家鳳道：「說出來聽聽吧。」

江曉峰道：「在下願為姑娘而死，但如姑娘要助令尊為惡，在下就寧可取姑娘之命了。」

藍家鳳嗯了一聲，道：「姑不論你是否能夠殺得了我，我想知道，你殺我之後，你將如何？」

江曉峰道：「如若在下真的殺了姑娘，在下會在姑娘屍體之前，自絕謝罪。」

藍家鳳淡淡一笑，道：「那就夠了，我娘在一件遺物中暗藏書箇，說明了我的身世……」

仰起臉來，黯然說道：「如若依世俗的看法，也許我母親不算一個好的女人，但她實在夠可憐了。」

王修道：「我們無意追問姑娘的詳細身世，只要姑娘不是藍天義的女兒，我們就放心了。」

藍家鳳收起玉環、丹書，笑道：「還有一個油布小包，你解開瞧瞧吧！」

王修回顧了藍家鳳一眼，解開油包，那也是一本薄薄的冊子，上面寫著：「丹術醫道」四個大字。

翻開瞧去，裏面記述了各種煉丹、醫病之法。

藍家鳳笑道：「你精通卜理，再輔以丹術、醫道，盡可在武林中獨樹一幟，這本書送給你

了。」

王修道：「在下該謝謝姑娘了。」

藍家鳳道：「我用的藥物，兩個時辰之後，藥性就可以過去，那時，你武功可以完全復元，再解開那江曉峰的穴道不遲，我要先走一步了。」

王修道：「為何姑娘不現在解除那江曉峰身上的穴道呢？」

藍家鳳笑道：「我不想多找麻煩，拜託你王老前輩了。」

王修微微一笑，道：「鳳姑娘，事情趕得這般巧，大約是天意要姑娘取得玉環和丹書總綱，如若姑娘晚來一個時辰，或是在下多帶幾枚火摺子來，姑娘就不會這麼順利取走指塵上人腹中藏物了！」

藍家鳳接道：「王老前輩說得不錯，這中間，冥冥之中，似有些天意，如若我晚來一步，被你取去丹書總綱，只怕你也難逃他們兩人的下場。」

王修淡淡一笑，道：「也許姑娘說得有理，在下不想為此爭辯，但卻要再請教姑娘一件事。」

藍家鳳道：「好！你說吧。」

王修道：「那枚玉環，亦似是一件很珍貴的物品，上面定有隱密，不知姑娘是否可以把內情說出，使在下明白。」

藍家鳳搖搖頭，道：「這一點恕難遵命，但日後老前輩定會知道，兩位保重，我去了。」

呼的一聲，吹熄了石桌上的燈光，但立時接著亮起了一枚火摺子。

藍家鳳縱身飛入水中，躍踏石樁而去。

隨著藍家鳳速去的身影，石洞中又恢復了黑暗。

江曉峰長長吁一口氣，道：「王老前輩，你中毒情形如何？」

王修道：「中毒不深，大約藍姑娘說得不錯，她用的毒性不烈。」

江曉峰道：「女人心，海底針，當真是叫人無法猜透，她竟然早在琉璃燈中放了迷藥，使咱們不知不覺的中了毒。」

王修哈哈一笑，道：「這一招，在下亦未料到。」

江曉峰道：「老前輩，咱們應該如何？」

王修道：「只好等待毒性消退之後，我解了你的穴道，咱們一起離開。」

江曉峰道：「咱們這一趟，算是白走了。」

王修道：「也非白走，我記下那總綱中幾種武功，可以默錄下來，相信對你的助益不小。」

江曉峰道：「那本丹術醫道如何？」

王修道：「一本精練的醫學丹書。」

江曉峰道：「晚輩心中一直有點懷疑，她怎會這樣巧的趕到，又怎會擺脫藍天義的監視？唉！如是她真是藍天義的女兒，取走了丹書總綱，對武林必有著很大的影響。」

王修道：「藍家鳳再聰明，也無法強過藍天義，這些事，似乎都是她母親生前的安排。不過，有一點你可以放心，我已經仔細看過了藍家鳳，大概不會是藍天義的親生女兒，但你也得特別留心一點，那藍家鳳和你一樣，在這數月之中，她已有了很大的改變。」

江曉峰道：「晚輩不明白老前輩言下之意？」

王修道：「事情很簡單，她已經不再是一位單純的女孩子，而是一個身負亡母遺命的孤臣孽子，她承受了母親留下的痛苦，也承受了她母親留下的重責大任，這重大壓力，使她有了改變，沖淡對你的柔情蜜意，也使她學得施用心機自保。」

江曉峰道：「照老前輩的看法，鳳姑娘會和咱們合作了？」

王修長歎一聲道：「她如是不肯合作，對咱們影響太大……」

江曉峰接道：「唉！不該讓她取走丹書總綱。」

王修道：「藍家鳳已非昔日可比，如若咱們剛才阻攔她，她很可能下毒手，取咱們的性命。你應該從她的語氣中聽得出來，她受了亡母遺命的影響很大。心中已對男人有著潛伏的怨恨，這恨意，隨時都可以爆發出來。她雖然對你有情，但已被潛伏的怨恨沖淡，別認為她不會殺你，唉！江少俠，此刻的藍家鳳，已然不是純粹的藍姑娘，有一半，是藍夫人的化身。」

江曉峰道：「老前輩言之有理，只要她不幫助藍天義，不是藍天義的女兒，我們可以放心了。」

王修道：「事情到此，我們已得到了一個結論，那就是，藍夫人傾盡才智，留下了很多保護女兒的方法，今後的武林大局，和那位藍姑娘，有著很大的關鍵，咱們應該對鳳姑娘多下一些工夫，男人武功有了太多的超越，很可能使他生出野心，女人的武功太高了，也一樣不安於平淡。」

站起身子，行到江曉峰的身側，推活他身上受制的穴道，接道：「你運氣試試看，迷藥是否已經消失了效用？」

江曉峰暗中運氣一試，覺著毒性已退，伸展一下雙臂，道：「晚輩好了。」

王修道：「好！咱們也該離開這地方了。」

江曉峰回頭望了那指塵上人的屍體一眼，道：「這位老前輩的屍體，要如何處理才好？」

王修道：「那石鼎中的藥物十分奇妙，已使這位老前輩屍體枯乾，就算這地方再潮濕一些，也難使他屍體腐爛，不用爲它擔心了。」

伸手從懷中摸出火摺子晃燃，縱身而起。

江曉峰隨在王修身後，出了石洞。

王修低聲說道：「江少俠，見著青萍子時，咱們要隱瞞一些內情。」

江曉峰頷首道：「我明白，那將會引起藍天義的全力追查，不過……」

王修道：「不過什麼？」

江曉峰道：「藍家鳳從洞門出去，青萍子難道就瞧不到麼？」

王修淡淡一笑，道：「這裏有兩條出入之道，藍家鳳走的是另一條。」

江曉峰道：「這裏面還有一條通路？」

王修道：「不錯，剛才我也有很多地方想不通，這中間的時間不太對頭，相隔的太久，現在，我才有些想明白了。」

江曉峰道：「老前輩請說說看。」

王修道：「那洞外留字，年月已經很久，至少，在指塵上人死去之前，所以，那留字，並非是爲了保護指塵上人的屍體，用心在約束武當弟子，闖入這座秘洞……」

江曉峰道：「那又是爲了什麼？」

王修道：「因爲這山洞在武當派嚴密的保護之下，而且又十分隱秘，外人闖入的機會，自

然是少之又少了。指塵上人要想保有這種隱秘，主要是對武當弟子，如是我沒有想錯，這些隱秘和藍夫人有點關係。」

江曉峰嗯了一聲，道：「老前輩想得比晚輩更爲深入一些。」

王修淡淡一笑，道：「藍夫人固然是天生的柔和性情，對丈夫百依百順，但她過度的忍耐，頗有縱容藍天義爲害江湖之嫌。藍天義對她數番加害，她全都忍了下來，這忍耐，超乎了常情之外……」

江曉峰道：「那總該有什麼原因吧！」

王修道：「是的，只有一種原因，使她能忍人所不能忍，那就是她對藍天義有著一種很深的負疚，而且，指塵上人雖然失蹤年代甚久，但是他死去的時間並不久，他消失江湖之後，就一直隱居在這座石洞之中。」

江曉峰道：「藍夫人也來過這座石洞了？」

王修笑一笑，道：「大概是吧！指塵上人武功絕世，才智過人，但他是三清弟子，爲了武當派的清譽，他又不能還俗……」

他似是言未盡意，但卻突然住口不語。

江曉峰一呆，問道：「照老前輩的說法，藍家鳳可能是……是指塵上人的女兒。」

王修道：「這個，這個……」

這個了半天，接道：「這些事，咱們都是揣測，但藍家鳳她不是藍天義的女兒，這一點決不會錯，至於她是誰的女兒，咱們似是不用苦苦追究了。」

江曉峰道：「在下並無苦追之意，只是想弄清楚這件事情。」

王修道：「隱惡揚善，君子之道。指塵上人，已付出了生命，作為代價，藍夫人十幾年來，也掙扎在痛苦中，他們縱然是有錯，但他們都不算壞人，我想這中間，可能還有咱們不了解的原因、內情。所以，不能把此事張揚出去。」

江曉峰道：「這個晚輩明白。」

王修道：「以後，咱們不能在人前提起此事。」大步向外行去。

兩人行出轉動石門，果見青萍子帶著六燕、七燕守在洞口。

青萍子迎了上來，道：「王兄，找到了什麼沒有？」

王修道：「有，一本書。」探手從懷中取了出來。

青萍子未看王修手中之書，卻低聲問道：「一本什麼樣的書？」

王修道：「丹術醫道，是一種濟世的好書。」

青萍子啊了一聲，道：「只有這一種書麼？」

王修道：「在下得到的只有這一本。」

他說話甚有技巧，雖有語病，但那青萍子卻未聽出來，凝目思索了半晌，道：「王兄，要照我的想法，那石洞，應該留有和武功有關的東西。」

王修道：「也許有，但我們已費盡了心機，未取到手，你如放心不下，何妨進入洞中瞧瞧。」

青萍子道：「指塵上人是敝派最受敬重的一位前輩，我不能違犯他的遺命。」

長長吁一口氣，道：「貧道寄望在這石洞中，能夠發現一些什麼，用以恢復我們武當門

戶，唉！如今，這願望也難實現了。」

王修道：「道兄不用爲此灰心，對付藍天義，是整個武林中的大事，貴派只不過是個中一環而已。掃滅藍天義之後，貴派自然能重振門戶。至於在下取得這本書，雖還未詳細閱讀，但我相信，其中必有對付藍天義的辦法。」

青萍子呆了一呆，道：「這個，不可能吧！丹術醫道，和武功又有何關？」

王修道：「道兄別忘了，藍天義控制屬下的手段，都和醫藥有關。貴派中指塵上人，不但爲貴派中最受崇敬的人物，整個武林，都對他有著無比的敬重，他的才智、武功，光芒四射，這本書豈是凡品！」

青萍子道：「二位見到了什麼？」

王修道：「指塵上人的遺體。」

青萍子黯然一歎，不再多言。

王修回顧了六燕、七燕一眼，說道：「兩位姑娘，此刻如何？」

六燕、七燕同時眨動了一下大眼睛，道：「晚輩們很好啊。」

王修道：「兩位是否想起了自己的身世？」

雙燕同時搖搖頭，道：「想不起來。」

江曉峰道：「兩位是否還記得藍天義呢？」

六燕、七燕相互望了一眼，同時點點頭，道：「記得。」

江曉峰心頭一震，道：「如是兩位姑娘見到了藍天義，是否會聽他之命？」

六燕道：「他是很壞的人，我們自然不會聽他之命了。」

王修嗯了一聲，道：「兩位姑娘，藍天義迫害武林同道，輕賤人命，用一種制心術和藥物，控制了很多武林高人，爲他效命，助他爲惡。兩位也是其中之一，但不同的是，兩位是他從小竊得的孤兒，由他扶養你們長大，也由他傳授你們武功，控制了你們的心神。表面上瞧起來，是兩位花朵一般的大姑娘，其實，你們只是聽他之命的兩具行屍走肉。」

六燕道：「唉！對過往的事，我們的記憶並不鮮明，隱隱約約，若斷若續。」

王修道：「這就是制心術的力量，使你們對經過之事，有如經歷一場夢境一般。」

六燕道：「藍天義用制心術制住了我們，但不知什麼叫制心術？」

王修輕輕咳了一聲，道：「制心術是一種總稱，這中間有很多種手法，但不外是傷人神經。」

六燕道：「咱們對往事，似乎沒有清楚的記憶。」

王修道：「兩位仔細地想想看，現在和過去有些什麼不同？」

七燕道：「過去，我們似乎是什麼也沒有想過，現在，開始想到了很多的事情。」

王修微微一笑，道：「那就對了。」

目光一掠青萍子，道：「道兄，咱們似乎也應該離開此地了。」

青萍子道：「是的，貧道很抱歉，帶諸位勞碌奔走，千里風塵，竟然是一無所獲。」

王修微微一笑，道：「我得到這一本丹書醫道，已經很滿足了，這本書是貴派之物，但和在下所學的十分接近，希望道兄能夠答允，讓在下研讀一下。自然，江湖上恢復了寧靜之後，在下會把此書交還貴派。」

青萍子道：「現在，貧道可以帶諸位出山，但不知咱們要到何處？」

王修略一沉吟，道：「目下，咱們實無一定的去處。藍天義雖然在苦戰數日後，仍未能控制住少林派，但中原各大門戶，已較大部份被他消滅。在下相信他不會殺光所有門派中人，因此，在下想在江湖上各地走走，糾合各大門派中人，使他們重新組合起來。經過這一次大變之後，各派門戶之間的恩怨，想來定會消失，過了這一段風波之後，武林會有一段很平靜的日子。」

目光又轉到青萍子的身上，接道：「道兄是否願易裝改容，和我們在江湖上走動一番呢？」

青萍子苦笑一下，道：「武當派創立以來，經歷過不少劫難，但從未像這次一般，鬥得全派覆傾。三元觀近在咫尺，但貧道卻是有家難歸，如是諸位覺得貧道還有可用之處，貧道極願和諸位一同在江湖上走動。」

王修道：「好！道兄願和我等同行，那是最好，在下答允設法使道兄回到三元觀中一行……」

江曉峰接道：「在下也曾向道兄許諾，奉陪道兄回去。」

青萍子搖搖頭道：「多謝兩位的美意，貧道已經仔細地想過，覺著咱們的行動，愈是隱密愈好，如若回到三元觀中一行，很可能暴露出咱們的身分，若是爲了貧道一顧舊居之情而害了大局，那就反爲不美了。」

王修道：「好！既是道長改了主意，咱們就少找一些麻煩。」

在青萍子引領之下，幾人很順利地離開了武當山。

爲了隱密行蹤，在王修策劃之下，幾人都改了裝束，六燕、七燕，用藥物掩去了細嫩的肌膚，裝扮成兩個騎驢的村女，王修扮成了一個趕驢的腳夫，青萍子也打散了道髻，扮做一個擔夫，挑了一擔貨物，江曉峰雖是健馬佩劍，扮做一位鏢師，但卻用王修的藥物，掩去了本來面目，望著像四十餘歲的中年漢子。

在神算子的算計之下，幾人不露痕跡的，保持可以呼應的距離。

原來，藍天義發動之後，江湖上有了很大的變化，人人事事，都非從前的景象，王修等不得不先作一番觀察。

幾人由鄂西東上，沿途觀察，果然發覺江湖上已有了很大的不同。

過去，這地方是出入四川的要道，商旅往來頻繁，武林中人，亦是絡繹不絕，此刻，雖是商旅往來依舊，景物繁華如昔，但卻已不見那些佩刀帶劍的武林中人，也不見保鏢的鏢車。

幾人走得不快，一日不過數十里路，但走了兩天，也有百多里的行程，除了江曉峰健馬、佩劍，奔行在大道上外，竟未見一個佩帶兵刃的武林人物。

王修放緩了腳步，和青萍子走在一起，低聲說道：「道兄，藍天義在少林挫敗，想來，他的勢力還未滲進四川，咱們走了兩天，怎的竟然未見一個入川的武林人物？」

青萍子道：「也許是入川的人，早已經進川，中原道上的武林人物，縱然還有在江湖上行走的人，只怕也不敢明目張膽的帶刀佩劍，騎馬趕路，也許和咱們一般的改裝易容，叫人無法瞧得出來。」

王修道：「我已經很留心地瞧過了，確實未見一個武林中人，唉！大約是在藍天義殘酷暴虐的屠殺之下，縱有幸保命的人，也已經失了奔走天涯的勇氣，藏身以避了。」

青萍子沉吟了一陣，道：「前輩說的也許有理。」

這時，突聞一陣急促的轆轆輪聲，揚起了兩道塵煙奔來。

王修急急伸手牽著兩頭小毛驢，轉眼望去，只見四匹健馬，拉著一輛篷車，疾如流星一般，奔馳而來。

那篷車似是特別設計製造而成，高輪堅木，奔行起來，特別迅快。

車前面坐一身著青衣少年，雖然手執長鞭，但只要一看他全身衣著，就知不是專門趕車的車夫。

篷車奇快，一眨眼間，已然掠幾人身側而過。

王修低聲說道：「道兄，這輛車很特殊，道兄知曉它的來歷麼？」

青萍子道：「貧道對於江湖中的事務，知曉不多，還想請教王兄？」

王修道：「在巫山十二峰中，有一派武林門戶，是一對夫婦所創，他們很少和江湖中人往來，而且收徒嚴謹，實力不大，所以，在江湖上不大著名。這一門戶的特殊之處，就是在江湖上走動之時，很少騎馬，都坐著特製的篷車。」

青萍子道：「王兄這麼一提，貧道也想起一件事，似乎是敝派掌門提過這一門戶，敝派曾經派人進入過巫山十二峰中，尋找甚久，但始終未找到過巫山門中的人物。」

王修道：「這就對了，我一直想不出他們爲什麼要乘坐馬車，道兄這一說，使兄弟有些明白了，他們不願見人，所以貴派到巫山相訪時，他們躲起來不肯相見，在江湖上走動時，也坐著一輛馬車。」

青萍子啊了一聲，道：「王兄之言，雖然有理，但他們爲什麼怕別人瞧到呢？」

王修道：「定然有一種特殊原因，只不過局外人很難猜想出來……」

語聲微微一頓，接道：「巫山派的篷車，陡然在此地出現，至少咱們可證明一件事。」

青萍子道：「什麼事？」

王修道：「藍天義在少林派的挫敗之後，實力還未進川，如若青城、峨嵋兩大門戶，都能夠派遣高手，會合巫山派，據守三峽天險，至少也可以阻延藍天義入川的時間。」

這時，又響起一陣轆轆輪聲，傳入耳際。

青苹子和王修同時轉頭望去，只見又是一輛特製篷車，急馳而去。

王修一皺眉頭，道：「道兄，情形有些不對。」

青萍子也覺著事情有些蹊蹺，當下說道：「貧道亦有此感覺，但卻想不出到底是何緣故。」

王修道：「巫山派連江湖同道都不往來，難道還會挺身而出，阻擋藍天義麼？這中間可能有很特殊的原因，咱們要小心一些，前面見。」

加快腳步，行近二女，低聲說道：「兩位姑娘，咱們此刻可能已進入是非圈中，兩位要小心一些，不論發生了什麼事，都由在下應付，非至性命關頭，兩位不要出手。」

六燕、七燕自從身上禁制解除之後，性情也有了很大的變化，有如一日間長大了很多，變得嫻靈、沉默，當下齊齊頷首。

這時光，蹄聲得得，一個中年大漢，縱馬而過。

王修認出這人正是江曉峰裝扮，高聲說道：「姑娘小心啊！我這毛驢子受不得驚駭，一遇到驚駭，難免要發野性。」

江曉峰四顧了一眼，只見一路行來的人，都是做小生意擔擔的腳夫等，並無扎眼人物。目注王修微微一笑，表示已領受警告，縱馬向前奔去。

王修揚起手中的短鞭，啪的一聲，打了一個響鞭，兩頭小毛驢，也加快腳步向前奔去。

王修這番設計，原來只想了解一下中原形勢，看看天道教的實力，已擴展至何等程度。

照王修的推斷，天道教雖然手段毒辣，但中原數十個武林門派，弟子多達數千人，大都已知曉了，憑自己的實力，決難和天道教人對抗，必須早作安排，把實力隱藏起來。王修希望能找到幾個武林同道，把那些隱匿的實力組合起來。

但一路行來，所見所聞，大出王修的意外，使素來智謀百出的神算子，也覺著無從下手。

但巫山派特製的篷車，陡然間連續出現，使王修心中大覺奇異，因爲在王修的記憶中，巫山派從沒有過兩輛篷車同時出現的事。

王修一面追在兩頭毛驢身後趕路，一面卻在苦苦用心思索。

忖思之間，到了一處岔道口，只見輪痕蹄印，折向南面一條泥土路上，王修喝停毛驢，往岔道上四下打量。

青萍子急步趕了上來，低聲道：「王兄，怎麼不走了？」

王修道：「道兄認識這條岔道麼？」

青萍子抬頭打量了那岔道一眼，道：「這條路麼？只是一條小道，大約是通向別人的莊院去的。」

王修道：「那兩輛篷車，都折向了這條岔道上去，如若這條岔道只是通向一座私人的莊院，那莊院也必與巫山一派有關。」

青萍子道：「王兄之意，可是要進去瞧瞧麼？」

王修道：「咱們一折轉上這條岔道，必然會引起別人的懷疑，也等於暴露了我們的身分。但目下情勢詭奇，如不冒此險，只怕是不成了。因此，在下想請道兄帶兩位姑娘先走一步，沿途留下咱們約好的暗記，指明你們的去處，如若在下未遇危險，一、兩天內就會趕上三位，如若三日內，還不見我追上，道兄就帶兩位姑娘回武當山去。」

青萍子淡淡一笑，道：「王兄，咱們一起帶兩位姑娘去吧！有了事情也好有個照應。」

六燕、七燕齊聲道：「我們也要去，我們在藍天義手下時，迷失了自己，生為人奴役，死做糊塗鬼，如今我們清醒了，即使死了也明白自己是怎麼一個死法。再說我們姊妹，全無江湖閱歷，一旦和兩位分手，決難逃過藍天義的毒手。」

王修沉吟了一陣，道：「好吧！咱們一起去。如是在下推斷的不錯，那兩輛篷車，決非天道教中人手。」

青萍子道：「你呢？」

王修道：「我需立即查看，江曉峰可能先追去了，咱們留下等待就是。」

這時，已屆申末時分，下山夕陽，幻成一片絢爛的曉霞。

青萍子在岔道旁留下暗記，轉上岔道而行。

王修低聲說道：「天色不早了，咱們走快些。」

四人一陣緊趕，一口氣走了五、六里路。

岔上道已至盡處，攔路的是一片雜林。

夜色迷濛裏，只見林中隱現出一片宅院，樓閣可見，宅院的規模似是個小莊。

王修默察車輪痕跡，進入了林中，正待舉步入林，突聞一陣笑聲傳來，道：「幾位剛到麼？」

王修吃了一驚，抬頭看去，只見一個身著灰色長衫，二十五、六年紀的漢子，站在丈餘外處，面含微笑。

事情至此，王修也無法閃躲，一拱手道：「兄弟王修，請教閣下？」

灰衣人笑道：「兄弟周成，四位既然追來了，那就請入莊院中坐吧！」也不待王修等答話，轉身向前走去。

王修一面舉步隨行，一面說道：「周兄可是巫山派中人？」

灰衣人頭未回顧，口中卻應道：「兄弟只是一個聽命行事的馬前小卒，王兄心中如有什麼疑問，待會兒，見著敝主人時，再問不遲。」

王修道：「周兄可否見告貴主人的姓名呢？」

灰衣人道：「恕難從命。」

說話之間，人已到了那廣大宅院內圍，周成突然回過頭來，笑道：「報下姓名吧！到這莊院……似乎也用不著再隱密身分了……」

目光轉注到青萍子的身上，接道：「那位朋友，也請放下貨擔吧！」

六燕、七燕相互望了一眼，未接下答話，翻身下了毛驢。

青萍子也放下貨擔。

周成一抱拳，笑道：「諸位請進，貨擔、毛驢，自會有人照顧。」

王修淡淡一笑，道：「有勞周兄帶路。」

周成不再謙讓，轉身向前行去。

幾人緊追在周成身後，穿過一重庭院，行入了一座大廳。

大廳中早已燃起燈火，照得一片通明。

只見一張方桌上，早已擺好了酒菜，酒菜上還不停地冒著熱氣，其中還有兩碟是沒肉的素菜，顯然是剛剛擺好不久。

周成行近木桌舉起筷子，在每盤菜上夾起一塊吃下，又乾了一杯酒，道：「這酒菜之中，都未曾放毒，諸位可以安心食用。」

王修皺了皺眉頭，說道：「周兄，在下還想請教一事。」

周成道：「我說過，兄弟既是作不得主，也無法回答你的問話。如是酒菜不夠，儘管招呼兄弟。」

王修略一沉吟，對青萍子和雙燕笑道：「咱們就吃吧！」當先舉筷大吃起來。

青萍子和六燕、七燕，都有著饑餓之感，見王修食用，也拿筷大吃起來。

幾人心中有事，進食極快，片刻間，都已吃飽。

王修放下筷子，道：「我們已酒足飯飽，貴主人要見客，也該出來了。」

只聽一個女子的聲音應道：「諸位進餐很快啊！」

王修轉頭望去，只見藍家鳳一身綠衣，左手無名指上，戴著一個閃閃發光的翠玉環。

王修一眼之下，已瞧出藍家鳳指上玉環，正是在那石洞中，指塵上人腹中取出之物，心中暗道：「她把玉環戴在手指上，似極珍視，看來這玉環也非平常之物。」

心中念轉，口中卻說道：「原來是藍姑娘。」

藍家鳳緩步行了過來，一面笑道：「怎麼？王兄可是很意外麼？」

王修道：「很意外，在下確實未曾想到，竟會是你藍姑娘……」

語聲一頓，接道：「姑娘乘坐巫山派的篷車，定也和巫山派有關了？」

藍家鳳搖搖頭笑道：「怎麼樣？巫山派可是一個很奇怪的門派？」

王修道：「不是奇怪，而是有些神秘，他們不肯和武林同道來往，又不肯擴展實力，似乎他們已滿足那些建立在巫山群峰中的實力了。」

藍家鳳緩緩在六燕身旁坐下，笑道：「神算子智謀絕世，不知是否會相信，世間有這樣一個派門？」

王修道：「不信也不成，因爲巫山派確已存在武林之中。」

藍家鳳道：「智者千慮，必有一失，神算子也不能件件都料對啊！」

王修輕輕咳了一聲，道：「姑娘可是說在下的推論不對？」

藍家鳳道：「不對。因爲，江湖上根本沒有這一個門戶。」

王修道：「姑娘太武斷……」

忽然想到她和巫山派可能有著密切的關連，決非信口開河，話題一轉，接道：「我想此中，定然大有內情，可否見告？」

藍家鳳道：「神算子究竟非凡，這件事確有著很大的隱秘，不過，造成這隱秘的不是我。」

王修接道：「是令堂？」

藍家鳳臉色一整，道：「你怎麼知道？」

王修道：「在下不過是信口胡猜罷了，有時猜錯，但有時亦可猜對。」

藍家鳳含笑道：「你是老前輩，還要和我一般見識？」

王修一抱拳，道：「不敢，不敢，姑娘言重了。」

藍家鳳道：「這確是我娘預備的一盤棋，本來，是要做我亡命安身之地，但我現在不得不借重他們了。」

王修道：「他們人手不多。」

藍家鳳道：「個個精練，足可以一當百。」

王修道：「姑娘和他們是？……」

藍家鳳接道：「他們是我娘的心腹，成立巫山派，不過掩人耳目罷了。」

王修道：「原來如此，在下還奇怪，這一門派，舉動怪異。那麼目下巫山派中人，都是姑娘的屬下了？」

藍家鳳微微一笑，道：「不錯。但他們人手很少，不能和藍天義正面抗拒。不過，他們的武功，別具一格，人人都可算得第一流的高手。」

王修忽然想起了江曉峰，急急說道：「姑娘見著江少俠了麼？」

藍家鳳道：「沒有啊！」

王修站起身子，道：「糟了，他如不在此地，極可能遇上麻煩。」

藍家鳳淡然一笑，道：「只要他不遇上藍天義和藍福等人，他的武功，是足可以自保了。」

王修道：「明槍易躲，暗箭難防。」

藍家鳳道：「你很關心他？」

王修道：「目下江湖之上，除了你藍姑娘外，江曉峰是唯一能夠和藍天義抗拒之人。」

藍家鳳突然沉默下來，肅然而坐，半晌不語。

王修感到藍家鳳的沉默，正形成一股重大的壓力，逼了過來，她似是忽然間想到了一件十分重大的事，當下重重咳了一聲，道：「藍姑娘！」

藍家鳳嗯了一聲，目光緩緩轉到王修的身上，道：「老前輩，我想先問你幾個問題。」

王修道：「在下洗耳恭聽。」

藍家鳳道：「藍天義是世之大害，這是人盡皆知了。目下能夠或可望對付藍天義的，遍天下有幾個人？」

王修道：「兩個人，就是你藍姑娘和江曉峰。」

藍家鳳道：「我和江曉峰之間，誰比較重要？」

王修道：「姑娘也許已經能夠，江曉峰還在可望階段。」

藍家鳳道：「如若我們兩個人之間，有一個人要死，應該是誰？」

王修愈聽愈覺出不對，回答了上一句話，已經有些後悔，聽了這句問話，心中大大的一震，道：「在下不了解姑娘言中之意。」

藍家鳳道：「很簡單，如若我和江曉峰之中，有一個人要死，由你老前輩選擇，你覺著那人應該是誰？」

王修道：「這似乎是不可能發生的事，因此，在下也無法選擇。」

藍家鳳道：「但它很可能發生。」
王修沉吟了良久，道：「什麼人要找江少俠？」
藍家鳳道：「你問得很好，使人無法不作決斷的回答，藍天義，還有藍家鳳。」
王修似是已想通了什麼，毫無吃驚的樣子，淡淡一笑，道：「姑娘為什麼要殺他？」
藍家鳳道：「因為我如不殺他，若干年後，他就要殺我。」
王修道：「雖說雙雄不並立，但你們有些不同。」
藍家鳳道：「我們都是人，哪裏不同了？」
王修道：「不錯，但你們男女有別。」
藍家鳳道：「你們看到了一次武林大劫，希望它在數十年後重演江湖麼？」
王修道：「姑娘之意是？」
藍家鳳道：「我娘和藍天義，難道還不夠使諸位警惕麼？」
王修道：「骨格相法，在下自信比姑娘知曉多一些，藍天義和江曉峰，是兩個完全不同的人。」
藍家鳳道：「但我的生性和家母一樣……」
王修心中一動，接道：「要你殺死江曉峰，也是令堂的主意吧？」
藍家鳳嗯了一聲，道：「是的，我母親遺書中，要我殺死他。」
王修長長吁一口氣，沉思不語。
藍家鳳輕輕歎息一聲，道：「你好像很不贊成我殺死江曉峰，是不是？」
王修道：「是的，在下一直覺著，那位江少俠，是唯一能夠抗拒藍天義的後起之秀。在下

實在想不通，令堂爲甚麼會在遺言中，指定要殺死江曉峰。」

藍家鳳微微一笑，道：「自然，我娘沒有指定要殺死江曉峰……」

王修道：「那麼，是姑娘的主意了？」

藍家鳳搖搖頭，道：「也不能算是我的主意，仍是我娘的意思。」

王修奇道：「這就叫在下想不明白了。」

藍家鳳道：「我娘早已替我安排了很多退路，我愈深入，愈覺著退路廣闊，更也覺著我娘的才智高強。」

王修道：「令堂的才智，在下十分敬佩，不過，在下想不通，她爲甚麼要殺江曉峰？」

藍家鳳道：「我娘留給我的遺書，有如套起的連環一樣，一個接一個，由淺而深，目下我已經找到了抗拒藍天義的助手，那就是武林中一向被稱爲神秘人物的巫山派。在那裏，我找到了我娘二十年前，已爲我安排下的助手，他們都有數十年的精純功力，這些年來，他們一直不問外事，埋首研究武功，其中共分爲四個小組，每一組所學的武功，都不相同，都已有了很高的成就，他們閱讀我娘在巫山派中留下的錦囊，才發覺了一件事，要殺死江曉峰。」

王修道：「令堂在巫山派中留下的錦囊，也已有二十年麼？」

藍家鳳道：「沒有，那錦囊距今，只有五年，我娘五年前重來巫山留下的。」

王修點點頭，道：「五年前，江曉峰和姑娘不相識，令堂也不知世間有江曉峰其人，怎會要姑娘殺死他呢？」

藍家鳳道：「我娘的遺書中說，如若我承繼了她的道統，必須終身不嫁人，一旦發現了我喜歡的男人，那就要一劍把他殺死，以絕後患。」

王修啊了一聲，道：「現在，我明白了，姑娘很喜歡江……」

只見藍家鳳臉上一片羞紅，頓然住口不言。

藍家鳳一整臉色，道：「不錯，我很喜歡他，但我要承繼亡母的道統，就不能分心旁騖，所以，只好殺死他了。」

王修沉思了片刻，道：「令堂遺書，自然有她的道理，不過，那不是江曉峰，再說，令堂遺言，是有感而發，她吃了藍天義的苦頭，才留下這番遺言。」

藍家鳳道：「我娘在遺言中，說出了一番道理，並非意氣用事。」

王修道：「既是如此，姑娘以後，別再和他見面，似乎用不著殺此人。」

藍家鳳道：「山不轉路轉，我縱然不想見他，也無法避得開他。」

王修道：「這個，在下可以替他擔得起，只要是姑娘同意，在下可以盡我之能，安排他不見姑娘之面。」

藍家鳳輕輕歎息一聲，道：「王老前輩，你對那江曉峰很好，是麼？」

王修道：「我和他相處甚久，對他知曉很詳盡，他確是一個宅心忠厚的仁德君子，姑娘對他了解的太少，再者，就算你藍姑娘有著一百條要殺死江曉峰的理由，但此刻也不是時候。」

藍家鳳道：「我怕日子一長，我會消退了殺他的決心。」

王修站起身子，道：「在下自會設法安排江曉峰，此後盡量少和姑娘見面。如是有一天感到用不著殺他時，那就饒他一命。」

藍家鳳冷冷地說道：「你站起身子，可是要準備離去？」

王修道：「正是，在下要去找那位江少俠。」

藍家鳳道：「你要幫助他對付藍天義，使他成名武林？」

王修道：「姑娘得令堂大人數十年苦思的安排，已有了一定的脈絡，似是用不著我王修幫忙了。」

藍家鳳道：「好！此地確也用你不著，你要走，儘管請便。不過，我要留下六燕、七燕。」

王修道：「那是自然，她們本是姑娘的人。」

六燕、七燕，四道目光，一齊投注到王修的身上，口齒啓動，欲言又止。

王修急急一拱手，道：「兩位姑娘，請你們好好侍候藍姑娘，她才是真正助你們脫離藍天義魔掌的人……」

目光一掠青萍子，接道：「道兄，咱們走吧！」

青萍子應了一聲，舉步行了過來，兩人連袂出了廳門，加快腳步，出了莊院。

卅七　兩敗俱傷

王修一躍上馬，一加勁，健馬驟發，潑刺刺地衝出叢林。

只聽蹄聲得得，青萍子緊追了上來，道：「王兄，這位藍姑娘，要想殺死江少俠的用心，似是極為堅決。」

王修道：「嗯，她這些日子中，一直遵照她母親的遺書行事，無往不利，使她對母親近於瘋狂的信仰，不自覺間，受了她母親遺書的毒害。」

青萍子沉吟了一陣，道：「王兄，目下江湖上有了藍家鳳領導這一股力量，不知對武林大局有何影響？」

王修道：「天道教的力量，驟看起來，十分強大，但他全憑藥物和一種特殊的武功手法，控制著屬下，為他效命。藍夫人安排藏於巫山派的人手，所學所練的武功，都針對藍天義的天道教而發，自然是一股最為強大的力量。目下，咱們不知道那巫山派中，有好多人手，無法估計他們的力量，但決不會太弱就是。」

青萍子道：「這麼說來，目下武林，是一片更為紛亂的局面了？」

王修道：「古往今來，不知有多少大奸梟雄人物，妄想成為武林中的霸主，但卻從未有一人真正的如願以償。藍天義雖有丹書、魔令，但看來也難成功。至於目下武林形勢，看起來更

爲紛亂，其實正在孕育著一種新的力量，這種力量，和藍天義那股龐大的力量，形成了衝突，這是一個大動亂，一個慘烈的搏殺年代。」

青萍子道：「現在，咱們應該如何呢？」

王修道：「去找江曉峰。目下的局勢已很明朗，藍家鳳率領的巫山派高手，是一股力量，咱們要幫助江曉峰聚成另一股力量。」

青萍子看那王修的神色十分輕鬆，不禁暗暗一皺眉頭，道：「貧道卻有一個顧慮，不知王兄是否想到？」

王修道：「你可是擔憂那江曉峰和藍家鳳先起衝突麼？」

青萍子道：「不錯。聽那藍家鳳的談話，似乎殺死江曉峰的用心，還要強過對付藍天義，如若這兩股力量一旦接觸，豈不是要先鬥個自相殘殺？」

王修道：「不要緊。藍家鳳內心並沒有非殺江曉峰不可的決心，只不過因爲她母親的留書，才使她節節順利，使她不自覺地對母親生出了狂熱的敬仰。等她遇上了幾番挫折之後，使狂熱消退一些，就不會再存此想了。」

青萍子道：「也許王兄的推論不錯……」

談話之間，突聞一陣急促的蹄聲，傳了過來。

王修突然一帶馬韁，健馬疾快地衝入了道旁一片林木之中。

青萍子緊隨在王修的身後，衝入林中。

王修一躍下馬，回手一掌，擊在馬頭上。

那健馬搖搖頭，倒摔在地上。

青萍子依樣畫葫蘆，暗運內力，也在馬頭上擊了一掌，健馬倒斃地上。

王修低聲道：「道兄，把死馬推入草叢之中。」

兩人同時動手，把兩匹死馬，推入草叢之中。

就是這一陣工夫，急速的馬蹄聲已疾奔而至。

星光微弱，夜色幽暗，王修和青萍子又隱入草叢之中，來人也未曾想到這時道旁有人，是以未曾發覺。

但王修和青萍子，卻是把來人瞧得極是清楚。

只見二十四匹疾奔健馬，馬上人個個身佩兵刃，身著黑色勁裝。

當先一人，正是天道教的總護法藍福。

健馬奔行急忙，蕩起了滾滾煙塵，流星飛矢般，衝了過去。

片刻間，蹤跡消失，蹄聲漸遠。

王修輕輕歎息一聲，道：「來得好快。」

青萍子搖搖頭，黯然一歎，道：「王兄，可瞧清楚來人了麼？」

王修道：「塵煙蔽目，夜色幽暗，在下只瞧出了那位領隊，是藍天義第一位心腹藍福。」

青萍子道：「貧道瞧出了另外兩個人。」

王修若有所悟地道：「是貴派中人？」

青萍子道：「不錯，貧道瞧出我兩位師兄都在其中。」

王修道：「哪兩位？」

青萍子道：「除了掌門人，二師兄巢南子、三師兄浮生子，都在其中，其餘之人，貧道未

看清楚，但約略一眼間，有不少本門中的弟子。」

王修沉吟了一陣，問道：「貴派的掌門人不在其中麼？」

青萍子道：「敝掌門人如在其中，貧道定可認出，除非他經過了改扮，但想來不致如此，大約是被那藍天義留作人質了。」

王修長吁一口氣，道：「他們已得到了藍家鳳的消息，所以，由藍福率領人手趕來。」

青萍子道：「王兄，咱們應該如何？」

王修沉吟了一陣，道：「咱們回去瞧瞧，一則可見識一下藍夫人安排息隱巫山群豪的實力，二來也可看看，藍家鳳到底和天道教中人的關係如何。不過……」

青萍子接道：「不過甚麼？」

王修道：「照在下的看法，這很可能是第一批趕來的人手，如若藍天義存心對付藍家鳳，必然會遣派援手，隨後趕到，咱們如要回去，舉動間應該要小心一些才是。」

青萍子道：「貧道了解王兄的用心，不過，貧道希望王兄答允，在可能範圍內，設法救出我兩位師兄。」

王修神情肅然地道：「好，但道兄不可莽撞出手，須知咱們行蹤一暴露，就很難有脫身的機會。」

青萍子黯然說道：「我明白，整個江湖的安危，比我私人的情誼重要。」

王修道：「好！咱們追上去吧！」

兩人帶好了兵刃，縱身躍出草叢。

這當兒，突由來路之上，飛過來一條人影。

那人影來得太快，兩人再想退入草叢中時，已自無及。

王修低聲說道：「殺了他。」一側身，呼的一掌，拍了出去。

幾乎在同時，青萍子也長劍出鞘。

那人顯然無法在一剎那間收住向前奔衝之勢，急急一抖雙臂，向前飛奔的身子，忽然間飛了起來，由兩人頭頂上掠過。

王修一掌擊空，青萍子手中長劍，卻疾變一招「穿雲射月」，追刺過去。

那人突然一收雙腿，懸空打了一個跟頭，道：「是我……」

這時，王修也瞧出了來人是誰，急急說道：「道兄，是江少俠。」

來人正是易扮中年大漢的江曉峰。

青萍子一記凌厲的劍招，刺破了江曉峰的短衫，幾乎傷及了肌膚，急急收劍，說道：「江少俠，對不住，貧道……」

江曉峰微微一笑道：「不妨事，道長那一劍甚見功力……」

語聲一頓，道：「藍福帶了一群人，快馬夜行，趕來此地，不知爲了何故？」

王修道：「我們瞧到了。」

當下把會見藍家鳳的經過，說了一遍，不過，卻把藍家鳳要殺他的一段，給隱了起來。

青萍子聽得心中大爲不解，忖道：「王修爲什麼要把藍家鳳欲殺死江曉峰一事給隱了起來？那豈不是使得江曉峰毫無準備，一旦相遇，難免受害。」

但那王修既然不講，青萍子自是不便說出。

江曉峰沉吟了一陣，道：「老前輩，咱們應該趕去助那藍姑娘一臂之力才是。」

王修道：「在下和青萍子道兄，已決定要去，江少俠及時而到，那是最好。不過，在下希望江少俠答允在下一事。」

江曉峰道：「老前輩只管吩咐。」

王修道：「藍家鳳率領的巫山群豪，實力莫測，咱們只能在暗中窺著，不能出手相助。」

江曉峰道：「如是那藍姑娘不是敵手呢？」

王修道：「藍家鳳胸有成算，縱然落敗，亦可能是故隱實力，咱們如是貿然出手，只怕壞了她的計畫。」

江曉峰怔了一怔，道：「老前輩別具高見，晚輩一切聽命就是。」

王修道：「咱們守在一處，不可分開，萬一遇上敵人，動手了起來，亦可相互救應。」

青萍子道：「我們一切唯王兄之命是從就是。」

王修道：「咱們走吧！」

強敵在前，三人行動十分小心，不敢順著大路奔走，繞田中而行。

王修記憶之力，超異常人，雖然是在夜中，瞧了那莊院一眼，已把那四周的形勢，默記在心，是以當先帶路。

青萍子、江曉峰，在他引導之下，或借叢林掩護，或借林木遮擋，竟然在接近了莊外的雜林之中，未爲發覺。

三人爬上一株大樹，高居樹上，借枝葉掩護，向下望去。

這時，藍福所帶之人，已然進入林中，逼近了莊院前面。

只見莊院大門緊閉，似是還不知強敵已逼近門前。

這座莊院除了四周一些林木之外，都是遼闊的原野，風勢甚勁，吹得枝葉簌簌作響。

江曉峰打量了一下莊院的形勢，低聲說道：「王老前輩，看情形，莊院中的人，還不知道已經被包圍，咱們要不要通知他們一聲？」

王修淡淡一笑，道：「數十匹快馬，奔雷閃電而來，靜夜之中，聲聞數里，藍姑娘豈有不知之理？只是她精明多了，這等閉門不理，給藍福一個莫測高深。」

江曉峰啊了一聲，臉上卻是一片疑慮不安之色。

青萍子忍不住焦慮，低聲說道：「江少俠，如若咱們無法不出手相助時，江少俠最好不要露出本來的面目。」

江曉峰怔了一怔，道：「為什麼？」

青萍子道：「因為……因為……因為……」

因為了半天，終於被他因為出了一個理由，接道：「因為江少俠此刻不宜被人認出。以江少俠的武功，用另一種不同的身分出現，必可惑亂那天道教的耳目。」

江曉峰略一沉吟，道：「道長之言，倒也有理。」

王修靜靜地聽著兩人爭論，微笑不語。

這時，莊院內的情形，又有了新的變化，藍福率領的人手，在逼近莊院大門之後，突然停了下來。

顯然，藍福對這等出奇的寂靜，已生出了懷疑。

王修低聲說道：「藍姑娘的部署，已經有了效果，使藍福等不敢再存輕視之心……」

語聲微微一頓，接道：「在藍福的想像之中，帶著這多人手，一擁而至，見面之後，全力搶攻，大家不用多費唇舌。如果藍家鳳在林木之內設有埋伏，出手攔阻，那就很快地形成了一場混戰，也許很慘烈，但卻是打得全無意義，縱然能把藍福打個全軍盡墨，但收到的效果也不夠大。」

江曉峰道：「甚麼效果？」

王修道：「藍家鳳目前的用心和咱們不同。咱們要隱匿實力，愈是隱密愈好。藍家鳳卻是要一戰驚敵，打出名氣，使武林中知道，有一股新生的實力，在和藍天義抗拒，也使藍福敗得心驚膽戰，明明白白。」

江曉峰道：「她的用意何在呢？」

王修道：「要借藍福之口，轉告那藍天義。」

江曉峰道：「那不是自暴實力。如是被藍天義認爲是大患強敵，豈不是要全力追殺，自陷於不利之境。」

王修笑了笑，道：「藍家鳳自有她的打算，在下無法看出她全部的用心……」

突然間，火光一閃，亮起了兩支火把。

江曉峰凝目望去，只見那燃起火把的人，竟然是藍福帶來的屬下。

這時，藍福越眾而出，直行到那莊院的前門，高聲說道：「老夫藍福，要見藍姑娘，哪一位執事，代老夫通報一聲。」

青萍子低聲說道：「他說得很客氣。」

王修道：「形勢逼人，他如是不客氣一些，也許他根本就見不到藍姑娘。」

只見那兩扇緊閉的木門，突然大開，一個身穿灰衣，留著長髯的大漢，緩緩行了出來，兩道冷峻的目光，打量了藍福一陣，道：「你叫藍福？」

藍福眉頭聳動，忍著氣，道：「正是老夫。」

灰衣中年道：「你要求見鳳姑娘？」

藍福道：「嗯！她在不在？」

灰衣人道：「在，只是不知道她是否願意見你。」

藍福道：「她該知曉老夫的身分，非見不可。」

灰衣中年搖搖頭，道：「鳳姑娘神威難測，閣下別太相信自己的判斷。」

藍福顎下白髯，無風自動，顯然心中極是氣忿，但他卻強自忍了下去，道：「勞駕代爲通報一聲，見與不見，要快決定。」

灰衣中年微微頷首，道：「可以……」

目光一掠藍福身後排列的劍手，接道：「這些人要他們退後一些，帶劍佩刀的樣子難看，其實，他們派不上用場。」

藍福道：「你口氣很大啊！」

灰衣中年冷然一笑，道：「如若你閣下不見怪的話，我想獻醜一下。」

藍福微微一怔，道：「怎麼一個獻法？」

灰衣中年人道：「傷他們一個給你瞧瞧，自然，你如見怪，在下就不便出手了。」

藍福略一沉吟，道：「好，老夫也想見識一下。」

灰衣中年人目光轉動，注視的是一個身佩單刀，面目凶惡的大漢，站的距離最近，當下說

道：「閣下如此吩咐，在下就恭敬不如從命。」身子一側，抱拳一禮。

藍福早已在暗中運氣戒備，生怕對方借機施展鬼謀，暗算自己。

但那人並無鬼計，一抱拳，立時放下雙手。

藍福冷漠一笑，道：「你客氣了……」

只聽哇的一聲，那身佩單刀、面目凶惡的大漢，突然張嘴吐出一口鮮血，身形向後倒去。

藍福冷哼一聲，回手一把，指未及衣，但憑一股指上的力道，竟然把那佩刀大漢給生生抓到身側，伸手一摸，竟是已經氣絕而逝。

藍福心頭大震，暗道：「我和他相距如此之近，竟然不知他如何發出了掌力。」

他本想立時發作，但他有了警覺之後，忍下氣忿，道：「閣下好深厚的內力！」

灰衣中年人神色一直是十分平靜，殺人前後，全然無甚異樣，淡然說道：「我說過，他們幫不上你的忙……」

語聲一頓，不待藍福接口，又道：「在下去替你通報了。」竟自轉身而去。

莊院大門未開，那灰衣中年大漢去後，也無人守護，藍福只一揮手，數十人即可衝過去，但那灰衣大漢露了一手之後，已使藍福感覺到遇上強敵，莊院中的形勢不明，竟是忍下來未動。

片刻之後，只見六燕、七燕，各舉著一盞紗燈，緩步而出。

那灰衣中年大漢，走在二婢身側，近門之時，搶先一步，行了進來。

二婢左右分開，藍家鳳一身翠綠勁裝，緩步而出，行至門外台階上，停步不前。

藍福兩道滿含怒意的目光，盯住在藍家鳳身上瞧了一陣，道：「姑娘……」

藍家鳳嗯了一聲，接道：「甚麼事？」

藍福道：「你好像不認識老夫了。」

藍家鳳一顰秀眉，道：「你說什麼？」

藍福目睹藍家鳳對自己一派不屑理會的味道，不禁心頭火起，怒聲喝道：「老夫是天道教下的總護法，除了教主之外，人人都要聽老夫之命。」

藍家鳳道：「在天道教中，你是總護法，但在我們藍家呢，你不過是一個老管家罷了……」

藍福怒聲叫道：「小丫頭，你……」

藍家鳳不理會藍福的激怒，仍然笑意盈盈地說道：「在鎮江藍府之中，你對我說話時，一向自稱老奴，對麼？」

王修等隱在樹上，聽兩人對答之言，低聲對江曉峰和青萍子說道：「藍家鳳修為大有進境，深通攻心為上的兵法之道，看來今日，藍福有得苦頭好吃了。」

突然間，藍福閉上雙目，似是在運氣調息一般。

藍家鳳微微一笑，問道：「藍福，你怎麼不敢瞧我了？」

藍福睜開眼睛時，臉上的忿怒之氣，已然大為消退，輕輕嗯了一聲，道：「老夫在想 件事。」

藍家鳳道：「你想什麼？」

藍福道：「想你說的話，並非是全然無理，在天道教中，老夫固然是總護法，但在藍家，老夫確是府中的老管家，這也沒有什麼不對啊！」

江曉峰低聲說道：「藍福的口氣變了。」

王修道：「不錯，所以，任何事情，都不能言之過早。不過，這一來，咱們亦可了然一些內情，在這段時間，藍福的內功又精進了不少。」

江曉峰道：「一個人的喜怒，和內功有關麼？」

王修道：「是的，武功精進到某一種境界，喜怒之間，可以分辨出人的修爲。因爲內功練到某一限度，會改變一個人的性情。」

但藍家鳳沉吟不語，顯然，她對藍福的轉變，亦有些揣摸不透。

藍福重重咳了一聲，道：「鳳姑娘，老夫來此之時，曾得教主老主人一番囑咐。」

藍家鳳道：「那一定是很動聽的謊言了。」

藍福道：「姑娘可以不聽，但老夫一定要說。老主人告訴我說，他過去對你太苛了一些，但你總是他的女兒啊！」

藍家鳳道：「還有什麼？」

藍福道：「你那位兄弟，天生的不是練武材料，一練武功，就練個走火入魔，如今成了一個廢人。你爹爹雖然功參造化，持有丹書、魔令，但一樣無法挽救你那位兄長的命運，唉，老主人原本有著一套很精密的計畫，希望一發動，在兩年時間之內，就可以統一武林，但想不到少林寺一番抗爭，竟成了一個僵持之局。神算子王修又從中作梗，連息隱多年的松蘭雙劍，竟也在暗中插手，以致破壞了你爹爹的計畫。」

藍家鳳笑了笑，問道：「這些事，和我有什麼相干呢？」

藍福道：「怎麼會不相干呢？姑娘，你爹和我，都是花甲以上的人了，大半個身子都進了

棺材，這天道教一旦統治了武林，日後教主之位，還不是落在你鳳姑娘的身上？那時，大道教統治著天下，你以教主之尊，呼風喚雨，爲所欲爲……」

藍家鳳搖搖頭，道：「夠了，很好的動人說詞。不過，這些我都沒有興趣，有勞你藍總護法，代我回覆教主一聲，就說他如能及時悔悟，現在還來得及，解散天道教，遁跡深山，他昔年名滿人間，一度爲萬家生佛，功過相抵，也許還能落個悠遊林泉……」

藍福冷笑一聲，接道：「藍姑娘，這是一個女兒對她爹爹應該說的話麼？」

藍家鳳道：「我想，你應該早知道了，我不是藍天義的女兒，藍天義卻對我有養育之恩，但他幾度存殺我之心……」

藍福接道：「胡說，教主如有殺你之心，豈容你活到現在。」

藍家鳳道：「那是因爲他心中有所顧慮，才不敢殺我。」

藍福道：「以教主在武林中的地位，他還有什麼顧慮，加個忤逆不孝罪名，殺了你，反將博得天下讚美，家教有方。」

藍家鳳冷冷說道：「別拿這些帽子壓我，你若還認爲我是一年前的鳳姑娘，那就錯了，那時我一切都不了解。」

藍福道：「現在，你又了解些什麼？」

藍家鳳道：「藍天義不殺我，他是害怕我娘，他不敢公然在武林發動戰亂，也是爲了害怕我娘，所以他一直忍耐著……」

藍福皺皺眉，正待出言反駁，藍家鳳卻冷冷說道：「你先別打岔，聽我把話說完……」

「所以，他處心積慮，想殺死我娘，但他的武功，終是無法強過我娘，所以，他不敢和我

娘正式翻臉，只是想找機會暗算我娘，終於被他如願得償。但他忽略了我娘的絕世智慧，早已洞悉了他的陰謀……」

「我娘顧念夫妻之情，總希望他能夠懸崖勒馬，及時悔悟，所以，處處忍耐，想不到，他竟心狠手辣到全無情義的地步，終於殺了我娘。因此，無論如何，我和藍天義有著殺母之仇。」

藍福冷然道：「這些事，定是那神算子王修編出來的，用以挑撥姑娘和教主的父女之情。就老夫所知，王修在教主和老奴都不在府中時，他潛入了鎮江藍府。」

藍家鳳淡淡一笑道：「大約是你來此之前，已與藍天義有過一番商量，所以，說起來頭頭是道。但這件事，不用冤枉人家王修，因為藍天義的一切舉動，都在我娘的預料之中。藍天義擒住我兩次，都被我輕易脫身，也是我娘早已替我安排好的策略。這法子我已用了兩次，計不過三，自然是不能再用第三次了……」

語聲一頓，接道：「我的話到此為止，你也可以走了。」

藍福冷笑一聲，說道：「老夫來此之時，奉有教主嚴命，非要我將姑娘帶回見教主不可。」

藍家鳳道：「可惜，你要違命了。」

藍福道：「教主告訴老夫，最好是善言勸你回去，如姑娘執意不從，老夫只好動手擒姑娘回去了。」

藍家鳳淡淡笑道：「藍天義人笨，你卻不自量力。」

藍福冷哼一聲，道：「藍姑娘你有好大能耐，別人不知道，老夫我卻是清楚得很。」

藍家鳳道：「士別三日，刮目相看，你如想逞強，那就不妨試試。」

藍福仰天打個哈哈，道：「好！姑娘執意不聽老夫良言相勸，那就別怪老夫失禮了。」

舉手一揮身後群豪，突然散開去，把莊院圍了起來。

六燕、七燕一抬手，拔出背上的寶劍，擋在藍福的身前。

藍家鳳冷冷說道：「你一定要試試，那也是沒有法子的事。」

舉手一揮，四個灰衣人緩步由門內走了出來，和第一次出現的灰衣中年人，站在一起，五人並肩而立，擋在藍家鳳的身前。

由莊院之中行出的四個灰衣人，兩個執刀，兩個執劍。

江曉峰低聲對王修說道：「老前輩，這些人穿著一般的灰色衣服，似是有意的叫人認不出了。」

王修低聲說道：「他們都是苦練數十年的高手，每人都有一身驚人的藝業，但卻都無爭名揚譽的用心，所以，不用名號，不著奇裝，只穿著一襲灰衫，那是巫山群豪的標識……」

語聲一頓，接道：「就在下猜測，藍夫人在巫山中留下的人才，必然不會太多，他們穿著一般的衣著，正可收惑人耳目之效。咱們今晚上要大開眼界，見識一下巫山門中武功了。」

兩人這一陣交談，場中形勢，已有了很大的變化。

只聽藍福冷冷說道：「鳳姑娘就憑這幾個灰衣人，就想抗拒老夫率領的人麼?」

藍家鳳道：「藍福，念你過去對我頗有照顧之功，我再勸你一次，假如不及時而退，一動上手，就可能鬧得全軍覆沒。」

藍福道：「有這等事?老夫倒是有些不信了。」

舉手一揮，四個身著勁裝大漢，由左側撲了上來。

那居中而立，年紀稍長的大漢，仍是赤手空拳，目光注定藍福，對四個攻來的人，望也未望一眼。

站在左首兩個執刀的灰衣人，只微微一轉身軀，對著四個來攻的人。

這不過是一刹那間的工夫，四個勁裝大漢以極迅快的速度衝了上來。

原來，藍福目睹那些灰衣人露了一手之後，心中有著極大的警惕，想先行見識一下，這些灰衣人的武功路數，再想對敵之法。

但見兩個執刀的灰衣人，同時舉起手中的單刀，向前劈出。

兩股刀光，閃電一般攻向迎來的四人，但看起來，那刀法直來直去，並沒有很奇異的變化。

只聽一陣兵刃交觸，兩個灰衣人，突然收刀而退。

等那兩灰衣人在原位站好，四個向前衝奔的勁裝大漢，突然一齊摔倒在地上。

燈光下，只見四人前胸鮮血湧出，早已刀中要害而亡。

青萍子看得也呆了一呆，低聲歎道：「好凌厲的一刀。」

王修也是神色微變，低聲說道：「他們的刀法，已到集繁爲簡的境界，沒有人能夠預料他們出手的刀法變化，這是登峰造極的刀法，一刀奪命。」

只見站在場中的藍福，臉上一陣青、一陣白，顯然，他亦爲這兩人出手一刀的凌厲，感覺震動不已。

藍家鳳冷笑一聲，緩緩說道：「以你的武功，也許可以瞧出他們的刀法，你帶來數十人，

就算一擁而上，也不過枉送數十條性命。爲了減少無辜的死亡，你不妨就率來之人中，選幾個武功高強的人，打一場試試。」

藍福緩緩抽出長劍，道：「姑娘可敢和老夫決一死戰麼？」

藍家鳳道：「我現在也許還不是你的敵手，但多則半年，少則三月，我不但要和你動手一搏，而且打敗你之後，我還要找藍天義，替我娘報仇。」

藍福冷冷說道：「你既自知不敵，還是束手就縛，免得老夫失手傷到你。」

藍家鳳道：「我有他們保護，你打敗了他們，再找我動手不遲。」

說完話，突然轉身，行入莊院之中。

六燕、七燕，一手仗劍，一手執燈，保護著藍家鳳退入門內。

藍福眼看藍家鳳退入莊院，心頭大急，長劍一揚，身後的巢南子、浮生子，各率六人，分由兩側攻上。

四個分執刀、劍的灰衣人，同時舉起刀、劍，分向左右兩側迎去。

青萍子只看得大爲吃驚，急急說道：「王兄，我兩個師兄出手了，只怕他們也難是那些灰衣人的敵手。」

王修道：「如若你那兩位師兄神智清明，未被藍天義暗下禁制，他們今天卻不失爲倒反天道教的機會，如若他們身有禁制，除鳳姑娘能幫忙之外，咱們也是沒有法子。」

青萍子道：「這件事既然叫我遇上了，怎能坐視不救？還要請王兄想個辦法才成。」

王修輕輕歎息一聲道：「在下盡力而爲。」

青萍子心中亦明白，此刻處境，再逼王修，也是無用，只好不再多言。

抬頭看去，場中的形勢，大出青萍子的意料之外。

原來，四個灰衣人，竟然改採守勢，雙劍、雙刀，各化作一片森寒的劍氣，刀光攔阻了浮生子、巢南子等的攻勢。

同時，青萍子也瞧出了兩位師兄，儘管把劍施得寒光流轉，但攻得華而不實，並未全力施展，不禁心中一喜，低聲說道：「兩位師兄和我一樣，早已小心戒備，都未爲藍天義陰謀所乘。」

王修道：「兩位道兄，修養有素，見識豐博，大約也早已有了準備，藍福不能分心督陣，沒法瞧出他們華而不實的攻勢。」

敢情王修也瞧了出來。

這當兒，那年紀稍長，空手而立的灰衣人，突然一撩長衫，探手由腰中摸出一條黑色的長鞭，冷冷說道：「在下想領教天道教總護法的高招。」

藍福一皺眉頭，道：「你一定要和老夫動手麼？」

灰衣人道：「不錯。」

藍福道：「動手不難，不過，老夫從來不和無名之人動手過招，閣下想動手，還請報個名上來。」

灰衣人道：「咱們武功上分生死，強存弱亡，報不報姓名，似乎是沒有很大的關係吧！」

藍福冷冷說道：「老夫劍下一向不死無名之卒。」

灰衣人道：「如是一定要報名號，你就叫我巫山天王鞭就是。」

藍福低聲自語道：「巫山天王鞭，這不像人名字啊！」

天王鞭淡然一笑，道：「天王鞭和人名有何不同，閣下的要求，未免是太苛了一點。」右手一揮，手中黑鞭，迎面擊了下來。

藍福早已運氣戒備，長劍一揚，硬向鞭上迎去，腕上暗加勁力，貫注於劍上，準備一舉問，削去那人手中的黑鞭。

哪知，那人手中的黑鞭，極爲柔軟，藍福長劍一擋，黑鞭彎了下來，鞭尾打在藍福的後背之上。

藍福雖然功力深厚，但也被這一鞭打得背上生痛。

灰衣人一挫腕，收回長鞭，竟是絲毫未損。

藍福怔了一怔，怒火大起，道：「好鞭法！」身子一側，人劍並進，直衝過來。

灰衣人一挫腕，八尺長鞭，大部縮入袖中，只餘下兩尺左右一段尾鞭，當做判官筆使用，筆直地點向藍福前胸。

藍福潛運內力的一劍，未能削斷那灰衣中年人手中的軟鞭，已知遇上了勁敵，也知曉他自稱天王鞭原因，自嗚爲天下用鞭之王。

但他未料到這人的功力，竟然能氣馭軟鞭，把一截軟鞭當做鐵筆應用。

藍福本來是側攻之勢，但此刻卻又不得不改攻爲守。因爲攻出的劍勢，走的偏鋒，那灰衣大漢的軟鞭，卻是筆直地點了過來，藍福劍勢縱然能刺中那灰衣人，天干鞭梢亦將點中藍福的前胸。

要和高手過招，不能失去天機，藍福的劍勢凌厲，天王鞭如若閃身讓避，必授對方以可乘之機，只好施出同歸於盡的打法。

果然藍福十分惜命，回劍護身，橫向鞭梢擋去。

但聞波的一聲輕響，勁氣貫注的鞭梢，吃藍福一劍擋開。

天王鞭長笑一聲，忽然間倒退丈餘，手中軟鞭暴長，幻起了一片鞭影，疾勁的鞭勢，帶起了一陣呼嘯勁風。

藍福被迫在一團飛旋的鞭影之外。

這時，雙方的混戰，自動地停了下來，巢南子、浮生子，雖然加入助戰，但被那四個分執刀劍的灰衣人，傷了四、五個同伴。

天道教一向視人命如草芥，藍福帶來的人手多，死傷十個、八個，也不當它一回事。

藍福瞧出今日的局面不妙，不知從哪裏冒出了這一群灰衣人，個個都有著非凡的身手。

對方只有五個人出手，莊院之中，還不知曉有好多人沒有出來，再這樣打下去，自己這一方面，只不過是多些傷亡而已。

是故，巢南子等停手之後，藍福也未再喝令幾人再攻。

忖度敵情，藍福已發覺年紀較大的天王鞭，似乎是這群灰衣人的首腦，至少這五人之中，以天王鞭爲首。自己和天王鞭的一戰，似乎是雙方優劣的關鍵，如若不能勝得對方，只有回頭走路一途可循，如是勝了，以後的變化，卻又無法預測，想再見到藍家鳳，最好的推想，還要闖過幾道攔截。

他心中風車般一陣轉動、盤算，也不過是眨眼的工夫，那天王鞭的威勢，似乎又增強了許多。

藍福回顧了巢南子一眼，吩咐道：「今日的變化很意外，你派幾個人去準備馬匹，我如

是在十招之內，無法制服那用鞭的灰衣人，咱們立時回去，稟告教主。這些人個個都有數十年的精純功力，但卻又從未在江湖上走動過，來歷不明，武功卻偏又高得出奇，必須及時撲滅才成。」

巢南子欠身應道：「屬下知道。」

這時，那漫天的鞭影，已然直向藍福迫過來。

鞭勢未到，一股勁風，先行迫至。

藍福突然一提真氣，手中長劍，勾起兩朵劍花，同時傳出內力，一股森寒的劍氣，反擊過去。

鞭影、劍芒，相距還有數尺距離，但鞭風、劍氣，已先行觸接。

那疾如輪轉，漫天飛旋的鞭影，似乎是突然間遇上了很強大的阻力，速度大為減緩下來。

藍福卻不停地搖揮著手中的劍勢，發出波波層層的劍氣。

天王鞭似乎是想用手中的長鞭擊向藍福，但他卻總是無法如願，長鞭好像被一層無形的牆壁堵住，難越雷池一步。

這是一場罕聞罕見的搏鬥，雙方相隔一段距離，兵刃亦不相觸接，但憑深厚的內功，貫注於兵刃上發出的無形勁氣，相互攻拒。

隱身在樹上枝葉叢中觀戰的江曉峰等，卻是看得心頭駭然。

青萍子暗暗歎息一聲，忖道：「我習劍數十年，比起人家來，當真是小巫，看來，再練它幾十年，只怕也難達到這等境界。」

江曉峰亦不禁低聲地讚歎道：「這等鞭風、劍氣抗拒的搏鬥，大約已類近劍道中最高境界的『馭劍術』了。」

王修低聲說道：「在下雖不是用劍的行家，但對這中間的道理，卻是略知一、二。兩人這是在互較內功，只不過不用掌勢觸接，把內功用於兵刃之上，攻勢則更為凌厲，也不致形成纏鬥，鬧成不死不休的局面，比起『馭劍術』，還有一段距離，不過，到了此等境地，劍氣已可傷人於近丈之內了。」

語聲一頓，道：「兩位若仔細地看看，也許可以看出，他們之間的手法，似乎是同出一源。昔年有一位武林前輩，畢生從事把內力運集於兵刃之上克敵，內功雖是基礎，但中間亦有巧勁，據在下所知，那位老前輩的武功，並無傳人。」

青萍子接道：「那麼，藍福和那灰衣人，又怎會施用呢？」

王修道：「據在下所知，那一門武功，記入了金頂丹書之中。」

江曉峰道：「這就對了，藍天義得到了丹書、魔令，藍夫人也曾閱讀過。」

王修搖搖頭，道：「照我的推斷，那丹書、魔令原為指塵上人取得，轉入藍夫人的手中以後，又從藍夫人轉入了藍天義的手中，而且藍夫人保存那丹書、魔令，有一段不短的時間，所以，藍夫人的武功，一直是高過藍天義……」

沉吟了片刻，接道：「這其中的詳情，指塵上人沒有遺書說明，藍夫人也未告訴過我，但我冷眼觀察，由各種情形推斷，和一些事實證明，大致是不會錯了。」

目光轉到青萍子的身上，道：「道兄，現在你有一個機會，如若你能做好，可使你兩位師兄，帶著一部份門下弟子，脫離天道教。」

青萍子心中大喜，急道：「什麼法子？」

王修道：「藍福正全力和那灰衣人動手，無法分心旁顧，你用貴派中的暗語，和巢南子連繫，他如未服用藍天義的制心藥物，必也會用暗語和你聯絡，那你就可以要他轉告浮生子，暗中通告武當門下弟子，藏身於樹林中。」

青萍子接道：「這個沒問題，我那兩位師兄未爲藥物所制，乃是我們早已約定，小心從事。但最重要的是，天道教中似乎有一位才慧極高的人物，在暗中幫助我們，告訴我們，如何才能避開食用藥物，並且告訴我們中毒之後的徵象。就這樣，我們騙過藍天義的雙目。」

王修道：「爲甚麼不把此法告訴貴派中弟子，要他們也逃避服用制心藥物？」

青萍子道：「那人告訴我們只限武當四子知曉，人一多就可能出亂子，所以，我們並未告訴門下弟子。」

王修點點頭，沉思了片刻，突然開口道：「你通知令師兄，要他們趕快選幾個可以信任的弟子，至多不能多過八人，這些人，第一要忠實可靠，再依序是才慧、武功，要令師兄設法點了他們的穴道，藏於暗處。」

青萍子道：「我明白了，貧道立刻就去。」躍下大樹，急奔而去。

王修低聲對江曉峰說道：「你要留心瞧看四面情形，萬一青萍子不小心被人發覺，咱們必須要很快地救他出來，離開此地。」

江曉峰道：「晚輩記下了。」

王修抬頭看去，火光照耀下，只見兩人已打入最緊要的關頭，鞭舞劍轉，雙方頂門上也都流出了汗水。

目睹兩人拚鬥的激烈，江曉峰忽然心中一動，道：「老前輩，如若那青萍子道兄，能夠及

時救回巢南子和浮生子，今夜之中，咱們似有殺死藍福的機會。」

王修道：「殺死藍福？」

江曉峰道：「如若不錯，是藍福和那人搏鬥得疲勞未復，在下自信可以將他搏殺……」

語聲頓了一頓，接道：「這樣似乎是有欠光明，但在下記得，老前輩說過一句話，對天道教用不著和他們講武林規誡。」

王修道：「我相信江少俠確然有此能耐，不過，目下咱們應該研究一下，是否應該殺死藍福。」

江曉峰奇道：「你是說藍福是否該殺？」

王修道：「不該。」

江曉峰道：「這一點，晚輩就不懂了，藍福助藍天義爲惡，那藍天義有多大的惡行，藍福就有多大惡行，怎麼還覺著他不該殺呢？」

王修道：「江少俠誤會了在下言中之意，如論那藍福的罪，殺他一百刀也不算多。在下之意是，此時此情，不宜將他殺死。」

江曉峰道：「爲甚麼？」

王修答道：「如若殺死藍福，將會使藍天義提高警覺。」

江曉峰若有所悟地「啊」了一聲，道：「不錯，以藍天義目下的實力，如若他有了警覺，倒是一樁大爲麻煩的事。」

兩人談話之間，場中的搏鬥形勢，已有了很大的變化。

但聞藍福大喝一聲，手中長劍突然閃起了一朵劍花，震開了那灰衣人手中的長鞭，轉身一躍，人已到一丈開外，又一個騰身而起，消失在夜暗之中。

那個自稱天王鞭的，亦轉身奔回莊院之中。

所有的灰衣人，都以極快的速度，退回莊院中去，砰然一聲，關上了大門。

一番激烈的搏鬥，就這樣突然而終。

江曉峰只看得大爲奇怪，忍不住問道：「老前輩，這是怎麼回事？」

王修道：「天王鞭受了傷，而且傷得很重，他必須回入莊院中養息。」

江曉峰道：「老前輩如何知曉那灰衣人受了傷呢？」

王修道：「我只是這樣推想。」

江曉峰低聲說道：「照晚輩的看法，他們這一場搏鬥中，似是藍福落敗。」

王修道：「藍福也受了傷，所以及時而退。」

江曉峰嗯了一聲，道：「咱們此刻如何？」

王修說道：「等青萍子道兄回來，咱們也要即刻動身離此，藍福惹不起藍家鳳，咱們也是一樣的惹他們不起。」

語聲甫落，突聞耳際間響起一陣衣袂飄風之聲。

江曉峰一抬腕，長劍一閃出鞘，聽風辨位，長劍一轉間，已然指向了來人的前胸。

但聞青萍子的聲音，傳入耳際，道：「江少俠，是我。」

江曉峰回劍入鞘，低聲說道：「道長找到了兩位師兄麼？」

青萍子道：「王兄算無遺策，自然是不會出錯。」

王修笑一笑道：「兩位師兄現在何處？」

青萍子道：「在林外一處隱蔽的草叢中，貧道照王兄指示，點了敝派中六位弟子穴道……」

王修嗯了一聲，道：「咱們先去瞧瞧再說。」縱身而下，落著實地。

青萍子緊隨著飄身而下，道：「貧道給兩位帶路。」轉身向前行去。

王修、江曉峰，魚貫隨行，穿出樹林，又行了里許左右，到了一處深草叢外。

青萍子停下腳步，沉聲說道：「兩位師兄，王兄和江少俠都到了。」

草叢中人影閃動，躍出巢南子和浮生子來。

王修微微一笑，道：「兩位身處險地，竟然保持冷靜，避開毒藥，非大智大慧人物，實難辦到。」

巢南子輕輕歎息一聲，道：「王兄過獎了。武當派在我們這一代中，淪入魔道，幾陷於萬劫不復之境，想起來實是愧對我歷代的祖師。」

浮生子接道：「我們雖然暫脫魔掌，但掌門師兄仍陷在藍天義控制之下，只怕要有一番苦頭好吃的了。」

王修突然開口說道：「兩位道兄，在下想要請教一事。」

巢南子道：「王兄吩咐，我等知無不言。」

王修道：「貴派掌門人朝陽子道長，是否和兩位道長一般，保持著清明神智？」

巢南子黯然說道：「掌門人為了我等的安全，故意服下了迷亂神智的藥物。」

王修沉吟了一陣，道：「那就不要緊了。」

青萍子聽得一呆，道：「貧道聽不懂王兄的話。」

王修微微一笑，道：「事情很明白，如若令師兄沒有服用毒藥，在藍天義逼問之下，必然會露出馬腳，那就有性命之危，咱們得早些救他出來……」

月光一掠巢南子、浮生子，接道：「如是貴掌門服用過藥物，那就真金不怕火，任他藍天義人性滅絕，殘酷絕倫，也不會遷怒到貴掌門的身上。因爲那制心藥物，有著絕對效用，藍天義不會對他配製的藥物動疑，貴掌門縱然留在天道教中，暫時也很安全。」

巢南子道：「我們武當三子都脫離魔掌，留下一個掌門人，心中總是不安。」

王修道：「大勢如此，貴派已算是不幸中的大幸。退一步講，就算咱們千辛萬苦的救出來貴掌門，也是無法使他恢復神智。」

浮生子怔了一怔，道：「貧道等在混亂中，救了我們六個弟子，他們都已經服用藥物，要如何才能使他們清醒過來？」

王修道：「就在下所知，藍天義控制屬下的方法，共有兩種，一種是施用藥物，另一種很特殊的武功，點傷人的經脈，如若貴門中弟子都是被藍天義用武功點傷了經脈，目下只有一個藍家鳳姑娘能救，如若他們是服用了藥物，在下可以療治。」

巢南子道：「就貧道所知，他們被逼服藥的可能，高過被武功所傷的可能性較多，王兄不妨察看一下。」

王修道：「不用看了。如是他們被武功點傷，我也看不出一個所以然來，如是服用藥物，只要他們服下我的解藥之後，極快就可以恢復。」

巢南子道：「那就請王大俠賜給藥物吧！」

王修搖搖頭道：「現在不行。」

青萍子奇道：「爲什麼？他們身受控制，無法分辨善惡是非，也不能辨識師長，非得即時服用解藥不可。」

王修道：「在下已知那解藥配方，但藥物還未開始配製，其中有一、兩味藥物，十分名貴，小一點的市鎮只怕還沒有法子買到。」

江曉峰皺皺眉，接道：「那要好多時間啊？」

王修道：「快則七日，慢則十天，必可配製成功，那時，不但可以救出武當派的弟子，而且天道教下凡受藥物毒害的人，都可以解救。」

江曉峰心中暗道：「好啊！這王修是早已經胸有成竹了，所以，才要武當三子生擒一些武當弟子，以供他試驗藥物之用。」

心中念轉，口中卻未說破。

青萍子輕輕咳了一聲，道：「王兄，這中間一段時間，我們應該如何？」

王修道：「找個地方暫時躲起來，有了藍家鳳和一群巫山高手，暫時夠那藍天義應付了。咱們最好藉這一個空隙，找一處地方，諸位替我護法，我好多配製一些藥物，如是僥倖有成，就可以全力和藍天義周旋了。」

青萍子道：「我生擒來的六個門下弟子呢？」

王修道：「只有帶著他們同行了。」

江曉峰道：「咱們要找一處僻靜所在住下，老前輩去採購藥物，然後再行配製，藥物配成，才能救人。這一段時間，這些人都一直點住他們的穴道麼？」

王修笑一笑，道：「目下似乎是費事一點，勞請諸位帶著六個廢人同行，但諸位應該知道，他們並非是用來做王修藥物試驗之用，而是關係整個武林命運，如若我這藥物配製成功，而且又在六人身上驗證了它的效用，咱們可使藍天義的手下，大部為我所用。」

江曉峰和武當三子，聽得王修一番解說，都感到十分有理，幾人也就不再多言，分別抱起六人。

這當兒，突聞一陣得得蹄聲，傳了過來。

幾人急急隱入草叢之中，凝目望去。

夜色中，只見四匹快馬，由不遠處的大道上奔馳而過。

因為夜色幽暗，幾人無法瞧出有多少馬匹，但約略估計，不下十匹之多。

一陣快馬之後，輪聲轆轆傳來，數約三、四輛篷車，緊追馬後而過。

王修道：「藍姑娘給咱們留了一個僻靜的住處。」

青萍子道：「藍姑娘住處的機密已洩，難道不怕那藍天義再遣人來擾麼？」

王修道：「驟然想來確是如此，但如深思一下，情形就大不相同了，那藍天義找的是藍家鳳，並不是這片莊院，而也必然算知，藍家鳳一定離開。咱們帶著六個不能行動的人同行，自是引人注目，極是不便，藍家鳳替咱們留下了一個廣大住所，又引去了藍天義的注意，替咱們解決了不少困難。」

江曉峰道：「老前輩言之有理，而且咱們目下的處境形勢，一動不如一靜。」

浮生子道：「王兄一向是算無遺策，貧道亦覺著搬入莊院之中好些。」

王修微微一笑道：「事不宜遲，幾位既然同意，咱們可以行動了。」

幾人立刻行動，揹負起六個武當弟子，繞入藍家鳳等停留過的莊院。

經過了一番仔細地搜查，竟然未尋得藍家鳳留下的任何痕跡。

王修口雖未言，心中卻暗忖道：「這丫頭如此細心，倒是藍天義一個勁敵。」

這座莊院很大，前後三進院落，不下百間房屋。

王修選擇了一間堆積雜物的樓上，做幾人安宿之處，即使天道教再行派人來此搜查，只要關上那登樓的木門，抽去梯子，亦可瞞過天道教人的耳目。

一切安排妥當，王修又告訴了幾人應變之法，就獨自離去。

卅八 妙手回春

一切都在王修的預料之中，天道教未再派人來此莊院搜查。

第四天中午時分，王修已採齊了藥物歸來，連夜煎熬藥物，製成了丹丸。

他採購藥物甚多，製成的丹丸，不下數百粒。

第五天中午，王修和武當三子及江曉峰等集於大廳，把製成的藥丸，分讓六位武當弟子服下，神情肅然地說道：「如若這藥丸能解他們服用之毒，咱們就可以重出江湖，和藍天義一較長短。如是這藥物不能收效，咱們還得一些時間隱密，重行追尋這解藥的配方。」

武當三子，一齊動手，解了六個弟子的穴道，靜觀變化。

巢南子道：「久聞王兄之能，星卜醫道，無所不通，這藥方可是王兄研究出來的麼？」

王修略一沉吟，道：

「在下雖通藥理，卻無此能耐。再說，那藍天義使用何種藥物，迷人心智，在下既未見過他的配方，亦未見過他的藥物，豈能妄作預測？」

巢南子道：「那麼這藥方又從何處而來？」

王修道：「一位武林名宿留下的藥方，照他留書所言，可解百毒，但願他遺言不虛，早日挽救這次武林大劫。」

江曉峰心中明白，這藥方是指塵上人所造之物，那指塵上人，早已熟讀了丹書、魔令，決不會無的放矢，這藥方多半是對症之物，但卻不便出言點破。

武當三子，加上王修和江曉峰，十道眼光，全都盯注在六個仰臥在大廳中的武當弟子身上，察看反應，王修心中更是緊張無比。

足足過了一頓飯工夫，六個人仍然是靜靜地躺著，全無反應。

青萍子忍不住蹲下身子，右掌按向一人前胸。

哪知掌指剛觸及那人的胸前，那人突然一伸雙臂。

王修若有所悟地嗯了一聲，道：「三位道兄，助貴門弟子一臂之力，拍開他們的『神封』穴。」

武當三子應聲出手，擊落兩掌，分拍了六個弟子的「神封」穴。

但聞六人長長吁一口氣，同時伸展雙臂，一挺身坐了起來。

青萍子喜道：「王兄，他們醒過來了。」

王修道：「他們穴道已解，早該醒過來了，遲遲不醒，和藥力運行有關，希望這藥力有效，能解去他們身中之毒。」

這位以才略稱絕江湖的人物，大約是一生中從未有過這等緊張，雙目圓睜，盯注在六人身上，頂門上隱隱滲出了汗水。

江曉峰站在王修身側，見他的特異神色，忍不住低聲說道：「老前輩，你很緊張。」

王修笑一笑道：「我一生遇過了無數的危險，縱然是性命在呼吸之間，我也能鎮靜對付，但此刻，卻是緊張無比。」

江曉峰低聲說道：「藥方有來處，應該不會有錯，老前輩何用緊張呢？」

王修道：「因爲我沒有時間研究那藥方，心中全無所知，完全是碰運氣。」

江曉峰嗯了一聲，心中暗暗忖道：

「這神算子之名得來倒也不易，只要事情從他口中說出，都要經過一番精細的推算、研究，縱不能一語中的，也不是不著邊際……」

一念至此，突然明白了神算子王修緊張的原因，除了這藥物關係著武林大局之外，還有他神算子的招牌不能砸掉。

忖思之間，瞥見那年紀較長的一個道人，緩緩站了起來，四顧一眼，突然奔到巢南子的身前，拜伏於地，道：「師父，弟子，弟子……」

原來，這位年紀較長的道人，正是那巢南子的親傳弟子。

巢南子扶起跪伏身前的弟子，道：「你起來，這一段時間，你有些什麼感覺？」

那道人沉思了一陣，道：「弟子好像作了一場惡夢般，什麼也記不得了。」

巢南子充滿著憂慮的臉上，浮現出一抹微笑，道：「你們一點也記不起麼？」

那道人又沉思了一陣，道：「弟子記得追隨掌門師尊、師父，及兩位師叔，投入了天道教中。有一天腹中十分饑餓，吃了一頓豐富的晚餐，之後，就不再記得什麼了。」

這時，另外五人，全都清醒過來，紛紛拜見武當三子。

巢南子將目光轉到了王修的臉上，道：「王兄，他們都清醒過來了。」

王修早已恢復特有的冷靜，淡淡一笑，道：「那很好，現在，我把藥丸分給諸位，帶在身上，咱們立時動身。」

取過藥丸，分出四份，每份約三十粒，分交給武當三子和江曉峰，說道：「諸位請珍重收藏，有機會遇上天道教中神智不清的人，就給他服用一粒，然後，再酌情決定，是否收為我用，能收則收，不能收亦不用勉強，讓他們回去就是。」

巢南子目光一掠六個武當弟子，道：「你們過來，見過神算子王老前輩。」

六個武當弟子，橫排一列，齊齊欠身合掌，道：「見過老前輩。」

王修欠身一個羅圈揖，道：「諸位道長少禮。」

巢南子道：「從此之後，我武當門中弟子，都要追隨王大俠和江少俠，與天道教作誓不兩立之爭，直到消滅天道教，迎回掌門人，重光我武當門戶。今後再和敵人動手，凡我武當弟子，人人都要存必死之心，寧可戰死，不能再降敵受辱。」

六個武當弟子，齊聲應道：「弟子等敬領示諭。」

巢南子說出六個武當弟子的法號，依序是靜智、靜仁、靜勇、靜心、靜意……

王修道：「久聞武當靜字一輩中，人才眾多……」

巢南子苦笑一下，接道：「七十二位靜字輩的弟子，恐怕已有半數戰死了。唉！武當四子領導無方，實愧對歷代先師。」

王修道：「這場武林劫難，實屬空前。天下上百的幫派門戶，都為藍天義踏平併吞，就算消滅了天道教，只怕武林也難復舊觀，有很多門派，都將後繼無人。道長也不用太過自責了。」

武當派中規戒森嚴，巢南子既在場，浮生子和青萍子，都不敢妄插上言，一切都聽巢南子的安排。

巢南子輕輕歎息一聲，道：「也許王兄說得對，此刻，我們武當派有九人在此，王兄如有差遣，只管吩咐，我們也許武功不足以當大任，但卻有必死之心。」

王修道：「我明白諸位道兄的心情，但我們此刻實力，還難和藍天義正面抗衡，要以智鬥力……」

凝目思索了一陣，接道：「半月之後，咱們將有一股強大的實力加入……」

江曉峰接道：「什麼人？」

王修道：「鳥王呼延嘯。」

江曉峰道：「我的義父？」

王修道：「不錯。他替你去找那隻碩大無朋的巨鵰，他說那是鳥中之王，自具神通。順便再在深山中，羅致一些猛獸，並作訓練。他許下豪語，要役使天下巨鳥，對付天道教中人物。不過，我已和他約好，不論他能否尋得那頭鳥中之王，一定要如約會晤，再過半月，就到訂約的限期。」

江曉峰道：「不知老前輩約了晚輩義父在何處會晤呢？」

王修沉吟了片刻，道：「那地方距此路程不近，咱們就該動身了。」

他答非所問，似乎不願說出和呼延嘯約會的地方。

巢南子道：「王兄，咱們幾時動身？」

王修道：「說走就走，立刻動身。」舉步向外行去。

一面接道：「諸位可瞧出這座莊院，和一般的房舍，有些不同麼？」

江曉峰道：「在下感覺不出。」

王修道：「這座莊院，修築得十分隱密，叢林環繞，四無鄰舍，如是不知內情的人，決想不到這地方會有這等一座大莊院。」

江曉峰奇道：「老前輩，晚輩想不出，這有何出奇之處？」

王修微微一笑，道：「因爲這座莊院，是那藍夫人生前所建。」

江曉峰「啊」了一聲，道：「這就有些不同了。」

王修微微一笑，又道：「這座莊院，也就是巫山門在江湖上的耳目，只不過他們舉動小心，僻居荒野，武林中人一直未發覺這莊院和巫山門的關係罷了。」

青萍子道：「王兄，這莊院除了是那藍夫人所築之外，還有別的作用麼？」

王修道：「照我的推想，一定還有別的作用，但在下卻無法肯定的說出，它的作用何在，不過，很快咱們就可以證實了。」

江曉峰道：「如何一個證實之法呢？」

王修道：「如若這莊院中有什麼古怪，世間活著之人，唯一可能知曉的，就是藍家鳳，藍夫人以數十年苦心籌思，布下了連環套，引導著藍家鳳一步步地進入了隱密之中。她一步步的追索下去，知道的隱密就愈來愈多，照我們月來觀察所得，藍家鳳已然失去了主宰自己的力量……」

江曉峰只聽得大感玄惑，接道：「藍家鳳失去了主宰自己的力量，又是何故呢？」

王修道：「事情很簡單，藍家鳳進入她母親的設計之中，愈深入，愈覺著詭異神奇，再加上藍夫人精密的佈局，使藍家鳳愈陷愈深，如癡如狂，難以自主。換言之，她已到忘我之境，一切行動，都是在執行藍夫人的計畫。」

江曉峰長長吁了一口氣，臉上泛現出關切之色，道：「這位藍夫人也太厲害了。她有絕世的智慧，莫可抗拒的武功，自己卻不肯設法去阻止藍天義的爲惡，但在死後布下圈套，役使自己的女兒來爲她報仇，豈不是太陰險一些麼？」

王修仰起頭來，長長吁一口氣，道：「因爲她是女人啊！又是藍天義的夫人。」

江曉峰道：「那藍夫人如若是一位平庸的女人，也還罷了，但她卻是一位具有絕世才慧的人，難道不知大義滅親的事？她如能防患未然，早一些制服藍天義，目下武林中也不會有這一場糾紛了。」

王修略一沉吟，道：「藍夫人不願對付藍天義，因爲她心中對藍天義一直有一份很深的愧疚。」

江曉峰道：「什麼愧疚？」

王修道：「因爲藍夫人嫁給藍天義時，已非處女之身，也許，那時間，藍夫人已懷了藍家鳳……」

重重咳了一聲，接道：「不管如何，藍夫人心有愧疚，這愧疚使她一直忍耐下去，但她同時也瞧出了藍天義的陰沉，所以，在忍耐中，又安排下連環之設計，就算自己被藍天義所制，也有一股力量，可和藍天義抗衡武林。」

江曉峰、巢南子等，齊齊點頭，道：「不錯，高見果非常人能及。」

王修道：「藍夫人安排這一股力量，如無人啓發領導，他們可能一代而終，永遠埋沒於深山大澤之中，如是一旦有人啓發領導，這一股力量，就會蓬勃而起，十分強大，這就是巫山門了，他們具有著武林中第一流的身手，卻不肯在江湖上走動，也不和人爭名奪利。」

江曉峰問道：「奇怪的是，那些人都具有著那樣高強的身手，何以竟然甘嘗寂寞於大澤之中，老死於山林之內。」

王修道：「他們只是一種儲備的力量，這力量如若無人啓動，就不會激發，藍夫人掌握了那啓動之鑰，目下的情形是，藍夫人交給了藍家鳳，藍家鳳已啓發了藍夫人安排的潛力……」

略一沉吟，接道：「當然，我不能說這推斷完全無錯，也無法說出詳細內情，但大體上應該是不會過於離譜。」

很少說話的浮生子，卻突然開口說道：「藍家鳳既已發動了武林一股強大的潛力，這股力量亦是挽救武林劫難的主流，咱們如能和她匯集一處，豈不是力量大增？」

王修道：「道長之言，驟聽起來，確然有理，但這中間尚有許多隔閡，咱們只能運用這一股力量，卻不能和他們匯合。」

江曉峰道：「這就使晚輩思解不透，老前輩可否解說一下？」

王修頷首一笑，道：

「諸位都知奇、正的道理吧！藍家鳳啓發領導的這一股力量，以詭異、奇變爲主，我們卻是武林中正統的力量，藍夫人早已想到，所以，她安排巫山群豪，目的只有一個，用之對付藍天義。但她不能留下更多的藍天義爲害江湖，所以，這一股來得突兀的武林詭奇力量，在消滅了藍天義之後，必亦將走至盡處。」

江曉峰似乎是有些明白，但似乎又有些不明白，口中「啊」了一聲，卻未再多問。

王修輕輕咳了一聲，道：「目下重要的事，咱們要如何去運用那一股力量，時不我與，縱然咱們此刻就取得丹書、魔令，也無時間容許咱們去練習更深奧的武功了。」

巢南子道：「王兄說得極是，咱們已沒有太多的時間。」

王修道：「所以，咱們要一面運用藍家鳳那股力量，一面也從天道教下爭取咱們的力量……」

突然停下腳步，四顧了一眼，道：「諸位請再仔細瞧瞧，看看周圍是否有人？或是有什麼可疑的事物。」

這幾句話，突如其來，使得江曉峰、巢南子都聽得爲之一呆，不自覺地停了腳步。

王修道：「五丈左右處，有一片草叢，咱們最好能設法隱入深草叢中，巢南子道長如有興致，也請留下就是。」

流目四顧，但見一片平野，未見一個人蹤。

江曉峰道：「幹什麼？」

王修道：「咱們要重回那個莊院中去，再仔細地瞧瞧……」

巢南子接道：「貧道兩位師弟以及門下這六個弟子呢？」

王修道：「要他們繼續向前走，如若在下推想得不錯，藍家鳳必然在這四周埋有暗樁，監視著咱們的舉動。」

江曉峰道：「那是說咱們進入這莊院之時，已落在她的眼中了？」

王修道：「在下相信，猜測的不會有錯，貴門中弟子，暫請浮生子道長率領，由深草叢中穿過，奔正東方向，行約三十里，找一處隱密的地方，暫時停下，打坐調息，到了初更時分，諸位再折轉回來，仍然在這片深草叢中會合，但不可輕舉妄動。」

浮生子道：「貧道記下了。」

王修道：「巢南子道長和江少俠請留在此地，行過草叢之時，藉機隱入草叢之中，在未得在下招呼之前，最好不要起來，有所行動。」

幾人一面說話，一面不停地向前走，奔穿過草叢時，江曉峰和巢南子依言隱入草叢之中。

六位武當弟子，在浮生子和青萍子率領之下，以極快的速度向前奔去。

江曉峰伏臥於深草叢中，打量了一下停身之處，只覺草叢很深，縱然坐起身子，也不致被人發覺。

當下緩緩坐起，盤起雙膝打坐調息。

連番的奇遇，和松溪老人的誠心造就，江曉峰的內功，早已有了很大的進境，只是他本人沒有很明顯的感覺罷了。

坐息片刻，立時覺著丹田中衝出一股熱流，分向四肢流動。

但心中卻清澈如水，雜念全消。

這種情形，正是身負上乘內功的人，將要進入渾然忘我之境的必經之道。

這片刻時光中，他心中靜極，耳目也到了他武功成就的靈敏極限。

突然間，江曉峰聽到了一陣很輕微的步履之聲，傳入耳際。

那聲音似是很輕的腳步，踏在草叢之上。

如若平常之時，縱然在很靜的地方，江曉峰也無法聽到這輕微的聲音。

江曉峰陡然間清醒過來，凝神傾聽，那聲音似已消失。

心中正自疑惑之間，突然聽得一個低沉的聲音，傳入耳際，道：「好像是他們少了兩個人，那些人極可能隱入了這些深草叢中。」

只聽另一個聲音接道：

「不可能吧！他們留在這裏幹什麼呢？如若他們是在那巫山下院中找到了什麼，他們盡可留在那裏不走，用不著留在深草叢中。」

那低沉聲音道：「我似乎看到他們一行人中，減少了一些。」

第二個人哈哈一笑，接道：「咱們距離甚遠，如何能夠看得清楚？你不用疑神疑鬼了，咱們該回莊院中去了。」

那說話的聲音，距離江曉峰不過一丈四、五，江曉峰屏息凝神，連大氣也不敢出。

只聽一陣衣袂飄風之聲，兩人似已同時離去。

江曉峰長長吁一口氣，忖道：「神算子果然是非同小可，料事之能，實非常人可及。」

又足足過了頓飯工夫之久，聽得王修的聲音傳了過來，道：「江少俠，請過來吧！」

江曉峰探出頭來，四顧無人，才緩緩站起身子，循聲尋去。

其實，王修就在江曉峰停身處三丈左右，江曉峰行過去時，巢南子早已先在。

江曉峰一見兩人之面，急急說道：「兩位都聽到了麼？」

王修微微頷首，一面拍著草地，說道：「你坐下來，咱們慢慢地談。」

江曉峰坐了下去，道：「老前輩的料事之能，實是叫人敬佩。」

王修淡淡一笑，說道：「我也不過是姑且碰碰運氣罷了！」

語聲微微一頓，接道：「不過事情的發展，和我預先的推想，有些不同了。」

江曉峰和巢南子，同時說道：「願聆高論。」

王修道：「第一，這兩個人的武功很高，出了那莊院之後，我一直留心著是否被暗樁盯

梢，但卻沒有發覺到有什麼可疑之處，這草叢四周，僅有的幾株大樹，我都用心瞧過，沒有藏人，那是說，他們在很遠的地方監視著咱們，而且兩人進入草叢之後，我們一直未聽出他們步履之聲，這證明他們的武功，都是武林中第一流的高手。」

巢南子不住點頭，顯然他也未聽到兩人的步履聲。

但聞王修接道：「那莊院名叫巫山下院，證實我先前的推想，這莊院是藍夫人所建，和巫山門有著很密切的關係。」

江曉峰道：「聽兩人對話的聲音，距離我們很近，幸好是有一個反對，如是兩人稍微搜尋一下，就可能找到咱們。」

王修笑道：「錯的是他們的爭論，如是他兩人一語不發，站在那裏等一陣，不用搜尋，就能發覺咱們了。」

江曉峰道：「這情形不是和老前輩的看法一樣麼？又有何處不同了？」

王修搖搖頭，道：

「大不相同，過去，我只是覺著那莊院和巫山門有關，藍家鳳率眾而去，用意在掩人耳目，我料她在這一段時間之後，很可能去而復返，咱們要設法探聽出來她的用心，如何對付藍天義，以便於暗中配合，現在，我發覺，巫山下院中，一直留有看守的人，就算咱們在那莊院中時，他們也有人守在那裏。」

巢南子道：「那莊院中既是有人，何以竟會容許咱們留在那裏？」

王修道：「因爲咱們一直沒有侵入他們的重要所在，而且咱們人數眾多，既然沒有侵犯到他們，他們也不惹咱們了，只是在暗中監視罷了。」

江曉峰點點頭，道：「老前輩見一知十，觀察入微，實是叫人佩服。」

王修神色肅然地道：「但咱們今夜中進入巫山下院時，可能遭遇的危險，也增加了很多，所以，咱們要特別小心一些才成。」

巢南子道：「藍家鳳既已成為抗拒天道教的一股力量，和咱們不謀而合，咱們似乎是用不著再涉險進入那巫山下院了，縱然那巫山下院中有什麼隱密，對咱們也是有益無害。」

王修道：「道長話雖有理，但藍夫人訓練的人手，必然加有禁制，只不過，她的手段、方法，比那藍天義更高一籌，那些人也更自由些，外人瞧不出來罷了。」

江曉峰搖頭道：「就算如此，咱們也無能幫助他們啊！」

王修笑一笑道：「照在下的推斷，那巫山下院，保存著一件極為珍貴之物，這件東西，藍家鳳可能還不知道，就是那看守之人，只怕也未必清楚。」

巢南子啊了一聲，道：「有這等事，那究竟是一件什麼樣的物品呢？」

王修道：「目下在下亦無法答覆。但我可以斷言，那是件很珍貴的寶藏，所以，咱們一定得進入莊院中瞧瞧。」

巢南子道：「如是和守莊之人照了面又將如何？」

王修說道：「最好能夠把他們制服，但不可傷了他們。」

巢南子和那灰衣人動過手，知曉厲害，心中暗道：「能夠支持上三十招，只怕就很不容易了。」

但聞王修道：「現在，咱們三個人，分成三班，一人當值，兩人休息，盡量設法保養體力。」

三人就在深草叢間，分班休息。

約到初更時分，王修喚醒了兩人，道：「咱們把臉上掩遮一下，不要讓他們瞧出我們的身分，立時動身。」

三人稍微改裝，又趕往巫山下院。

幾人都已熟悉路徑，尤以王修記得更是清晰詳明。

輕車熟路，夜色掩護，三人很快地便接近了巫山下院。

攀登上一棵大樹，凝目向莊院中望去，不見點光微火，一片漆黑。

江曉峰低聲道：「偌大一個莊院，房舍連綿，咱們不能每一個房間都查看一下。」

王修道：「咱們不能查看，舉動愈是隱密愈好，而且還要有極大的耐心等待……」

語聲一頓，接道：「咱們現在進去。」

三人躍下大樹，越牆而入。

王修當先帶路，閃入了走廊之中，低聲對江曉峰道：「如是遇上了他們，動手時愈快愈好，最好能一出手就制服他們。」

江曉峰點點頭，道：「晚輩記下了。」

王修沿著走廊緩步而行，步履極慢，小心異常。

三人費了近一個時辰的工夫，走遍了整個的莊院，一直是未發現什麼。

巢南子低聲說道：「王兄，咱們這樣繞著房子走動，只怕是很難發現什麼。」

這時，三人停身在大廳外走廊中一根大木柱旁邊，王修背靠在木柱上，正想得十分出神，

好像根本未聽到巢南子的問話。

兩人細瞧王修神色，知他正在運用思考，不便驚擾，只好靜靜地站著。

大約過了有頓飯工夫之後，王修突然一語不發地向前行去。

兩人不知他用意何在，但卻沒有出言追問。

他們在這座莊院之中住了數日，對這座莊院十分熟悉，幾人目光過人，又是一直在夜暗中行動，雖是房中更爲黑暗，三人的目力，亦能適應。

王修直行灶台前面，蹲下身子，右手伸入了灶門內，似是想從火灰的熱度上，判斷出這座巫山下院中，是否住得有人。

巢南子、江曉峰，靜靜地站在一側，兩人一直都忍著未多問話。

片刻之後，王修突然掏出了許多柴灰，裝入了口袋之中。

然後，起身行出了廚房，同時搖搖頭，示意兩人不要多問。

江曉峰和巢南子心中雖然納悶，但王修既然示意不要多問，兩人只好默默不語。

王修似乎是胸有成竹，離開了廚房之後，便直奔後院。

在江曉峰的記憶之中，那後院之內，是一處雜草叢生的荒涼庭院，建有一道小小的月門，和院落銜接。

王修伏下身子，從袋內摸出柴灰，小心翼翼地鋪在地上。他鋪得十分均勻，而且份量很少，除非是有意和特別留心的人，都無法分辨出來。

王修鋪好柴灰，站起身子，轉向莊院中一座碉樓前面，也在那裏鋪了一層柴灰，然後，匆匆退出，當先飛奔而行。

江曉峰和巢南子，心中都有著無數的疑問，但王修卻似是有意不讓兩人問話，一口氣跑回到原來的草叢之中。

長長吁一口氣，道：「道兄，你那兩位師弟和貴門中弟子，都該回來了吧？」

巢南子道：「算時間應該差不多了。」

王修道：「你用武當門中暗號，招呼一下，別要他們再趕到巫山下院中去。」

巢南子應了一聲，縱身而起，發出了武當派暗號，等候甚久，未聞回應，才重回原地，道：「大約他們還沒有趕到。」

王修舉起衣袖，拭去臉上的汗水，才緩緩說道：「好險啊！好險。」

這時，兩人才留心到王修臉上不停地滲著冷汗，仍有著餘悸猶存之色。

江曉峰道：「老前輩，發生了什麼事？」

王修道：「咱們運氣很好，都活著離開了那巫山下院。」

江曉峰道：「老前輩可否說清楚一些，在下一直未覺出那莊院中有何異狀。」

王修仰臉望著天上的星辰，緩緩說道：「雖然，我現在還無法加以證明，但看形勢，已經是八、九不離十了……」

語聲微微一頓，接道：「我們兩度進入那莊院之中，第一次還停留甚久，沒有發生變故，當真是一大僥倖。自然，咱們沒有到處亂走，也是僥倖的原因。」

輕輕咳了一聲，道：「其實，在未得到證明之前，我應該慎言才是……」

江曉峰接道：「王老前輩如是不肯說出，在下就一直心神難安了。」

王修道：「這些事說出來驚世駭俗，雖然確有其事，也不應廣為散播，讓人知曉。」

江曉峰道：「在下和巢南子老前輩，只有兩人知曉無妨吧？」

王修道：「我可以說，但此刻還未完全證明，你們不能追問太多。」

江曉峰、巢南子道：「好！我們決不多問。」

王修道：「兩位今夜在那莊院中走了一個更次，不知有何感覺？」

巢南子答道：「貧道覺著那大莊院有些陰森森的氣氛。」

王修道：「除此之外呢？」

江曉峰、巢南子齊聲應道：「別無其徵。」

王修道：「兩位再仔細想想看，是否聞到過什麼味道？」

江曉峰道：「不錯，有一股很淡的香味。」

巢南子道：「野花的香味，由很遠的地方順風飄來，香味很淡。」

王修道：「那不是花香，而是一種藥香……」

江曉峰接道：「藥香，可是咱們配製藥物留下的香味？」

王修搖搖頭道：「最毒的蛇，身上的彩色，也最美麗。那奇香迷人的藥物，也是世間最毒的一種藥物。」

江曉峰道：「咱們剛才聞到的香味，難道是世間最毒的藥物？」

王修道：「醫道中已知的藥物，那該是最厲害的一種。」

語聲一頓，接道：「好厲害的藍夫人啊！她不但把丹書總綱留下，而且，又把魔令中毒經中最精要的也留了下來。」

巢南子道：「王兄只聞到一些淡淡的香味，而且那香味對咱們全無損傷，就能斷定那是天下至毒麼？」

王修沉吟了一陣，道：「我研究醫道，對用毒上自信知曉甚多，而那藥物的配製，也不是一個人的才智所能成就，只不過在百年前，一位奇才縱橫的醫道大家，承前人餘蔭把它研配而成。」

江曉峰問道：「老前輩，那究竟是一種什麼樣的藥物？」

王修道：「一種至毒的藥物，能夠中人必死，見血封喉，固是可怕，但它視之有色，嗅之有味，稍微謹慎一些的人，或是通曉醫理的人，都可防患未然而提高警覺……」

「但用毒人處心積慮，耗費心血，孜孜數百年，使用毒一道，有了很大的改變，那就是無色、無味的毒藥問世，如將它附於兵刃，極難辨識，混入酒飯，消於無形……」

「但初用於世，也只有置人於死地一途，後來種類愈分愈多，可使人耳聾口啞、目瞎身殘，進而到定期發作，迷人心智，使它聽命於一個特定的動作和特定的聲音，用毒一道，發展至此，已和醫理、藥物配合，相互爲用，在武林中也卓然自成一家，但用毒的手法和藥物的研製，仍在不停地改進中……」

長長吁了一口氣，目光一掠江曉峰和巢南子，道：「兩位聽說過『換心香』這種藥物麼？」

巢南子喃喃自語道：「『換心香』、『換心香』，似乎是聽人說過。」

江曉峰道：「什麼叫『換心香』？這名字聽起來倒很雅致。」

王修苦笑一下，道：「雅致？不但名字雅致，而且它給你的感受，也有著無比的舒暢，那如花似的淡淡清香，像濃郁的酒，誘人沉醉。」

江曉峰道：「照老前輩的說法，那『換心香』是毒中之毒了？」

王修道：「『換心香』已不是一個單純的毒藥，而是積醫道之中的大成表現，只是我知曉的有限，但已夠我驚恐的了。」

江曉峰道：「老前輩可否把『換心香』的厲害，講給我們聽聽？」

王修沉吟了一陣，道：「顧名思義，那『換心香』，可使一個人心性忽然改變，就像是換了個心一樣。」

江曉峰驚異的「啊」了一聲，接道：「有這樣的毒藥？」

博精醫道的王修，似乎對那「換心香」也知曉不多，沉吟了一陣，道：「照我的推想，在那清幽的香味引誘之下，可能還有一些什麼，不過，我卻無法知曉。」

江曉峰道：「老前輩可是確知咱們嗅到的香味，是『換心香』的氣味麼？」

王修道：「那不會錯，我知道那種香味，它香得很奇怪，而且雖是氣味，卻似有著實質之物，吸入腹中之後，似是在內腹中散佈一般。」

巢南子、江曉峰，沉吟了一陣，幾乎是同時開口，說道：「不錯，細想起來，確實有一種散佈在內腹的感覺。」

王修道：「就咱們所嗅到的香味而言，是一種極淡的氣味，巫山下院中，一定藏有著『換心香』，那『換心香』，也一定經過重重密封，咱們聞到的，只是透出密封、飄漏出來的一些氣味而已。」

凝目思索了片刻，道：「我原先有一些判斷，因爲巫山下院的『換心香』，可能有了很

大的差異，目下使人有些困惑的是：那藍家鳳是否已知曉那『換心香』的用法，準備如何運用『換心香』。」

江曉峰、巢南子相顧默然，對王修這一問，兩人根本就無法回答。

王修沉吟了一陣，接道：「天亮之後，咱們再去那巫山下院瞧瞧。」

江曉峰接道：「瞧什麼？」

王修道：「瞧瞧我那佈置，是否有點反應。」

江曉峰和巢南子同時問道：「你佈置的什麼？」

王修道：「那些柴灰，我已經把它混入了泥土之中，如是不留心的人，很難看得出來！」

江曉峰道：「那要證明什麼？」

王修道：「證明那『換心香』的奇特功用。巫山下院中，還留有多少人手。」

江曉峰道：「爲什麼要白天去呢？」

王修道：「白天去，可減少一些恐怖的感覺。」

江曉峰突然想到，王修適才直擦冷汗的神情，不禁心中一動，暗道：「看情形，這王修心中還留著很多的隱密，不知何故，他不肯把隱密說出來。」

巢南子似是也聽出破綻，低聲說道：「王兄，你似乎心中還有很多事未說出來。」

王修沉吟了一陣，道：「說出來驚世駭俗，而且，在下心中也有些不太相信，所以，才不便輕易出口，等明天證實了，咱們再談不遲。」

巢南子道：「說說何妨？」

王修又沉吟了良久，道：「還是等咱們去瞧過再談不遲！」

江曉峰突然一指按在唇上，道：「有人來了。」

巢南子緩緩站起身子，四面張望。

這時，夜色幽暗，四週的景物不清。

巢南子四顧了良久，不見人蹤。

突然間，一聲低沉的怪叫聲，傳了過來，靜夜中聽得十分清晰。

巢南子點點頭，道：「他們回來了。」

提高了聲音，道：「是三弟，四弟嗎？」

只聽浮生子的聲音應道：「路上遇上了天道教兩批人，所以來得晚了一些。」

不待巢南子開口，王修已搶先說道：「和他們動過手麼？」

浮生子道：「躲過了一批，搏殺了一批。」

王修道：「是否有漏網之魚？」

浮生子道：「貧道也想到此事，殺盡了他們一行六人，無一漏網。」

王修道：「那很好，讓他們誤會到是巫山門中人幹的，可收惑亂耳目之效。」

談話之間，浮生子已帶著青萍子和六位武當弟子行了過來。

巢南子目光掃掠了武當弟子一眼，道：「你們沒有傷亡？」

青萍子躬身應道：「兩個弟子，身受輕傷，都無大礙。」

王修抬抬手道：「你們先坐下來休息一下。」

浮生子回顧了六個弟子一眼，接道：「你們一路奔行，想已疲累，趕快退離此地一丈之外，坐下休息。」

六個武當弟子齊齊欠身一禮，退後一丈，盤膝坐入草叢之中，運氣調息。

王修望了望浮生子和青萍子，低聲說道：「兩位道兄，來得晚了一些，目下我們遇到了椿使人驚奇的怪事，兩位道兄如若想知曉詳情，不妨請教一下貴師兄。」

巢南子微微一笑，把天下至毒「換心香」的事，說了一遍。

因爲王修一直未能說出那「換心香」的內情，所以，巢南子說的十分含糊了。

青萍子、浮生子聽得似懂非懂，但卻又不便追問師兄。

王修道：「所以，咱們要暫時留在這裏等一些時候，如若明天能够證實我的推想，也許這地方，就是武林中正邪火併，恩怨總結的地方。」

江曉峰茫然說道：「恩怨總結？」

王修答道：「不錯，如若那藍夫人，在這巫山下院中佈置了一股總結江湖恩怨的實力，情形就大不相同了。」

江曉峰聽出他的聲音裏帶著一種喜悅的意味，心中大感奇怪。

凝目望去，夜色中仍然隱隱可見王修的眉梢眼角之間，帶著一種奇異的喜悅形諸於色。

有一件使王修喜悅得不能自制的事，那件事定然十分重大。

但見王修望著天上的星辰，有如自言自語般說道：「藍天義一生中最大的錯誤，就是不該殺死那藍夫人……」

目光轉到江曉峰的身上，若有所感的接道：「當年的藍夫人也是一位很美的女人，紅顏薄命，似是早有註定，所以，她歷盡了滄桑，當她嫁給藍天義時，全力奉獻了自己，傾盡所有的奉獻，包括武林中人夢寐以求的丹書、魔令。」

江曉峰說道：「老前輩對那位藍夫人似乎是知曉很多。」

王修笑一笑，道：

「藍夫人是這一代武林最主要的一個人物。但武林中人，知曉她的，卻是不多；她是位充滿幻想，和具有絕色的女人，她的豔色，對武林中的形勢變遷，有著很大的影響，她憑著天賦的美麗，傷害了很多人，因爲她身具武功，一直是在武林中走動，所以，她傷害的人，也都是武林中有名的俠義人物。當年的藍夫人，在江湖上造成的風波，不啻是一次武林動亂大劫……」

巢南子接道：「對於藍夫人的往事，貧道也曾聽人說過，似乎是和我們武當派，也牽扯上了一點關係。」

王修淡淡一笑，道：「那都是往事了，在下如是說錯了什麼，希望三位道兄不要見怪。」

巢南子道：「王兄但請放心，目下的武當派，幾乎遭逢覆滅的厄運，貧道等還有什麼不能忍耐的事，何況，我相信，王兄所言，都是事實。」

王修嗯了一聲，道：「貴派最受尊敬的指塵上人，也是這一代武林中最傑出的人才，但他卻無法闖過那藍夫人的一關。」

巢南子「啊」了一聲，道：「貧道也有耳聞，但敝派中人，都不太相信此事。」

王修笑一笑，道：「自然，除了貴派之外，少林門下，一位道行深厚的大師，也受了誘惑。」

巢南子輕輕歎息一聲，道：「可怕的女人！」

王修道：「除了少林、武當兩大門派之外，還有很多人都傷在藍夫人的手中……」

浮生子突然插口接道：「這位藍夫人，是不是昔年在江湖上被人稱做『縹緲仙子』的女人？」

王修點點頭，道：「不錯，就是她，她年輕時十分任性，所以，無意中傷害了很多人。」

巢南子道：「貧道不明白，她爲什麼盡和武林正大門戶中人往來？」

王修道：「並非如此，綠林中幾位大有名望的魔頭，也和她有過往來，不過，『縹緲仙子』年事稍長之後，就有了很大的改變，據傳說，以後，她曾和貴派中的指塵上人，來往較密，但她最後卻是嫁給了藍天義。」

武當三子相互望了一眼，默然不語。

王修輕輕咳了一聲，又道：「她嫁給了藍天義後，盡量想忘懷過去，同時內心之中，也對藍天義有著很大的愧疚，就在下所知，他們在成親之後，藍夫人對藍天義傾盡所有的奉獻，希望能使他忘懷過去的事情。但她失望了，因爲藍天義卻是別有所圖，他肯娶『縹緲仙子』爲妻，用心就有問題……」

目光一掠武當三子和江曉峰，接道：

「但藍夫人豈是簡單的人，不論心機、武功，都非藍天義能望其項背，爲了保護自己的女兒，她開始安排、佈置，就在下觀察所得，這座看上去安全不起眼的巫山下院，就是藍夫人佈置的、對付藍天義最重要的地方。」

江曉峰道：「老前輩似是已胸有成竹，肯定的認爲這巫山下院中，隱藏著一種神秘的力量。」

王修道：「不錯，但能否對付得了藍天義，在下還無法確定。」

這時，突然一聲夜梟的鳴聲，傳了過來。

王修道：「夜梟驚鳴，一定有人到了此地，咱們要小心一些。」

江曉峰心中一動，暗道：「義父呼延嘯，傳了我役鳥之術，我卻一直沒有用過，何不試試看能否役使那隻夜梟。」

心中主意暗定，悄然起身，低聲說道：「諸位請在此休息，在下出去查看一下，來了什麼人物。」

王修道：「少俠要小心一點。」

江曉峰點頭應道：「我知道。」緩緩向外行去。

他小心翼翼地移動著腳步，那銳利的目光，不停地四下轉動，自然，對那傳來梟鳴的地方，特別的注意一些。

那夜梟鳴叫了一聲，即未再發出叫聲，不過，江曉峰已從那一聲梟鳴聲中，聽出了那夜梟的落足之處，步行了過去。

行約三十餘丈，只見一株兩丈多高的老榆樹上，閃動著兩點綠光。

凝目望去，只見那兩點綠光不停地閃動，正是一隻夜梟的落足之處。

江曉峰目光轉動，四顧了一眼，不見有人，凝目沉思了片刻，突然發出了一聲低沉的怪鳴。

這正是役使夜梟之法。

這聲音傳出不久，突聞那隻夜梟咕咕兩聲，直對江曉峰停身之處飛來。

那夜梟在江曉峰頭上盤飛了四、五匝後，才轉向正南飛去。

原來，江曉峰忽然忘記了下面的役鳥之術。

江曉峰又仔細地四顧了一陣，重又向來路回去。

行回原地，只見王修閉目而坐，似乎是正在運氣調息。

江曉峰輕輕咳了一聲，道：「老前輩，可是在運氣調息麼？」

王修睜開眼睛，微微一笑，道：「我在想一件事。江少俠瞧到了什麼？」

江曉峰道：「沒有瞧到什麼。在下去試驗一下義父傳給我的役鳥之術。」

王修道：「試得如何？」

江曉峰笑道：「十分靈驗，只可惜在下忘記了下面的續接之術，只好眼看著那夜梟飛去。」

王修道：「江少俠因何役鳥？」

江曉峰道：「晚輩常見義父役鳥放哨，監視來人，聽老前輩說起有人來此，忽然想起，何不試用一下役鳥之術，代作哨樁，以察來敵，可惜，晚輩竟然只記了一半，那夜梟繞頂數匝，展翼他往。」

王修道：「呼延嘯役鳥之術，乃武林中不傳之秘，肯以用來傳你，足見他對你的情意，他役鳥術已入化境，鳥王之稱名副其實……」

江曉峰接道：「那是說一個人，不論如何苦下功夫，也無法達到我義父那等役鳥之能了？」

王修點點頭，道：「是的，不論他用多少心血，也無法達到鳥王的境界……」

語聲一頓，接道：「對了，在下原定早日動身，趕往和鳥王會晤之地，但此刻在下要改變

一下主意了。」

江曉峰道：「為什麼？」

王修道：「因為在巫山下院中，發現了『換心香』，這可使武林大劫在一夕之間，完全消除，元凶伏誅，群魔解體。」

江曉峰道：「『換心香』真的那樣厲害麼？」

王修微笑道：「我已經再三的說明，對那『換心香』，我也是知其然，而不知其所以然，恐怕難為江少俠多作解說。」

目注江曉峰一笑，接道：「所以，咱們要冒極大的危險求證，多找出一些證明，我們就多一分了解。」

江曉峰道：「就咱們這幾個人麼？」

王修道：「已經很夠了，目下咱們旨在求證，一直要在隱密之中進行，那是用不著很多人了。」

江曉峰道：「老前輩說得是。」

這一夜，大家就在那亂草之中，坐了一宵，直到天亮。

日上三竿時分，王修才站起身子，笑對巢南子道：「這片草叢，暫作咱們的大本營，你們武當三子留下一位，在此坐鎮，讓六名弟子易作農夫裝束，散佈於四周，用作暗樁，默察四周的動靜，非至性命交關，不要暴露身分。」

巢南子點點頭，道：「好！就留三弟在此。」

王修道：「餘下二位請和在下連同江少俠，重到那巫山下院瞧瞧。」

巢南子道：「我和老四去。」

目光轉注到浮生子的身上，接道：「三弟，這裏的事情，交給你了。」

浮生子一欠身，道：「小弟遵命。」率領六人，轉身而去。

王修神色肅然，目光緩緩由江曉峰、巢南子、青萍子三人臉上掃過，道：「咱們這一次進入巫山下院，所冒的危險，比攻入那天道教中，還要危險。如是咱們之中，哪一位不幸遇上了危險，那就要一人承當，不要招呼同伴相救。」

巢南子、青萍子點點頭，沒有說話，江曉峰卻開口說道：「為什麼？」

王修道：「因為，沒有人能救得了你，所以，要各自小心！」

仰臉望天，思索了一陣，接道：「諸位還記得昨天的香味吧？」

江曉峰等齊齊應道：「記得。」

王修道：「一旦再嗅到那香味時，要盡量屏住呼吸，設法離開。」

三人看王修神色沉重，亦覺著事非小可，不覺間都受了感染。

王修輕輕咳了一聲，接道：「如是遇上了什麼警兆變化，要沉著地應變，設法逃走，但要記下你所見的景物。」

江曉峰道：「如是逃避不及呢？」

王修道：「設法躲起來。」

江曉峰道：「不能動手排除麼？」

王修道：「最好是不要動手，如是非要動手不可，那就全力施為，不過，你心中如若已知曉，難是人家敵手時，最好先行自絕一死。」

江曉峰道：「爲什麼要先行自絕呢？」

王修道：「兗得落入了那人的手裏，因爲，一旦落入了那些人的手中，都難兗嘗試『換心香』的味道。」

他似是生恐江曉峰再問，急急接口說道：「咱們可以走了。」

巢南子、青萍子，雖亦是滿腹狐疑，但卻瞧出了王修似乎是不願別人再問下去，只好忍下不言，整整衣衫兵刃，站起身子。

由於王修對那「換心香」過度的形容，再加上他凝重的神色，連巢南子、浮生子和江曉峰，都受了很大的影響，每個人的臉色，都是一片肅穆，隨在王修的身後行去。

這草叢距那巫山下院，不過數里之路，不大工夫，已到莊院外面。

只見矗立於林木環繞的莊院中，一片靜寂，靜得聽不到一點聲息。

莊院的木門大開，不見人蹤。

這時，碧空如洗，萬里無雲，陽光普照，景物清明，但這大好天氣，卻似無法消除去這巫山下院的蕭索，那敞開的大門，搖顫的樹影，幽靜的庭院，景物淒冷，泛生出一片陰森的氣氛。

以這四人的武功、膽識，一座無人的莊院，實難叫幾人畏懼，但因王修的誡言，使幾人都有了過敏的感覺，行近那莊院的大門，就產生了恐怖的感應。

王修停下腳步，回顧了三人一眼，緩緩說道：「三位小心了。」舉步行入大門。

巢南子、青萍子、江曉峰魚貫跟隨在王修的身後，行入了莊院之內。

凝神傾聽，四周一片寂靜，靜得聽不到一點聲息。
王修四下打量了一眼，便迅快地移身到一座廊沿之下。
巢南子、青萍子、江曉峰也隨著走了過去。
目睹王修似是早已胸有成竹，一口氣行到通往後院的門口。
王修低頭在地上察看了一陣，道：「諸位請來瞧瞧。」
江曉峰凝目望去，只見那門口的淡灰色的土地上，印著幾個腳印。
如若江曉峰未見過王修昨夜中的舉動，決不會想到那一片淡灰色的土質，經人動過手腳，因爲那顏色十分輕淡，淡得幾乎看不清楚。
江曉峰瞧過灰土上的腳痕，抬頭望了王修一眼，道：「這後院之中，住得有人？」
王修道：「不錯，住得有人，但那後院之中，除了兩間放置雜物的草棚之外，哪裏還有房子呢？」
一皺眉頭，說道：「這就是目下還無人能解說的『換心香』的神秘。」
巢南子、青萍子、江曉峰都不知王修說些什麼，但三人心中都有著一種若有所知的感覺。
四人相顧，沉思良久，王修才長長吁一口氣，道：「咱們要到後院去瞧瞧，只不過，不用四個人一齊進去。」
江曉峰道：「那要去幾個人？」
王修道：「在下和巢南子道兄一齊進去如何？」
巢南子道：「貧道極願奉陪。」
王修道：「那很好，江少俠和青萍子道兄，留在外面，如若我們進去半個時辰還不見出來，兩位就不用再多留了。」

江曉峰道：「爲什麼不一齊進去？」

王修道：「如是咱們進去送死，似乎是用不著四個人一起去了。」

江曉峰聽說此去異常凶險，忙道：「王老前輩，如是你們此去，真的遭了不幸，在下和青萍子道長活在世上，對武林有何補益？」

青萍子接道：「再說，王兄和二師兄真的遇上大難，貧道和江少俠，豈能袖手旁觀？你們不出來，我們定要去找，那時，還不是一樣的會死，只不過早半個時辰，晚半個時辰而已。」

王修道：「唉！我不該要兩位同來的，事已至此，咱們就一起進去吧！」

巢南子道：「王兄說得如此恐怖，似乎是咱們要見到的不是人。」

王修道：「道長的問話，恕在下無法回答。因爲，我也無法確定咱們要見的是不是人。」

這句話輕描淡寫，但卻使江曉峰等聽得心頭大爲震動。

每個人的臉色，都在忽然間沉了下來，不再輕發一語。

雖是豔陽當空，金光遍地，但幾人的感受之中，卻如同處身在極寒的冷窖之中。

王修舉手一推，木門應手而開，一馬當先，行入木門。

江曉峰、巢南子、青萍子等，魚貫而入，緊追在王修的身後。

抬頭看去，只見滿地落葉，一片荒草，風吹草動，落葉飄飄，好一片蕭索淒涼的景象！

這座荒涼的莊院，占地很大，足足有一畝地大小，但樹枯草衰，有著一種特別肅殺的景象。

江曉峰輕輕歎息一聲，道：「這地方草木也和別的地方不同，是何緣故？」

王修道：「因爲，這等佈置，才使人想不到暗藏甲兵。」

巢南子道：「王兄，這地方落葉堆積，荒草沒徑，看上去乃是自然荒涼，難道還是人故意佈置的不成？」

王修苦苦一笑，道：「道兄，落葉不掃，蔓草不除，自有荒涼景象，但樹枯不死，草衰不亡，難道它也是自然現象麼？」

巢南子怔了一怔，又仔細地四下瞧了一陣，道：「不錯，這地方確是有些怪異。」

王修道：「也許我們都無法再生離這片荒院，索性把我猜測和證實的隱密，全部都告訴你們吧！」

江曉峰道：「我等洗耳恭聽。」

王修道：「已經證實的是，這地方藏的有人，也許他們已不能稱之爲人了……」

江曉峰只覺得背脊一涼，接道：「不是人，難道是鬼？」

王修道：「可能他們是已介於人、鬼之間了。」

一直很少開口的青萍子道：「聽起來，確是叫人有些不寒而慄，毛骨悚然，不過，王兄如何能證明呢？」

王修笑笑，接道：「昨夜我在廚房中取了一些柴灰，用來混入土內，使行人留下痕跡，但我在取出柴灰時，證明了另一件事情，那就是柴灰中猶有餘溫，說明了有人剛剛用過那灶台不久，這就證明了這地方確實有人，而且那些人進食的時間，是在晚上。」

他分析入微，聽得三人個個衷心佩服，相顧不語。

王修輕聲接道：「推演下去，那些人，是在晚上活動，白晝休息。再由那柴灰的腳印證

實，這些人就住在這座荒涼的後院之中，而且這份肅殺和荒涼，也是經人故意佈置的。」

巢南子道：「這個……什麼人要故意佈置這麼一個人間鬼域呢？」

王修道：「藍夫人！她能製出『換心香』來，足見她已對丹書、魔令十分熟悉，而且，連最精要的地方，也被她事先除去藏起，藍天義雖然十得其九，但他卻沒有學得最上乘，不管是武功、用毒，他都停在一定的限度之內。」

巢南子道：「這位藍夫人，也算是個很有心機的人了。」

王修道：「不但有心機，而且也夠惡毒，所以，她遭了報應，死在她丈夫的手中。」長長吁一口氣，道：「現在，咱們碰碰運氣吧！」

江曉峰道：「碰運氣？」

王修道：「不錯，咱們無法能預料到會發覺些什麼，因爲咱們正在揭露千百年來，武林中黑白兩道，留下的最大隱密，那不止是武功，而且還包括了藥物、智計，和無數血汗累積的經驗成果。」

巢南子抬頭望望將近中天的耀眼日頭，不覺間膽子一壯，道：「咱們要到哪裏去找？」

王修道：「那枯樹下，有著突起的草叢，應該先去瞧瞧。」舉步向前行去。

他一面行走，一面接道：「咱們可能遇上些無法思議的事，生死一髮的危險，到時候，誰能逃走，誰就先逃，用不著生死與共。」

巢南子、江曉峰、青萍子，只是用心的聽著，沒有一人接口。事實上，三人心中都在想著王修的話，心中充滿了一種莫名的緊張。

那突起的草叢不遠，眨眼間已到了眼前。

在江曉峰等人，看來那只是一塊較高的土堆上生著荒草，在這等荒涼的地方，實也算不得什麼。

但王修卻舉步繞行了一周，突然伏下身子。

江曉峰、巢南子、青萍子等三人，同時以極快的速度，奔了過去。

只見王修右手一抬，隨手提起了一個鐵環，一道門戶，應手而開。

原來，那鐵環連在一扇設計精巧的鐵門上，上面鋪著荒草，除非是知曉底細，和特別心細的人，是很難發覺的。

那是一座形似洞口門戶，斜斜向地下通去，但深入五尺左右時，就向一側彎去。

雖是日光照耀，也無法瞧到五尺以外的景物。

王修長長吁一口氣，道：「不會錯了，就是這突起的草叢之下。」

江曉峰等三人，看他一下子就找到了門戶，心中暗道：「這麼看來，王修的推斷，大約是不會錯了，這草叢下的密室之中，必然是有著古怪無比的事物。」

這四人雖都是武林中的高手，但面對著這等詭異的情勢，也不覺地生出了一種莫名的畏懼之心。

良久之後，青萍子突然一閃身，搶到王修的前面，道：「貧道帶路。」舉步向下行去。

王修、江曉峰、巢南子依序而入。

日近中天，光亮強烈，地下景物仍然清明可見。

但那只是一段很短的行程，不過六、七尺長短，立時，又向一側折去。

這條斜斜而下的地道，彎轉了幾次之後，立時暗了下來。

青萍子像是感覺到，一股恐怖的氣勢由黑暗中襲了過來，不覺間，翻腕拔出背上的長劍，護著前胸。

事實上，又何止當先而行的青萍子有此感覺，就是江曉峰和巢南子，因心中受了王修的言詞影響，景象一暗，亦不禁生出恐怖的感覺。

又轉了兩個彎，忽覺一點光線射了過來。

王修低聲說道：「裏面點的有燈。」

青萍子道：「有些光亮那就好多了。」

王修低聲說道：「諸位小心戒備。」

青萍子放緩了腳步，又轉一個彎，景物忽然一變。

只見一座五尺左右，形同寶塔一般的琉璃燈，火光熊熊。

眼前是一座廣闊的地下秘室。

但瞧那秘室的佈設一眼，就給人一種詭異的感覺。

秘室的四周，一片濃黑，連頂上和地下，都用黑色絲絨鋪遮起來。

四周一片漆黑，偏偏又點了那盞琉璃燈，看上去，情形更顯得詭異難測。

雖然四周都滿布黑色，但那盞琉璃燈的光焰卻十分強烈，室中的景物，仍然瞧得十分清楚。

只見室中分放著一張張的黑色木床，每一張床上，都似躺著一個人，只是上面用黑布掩遮，無法瞧到那木床上人的形貌。

青萍子暗中數了一數，共有十二張。

除此之外，再無別的礙眼之物。

這間密室，看上去雖然十分詭異，但卻並不像王修形容的恐怖。

江曉峰回顧了王修一眼道：「老前輩，看來古怪就在那十二張木床上了？」

王修道：「不錯，咱們只需舉手之勞，就可揭示木床上的隱密，不過，在沒有動手之前，最好先預測其他的變化，和想出應變之策。」

巢南子道：「王兄說得是，咱們該先查看一下。」

王修道：「江少俠和巢南子道兄守在門口，在下和青萍子道兄，先查這秘密的形勢，是否有其他的變化，然後，再揭開這床上之謎。」

江曉峰點點頭，拔出長劍，和巢南子守在門口。

王修帶著青萍子，緩緩在四周查看了一陣，道：「看來，這座秘室中別無埋伏，除了這十二張木床之外，似是別無可疑之處。」

江曉峰道：「那就揭開一塊黑布瞧瞧吧！」

舉步行近木床，正待伸手去揭開床上的罩子，王修突然低聲喝道：「慢著！」

雙目盯注在木床之上，道：「他們絕不會在十二張木床上，各放著一具屍體，但咱們進入了室中，高聲談話，時間甚久，如若他們不是死人，早就應該聽到了。」

江曉峰怔了一怔，道：「從外面望去，這床上置放之物，都具人形，難道放的不是人？」

王修道：「是人，而且大半都是女人，問題是，這些人是死是活？」

江曉峰道：「如果是活人，應該早為咱們驚動，如若是死人，那藍夫人把他們放置於此，

又有些什麼作用呢？」

王修道：「這可能和那『換心香』有關。」

江曉峰長劍探出，道：「不用多慮了，先挑一塊黑布瞧瞧再說。」長劍一挑，一方黑布應手而起。

四個人八道目光，一齊投注到那木床之上。

只見一個身著翠綠勁裝的女人，微閉雙目，仰面而臥。

江曉峰一劍挑開了那婦人蒙身黑布，仍不見那婦人有何舉動。

看她臉上肌膚，白裏透紅，分明在熟睡之中，全無死亡的跡象。

巢南子輕輕咳了一聲，道：「奇怪啊，這些人不像死去。」

王修伸出手去，按在那綠衣人的鼻息之間，只覺她氣若游絲，但卻一縷未絕，皺皺眉頭，道：「她們確還活著，只不過氣息微弱的若有似無，所以，用黑布掩蓋之後，瞧不出她們還能呼吸。」

巢南子輕輕咳了一聲，道：「王兄，今日咱們所遇，可算得武林中從未有過的事情，該當如何，要憑藉王兄的判斷了。如若這些人確有爲害武林的憂慮，趁她們沉睡未醒之際，咱們四人一齊出手，片刻之間，即可把這榻上之人，一齊殺死。」

王修道：「這是藍夫人留下的一股力量，也是巫山門中真正的主人。但藍夫人留下這一批人時，用心在對付藍天義，目下敵勢仍極張狂，咱們驟然殺死這秘室中人，那無疑幫了藍天義一個大忙……」

語聲微微一頓，接道：「再說，昨夜之中，這些人還在活動，如若咱們無法把她們一舉殺

死，必將引起她們的全力抗拒，那時，咱們再想生離此地，只怕不是易事。」

江曉峰問道：「老前輩言之有理，但咱們應該如何呢？」

王修低聲說道：「這些人似乎被一種藥物，或是奇術催眠過去，才這般沉睡不醒，這是武林中一大隱秘，如若咱們能找出那隱秘所在，就可以役使這些人爲我等效命了。」

江曉峰道：「如何才能找出來呢？」

王修低聲說道：「咱們偷出一個人去，找處隱密所在，仔細觀察她的舉動，或可找出個中之秘。」

青萍子道：「這十二個人如是少了一個，豈不要引起他們的首腦疑心嗎？」

王修道：「目下有一件事，在下還未想清楚……」

江曉峰接道：「什麼事？」

王修說道：「這十二個人中，應該有一個統率的首腦，咱們偷走一個，或不至於立時間引起紛爭，如是別有統率人物，只怕咱們此刻，已經被人監視了。」

江曉峰正待接口，突聞一聲冷笑，傳入了耳際。

幾人剛剛消失的恐怖感覺，又被那一聲冷笑震動，只覺頭皮一麻，不自覺間轉臉看去。

只見門口之處，站立著一個黑紗蒙面，全身黑衣的人。

這黑衣人來得無聲無息，以四人耳目的靈敏，竟然不知他何時到了此地。

江曉峰暗中一提真氣，橫劍當胸，道：「你是何許人？」

黑衣人冷笑一聲，道：「這話，應該由我問你們才是……」

目光一掠那仰臥的綠衣女子一眼，怒聲喝道：「快！把她掩面的黑布蓋上。」

江曉峰一皺眉頭，還未及決定如何回答，王修已伸出手去，拉起黑布，掩在那女人的身上，道：「在下等路過此地，無意中摸索到此。」

黑衣人道：「昨夜裏，鬼鬼祟祟的在這巫山下院中，摸索了半夜之久，難道不是你們幾個人麼？」

王修揮揮手，道：「朋友是巫山門中人麼？」

黑衣人怒道：「誰是你的朋友，滿口胡說八道。」

王修也不生氣，微微一笑，道：「你不願和在下稱朋做友，但卻未否認你是巫山門中人。」

黑衣人道：「是又怎樣？」

王修笑道：「在下有一位過世的故人，不知道朋友你認不認識？」

黑衣人道：「不認識……」

王修接道：「那人也和巫山門有關，如果閣下是巫山門中人，八成是認識她。」

黑衣人道：「那你就說說看吧！」

王修道：「提起此人，大有名望，就是天道教主，藍天義之妻，藍夫人。」

黑衣人面蒙黑紗，無法瞧出他臉上的神色表情，但隱隱可見他身軀微微震動了一下，道：「你認識藍夫人？」

王修道：「不錯，可惜，她已經離開人世了。」

黑衣人道：「你幾時見到過藍夫人？」

王修沉吟了一陣，道：「快兩年前，在下到鎮江拜訪她，可惜晚去了一步，她已傷重而死！」

黑衣人道：「晚去了一步？」

王修點頭道：「是的，她剛剛死於藍天義的暗算之下。」

黑衣人沉吟了一陣，道：「果然是很可惜，看在你和藍夫人相識一場的緣份上，你們走吧！」身子一側，讓開去路。

王修舉步而行，口中卻重重歎一口氣，道：「可惜，那『換心香』……」

黑衣人陡然接口叫道：「你說什麼？」

人卻重又移至門口，攔住了幾人的去路。

王修停下腳步，道：「藍夫人那一次約我去鎮江會晤，想和在下談談『換心香』的事，可惜的是，她竟然先遭暗算而死。」

江曉峰心中暗道：「這王修果然有非常之才，三言兩語，造成了一團疑雲，使對方墜入了五里霧中，必須得撥雲尋日。」

果然，那黑衣人接著問道：「你真的知曉那『換心香』麼？」

王修道：「毒中之毒，藥中之藥，武林中，人人夢寐以求的奇藥。」

黑衣人道：「你對那『換心香』知曉好多？」

王修道：「區區一生，從事醫道，對藥物方面，自問稍知一、二，這就是藍夫人要找區區的原因了。可惜因一步之誤，致生死異途、陰陽分隔，無法交談。」

黑衣人道：「這麼說起來，你只是聽那藍夫人說過『換心香』的名字而已。」

王修道：「不然，藍夫人未死之前，和在下談過『換心香』，說是出自丹書、魔令，集用

毒之道的大成，在下心中有些不信……」

黑衣人冷冷接道：「你不信？」

王修道：「是的，聽那藍夫人的說法，近乎神蹟。在下覺著，對症施藥，固可使藥到病除，但對於『換心香』的神效，確真有著不可思議的感覺。因此在下答允藍夫人，一年後重到鎮江會晤，再談關於『換心香』的事。」

黑衣人道：「你現在信不信呢？」

王修道：「在下歸去之後，遍翻藥書，一直沒有找到那『換心香』的記載……」

黑衣人接道：「那『換心香』，乃是新近問世之物，藥書上怎會有此記述？再說那『換心香』，是一種調配的成藥，並非是天然的藥物。」

王修道：「在下雖然未能在藥書上找出那『換心香』的來歷，心中極是不服，遍搜醫書典籍，終於找出了一點眉目，原想見到那藍夫人時，把一得之愚奉告，想不到她卻死於她丈夫之手。看來，只好把所得的一些隱密，永埋於肺腑之中了。」

黑衣人奇道：「你得了什麼隱密？那『換心香』是一種藥物罷了，會有些什麼隱密呢？」

王修輕輕咳了一聲，道：「這個，就非你所能明白了，在下縱然是願意奉告所知，只怕你也無法明白。」

黑衣人冷笑一聲，道：「當今之世，除了那藍夫人之外，在下是唯一知道那『換心香』的人，如今藍夫人不幸逝世，我是世間唯一知道那『換心香』的人了。閣下如是不想和人談論那『換心香』，也就罷了，如是要找人談，那是非我莫屬了。」

王修故作訝異地問道：「你是唯一知曉那『換心香』的人？」

黑衣人道：「不錯。」

王修道：「但那藍夫人生前，曾經告訴過我，除她之外，世間再無人知曉那『換心香』的隱密。」

黑衣人嗯了一聲，道：「在藍夫人未死之前，確然是如此，但藍夫人死去之後，情形就又大不相同了……」

伸手指指那十二個黑布掩遮的床位，接道：「這些都是『換心香』的力量，她們之中至少有一半，都是五十以上的年歲，但她們看上去，有如二十許人……」

王修淡淡一笑，接道：「兩年之前，閣下如對我提起此事，在下定然會出言反駁，但現在，在下卻十分相信閣下的話，因爲，那『換心香』確有著一種駐顏益容的力量。」

黑衣人道：「好！你說下去，那是爲什麼？」

王修道：「因爲『換心香』能夠改變一個人，使他忘了過去與未來，忘了憂慮，真正的進入無我無憂的境界。」

黑衣人嗯了一聲，道：「世人繁忙，勾心鬥角，憂苦萬千，就算是日出而作、日入而息的田舍郎，也未必真正能得到澄心無慮、無人無我的至上境界，只有這『換心香』，能使人渾然忘我，心中全無雜念。」

江曉峰突然接口說道：「她們無憂無慮，渾渾噩噩，如何能學得上乘的武功？」

黑衣人冷笑一聲，道：「你是井底之蛙，不知天地之大。正因她們心無所念，不知牽掛，不論學什麼，都能夠專心致志，一月的成就，抵得常人一年有餘。」

王修道：「這麼說來，這座秘室中人，都已是身負絕技，一身成就的人了？」

黑衣人道：「不錯，她們每一個人，都可算得江湖上第一流的高手。」

江曉峰道：「但她們沉睡如死，全無警覺，如是我們適才要下手，取她們的性命，只怕等閣下到此之時，她們早已經身首異處了。」

黑衣人道：「你覺著她們在熟睡之中，就可以一劍把她們殺死？那你就不妨試試看。」

側身繞過幾人，伸手揭開了一張床上的黑布，道：「你動手吧！」

請續看《翠袖玉環》（四）大結局

臥龍生武俠經典珍藏版 39

翠袖玉環（三）

作者：臥龍生
發行人：陳曉林
出版所：風雲時代出版股份有限公司
地址：10576台北市民生東路五段178號7樓之3
電話：(02) 2756-0949
傳真：(02) 2765-3799
執行主編：劉宇青
美術設計：許惠芳
業務總監：張瑋鳳
出版日期：臥龍生60週年珍藏版 2023年5月
版權授權：春秋出版社呂秦書
ISBN ：978-986-5589-80-6
風雲書網：http://www.eastbooks.com.tw
官方部落格：http://eastbooks.pixnet.net/blog
Facebook：http://www.facebook.com/h7560949
E-mail：h7560949@ms15.hinet.net
劃撥帳號：12043291
戶名：風雲時代出版股份有限公司

風雲發行所：33373桃園市龜山區公西村2鄰復興街304巷96號
電話：(03) 318-1378　　傳真：(03) 318-1378
法律顧問：永然法律事務所 李永然律師
北辰著作權事務所 蕭雄淋律師

行政院新聞局局版台業字第3595號 營利事業統一編號22759935
©2023 by Storm & Stress Publishing Co.Printed in Taiwan
◎如有缺頁或裝訂錯誤，請退回本社更換

定價：320元

版權所有　翻印必究

國家圖書館出版品預行編目資料

翠袖玉環／臥龍生 著. -- 臺北市：風雲時代出版股份有限公司，2021.06- 冊；公分（臥龍生武俠經典珍藏版）
ISBN：978-986-5589-78-3（第1冊：平裝）
ISBN：978-986-5589-79-0（第2冊：平裝）
ISBN：978-986-5589-80-6（第3冊：平裝）
ISBN：978-986-5589-81-3（第4冊：平裝）

863.57　　110007332